DiFfinio Dwy Lenyddiaeth Cymru

Y MEDDWL A'R DYCHYMYG CYMREIG

Golygydd Cyffredinol
John Rowlands

Mae teitl y gyfres hon o astudiaethau beirniadol ar lenyddiaeth yn fwriadol eang ac annelwig, oherwydd gobeithir cynnwys ynddi ymdriniaethau amrywiol iawn â lluosogedd o bynciau a themâu. Bu tuedd hyd yn hyn i ysgolheigion a beirniaid Cymraeg ganolbwyntio ar gyhoeddi testunau a'u hesbonio, neu ysgrifennu hanes llenyddiaeth, ac fe fydd sefydliadau megis y Ganolfan Uwchefrydiau Cymreig a Cheltaidd a'r Academi Gymreig yn sicrhau bod y gweithgareddau sylfaenol hynny yn parhau. Ond daeth yn bryd hefyd inni drafod a dehongli'r themâu sy'n ymwau trwy'n llenyddiaeth, ac edrych yn fanylach ar y meddwl a'r dychymyg Cymreig ar waith. Wrth gwrs fe wnaed rhywfaint o hynny'n barod gan feirniaid mor wahanol â Saunders Lewis, Bobi Jones a Hywel Teifi Edwards, ond mae yna agweddau lu ar ein dychymyg llenyddol sydd naill ai heb eu cyffwrdd neu'n aeddfed i gael eu trafod o'r newydd.

Y casgliad hwn o erthyglau ar ddwy lenyddiaeth Cymru yw'r gyfrol gyntaf yn y gyfres, ac y mae'i theitl yn fynegiant o'r awydd i dorri dros ffiniau traddodiadol. Gan fod y cyfranwyr yn arbenigo ar feysydd gwahanol iawn i'w gilydd, ac yn ymdrin ag amrywiaeth o bynciau, mae hon yn gyfrol luosacennog. Bydd y rhan fwyaf o gyfrolau'r gyfres, fodd bynnag, yn waith un awdur, ond serch hynny'n di-ffinio neu ailddiffinio'r pwnc dan sylw. Ymysg y pynciau i'w trafod bydd y Gymraes yn llenyddiaeth y ganrif ddiwethaf, rhyddiaith ynghylch y Rhyfel Byd Cyntaf, themâu yn y ddrama Gymraeg, merched yn llenyddiaeth yr Oesoedd Canol, yr arwrgerdd, y dychymyg hoyw mewn llenyddiaeth Gymraeg a meddwl y Cywyddwyr.

Y MEDDWL A'R DYCHYMYG CYMREIG

DiFfinio
Dwy Lenyddiaeth Cymru

golygwyd gan
M. Wynn Thomas

GWASG PRIFYSGOL CYMRU
CAERDYDD
1995

ISBN 0-7083-1329-9

Mae cofnod catalogio'r gyfrol hon ar gael gan y Llyfrgell Brydeinig.

Gwnaethpwyd pob ymdrech i ddod o hyd i berchnogion hawlfraint y lluniau a ddefnyddir yn y gyfrol hon, ond yn achos ymholiad dylid cysylltu â'r cyhoeddwyr.

Cyhoeddwyd gyda chymorth ariannol Cyngor Celfyddydau Cymru.

Llun y clawr: *Pale Bands* (1974) gan Hanlyn Davies, trwy ganiatâd M. Wynn Thomas

Dyluniwyd y clawr gan Ruth Evans

Cysodwyd yng Ngwasg Prifysgol Cymru, Caerdydd

Argraffwyd yng Nghymru yng Ngwasg Dinefwr, Llandybïe

Diolchiadau

Carwn ddiolch i'r cyfranwyr am eu hamynedd hael a'u cydweithrediad parod. Bu golygydd y gyfres, Dr John Rowlands, yn gefn cadarn i fi, ac yn ôl ei arfer bu fy ewythr, Mr Brinley Rees, yn gymorth di-ffael. Mae fy nyled i'n fawr i Mr Roger Davies am ddarparu ffotograffau mor ardderchog, ac i Mr William Howells am ei waith trylwyr yn paratoi'r mynegai, ond carwn gydnabod yn bennaf ofal manwl Ruth Dennis-Jones, Gwasg Prifysgol Cymru, am y gyfrol hon.

M. WYNN THOMAS

Cyfranwyr

JANE AARON: Uwch-Ddarlithydd yn Adran y Saesneg, Prifysgol Cymru, Aberystwyth, ac awdur/cyd-olygydd nifer o gyfrolau, gan gynnwys *A Double Singleness: Gender and the Writings of Charles and Mary Lamb*, ac *Our Sisters' Land: The Changing Identities of Women in Wales*.

HYWEL TEIFI EDWARDS: Athro Emeritws y Gymraeg, Prifysgol Cymru, Abertawe, ac awdur toreithiog. Ymhlith y cyfrolau a gyhoeddwyd ganddo y mae *Gŵyl Gwalia, Codi'r Hen Wlad yn ei Hôl*, ac *Arwr Glew Erwau'r Glo*.

KATIE GRAMICH: Cyfarwyddwr Astudiaethau Cymreig, Coleg y Drindod, Caerfyrddin, ac awdur nifer o ysgrifau ac adolygiadau yn y Gymraeg yn ogystal ag yn y Saesneg.

GREG HILL: Pennaeth Addysg Cyffredinol, Coleg Ceredigion, Aberystwyth, ac awdur nifer o ysgrifau ac adolygiadau. Ef oedd golygydd olaf y cylchgrawn *Anglo-Welsh Review*, a golygir *Materion Dwyieithog/Bilingual Matters* ganddo.

DAFYDD JOHNSTON: Athro'r Gymraeg, Prifysgol Cymru, Abertawe ac awdur/golygydd/cyfieithydd nifer fawr o gyfrolau yn y Gymraeg ac yn y Saesneg. Un o'i lyfrau diweddaraf yw ei argraffiad safonol, *The Complete Poems of Idris Davies*.

HARRI PRITCHARD JONES: nofelydd, awdur storïau byrion, sgriptiwr, a meddyg. Ef yw Cadeirydd presennol Adran Gymraeg yr Academi Gymreig, ac ymhlith ei gyhoeddiadau amrywiol ceir y nofel *Ysglyfaeth*.

M. WYNN THOMAS: Athro'r Saesneg, Prifysgol Cymru, Abertawe, ac awdur/golygydd deuddeg o lyfrau. Cyfieithiad o gerddi Walt Whitman, *Dail Glaswellt*, yw ei gyfrol ddiweddaraf.

GERWYN WILIAMS: Darlithydd yn y Gymraeg, Prifysgol Cymru, Bangor. Mae'n gyd-olygydd y cylchgrawn *Taliesin* ac yn enillydd y goron (1994). Cyhoeddwyd casgliad o'i gerddi, *Rhwng y Cŵn a'r Brain* yn 1988, ac *Y Rhwyg: arolwg o farddoniaeth Gymraeg ynghylch y Rhyfel Byd Cyntaf* yn 1993.

Cynnwys

Lluniau

Rhagymadrodd

M. WYNN THOMAS

Ar ddiwedd y ddeunawfed ganrif, cyfeiriodd un awdur yn feirniadol at 'athrylith anghymdeithasgar ieithoedd gwahanol'. Byddai'n amgenach i bobl feddwl am ieithoedd, meddai, fel 'llynnoedd y mae eu dyfroedd yn ymburo ac yn ymloywi drwy'r cynnwrf a ddaw wrth iddynt gymysgu â'r dyfroedd o afonydd gerllaw'.[1] Maentumiodd ymhellach mai dim ond trwy gyfathrebu â'i gilydd, a thrwy daro'n gystadleuol yn erbyn ei gilydd, y gallai ieithoedd modern ffynnu.

Sais oedd yr awdur hwnnw, a thebyg ei bod hyd y dydd heddiw lawer yn haws i Sais nag yw i Gymro Cymraeg feddwl am y gwrthdaro rhwng ieithoedd gwahanol fel rhywbeth naturiol, iachusol, creadigol. Wrth synied felly fe anwybyddir yr anghyfartaledd cymdeithasol a gwleidyddol a all sicrhau ffyniant un iaith ar draul iaith arall. Fe wyddom ni yng Nghymru o brofiad am y gweddau cudd, cymhleth, ar gymdeithaseg iaith, ac fe wyddom am y modd y gall arglwyddiaeth ieithyddol a diwylliannol fod yn ymhlyg mewn llenyddiaeth hefyd. Felly, mae'n naturiol, ac yn briodol, inni feddwl yn gyntaf am y berthynas rhwng llên Gymraeg a llên Saesneg Cymru fel perthynas 'anghymdeithasgar', ddrwgdybus, elyniaethus. Yn wir, tybiwn yn aml mai trwy ymosod ar y gymdeithas Gymreig y rhoddodd Caradoc Evans fod i lên 'Eingl-Gymreig'. O leiaf, dyna'r gred gyffredin, ac fe aeth D. Tecwyn Lloyd mor bell â dadlau fod Caradoc Evans yn dilyn esiampl yr awduron Saesneg, haerllug o anwybodus, a fuasai'n creu darluniau ffuantus, cartwnaidd o Gymru er cyfnod Elizabeth I.[2] Ond tybed a yw'r darlun hwn o darddiad llenyddiaeth Eingl-Gymreig y cyfnod modern yn un cwbl wir? Os canolbwyntiwn, er enghraifft, ar ddramâu J. O. Francis – a ysgrifennwyd ychydig yn gynharach na storïau Caradoc Evans – yna fe sylweddolwn nad trwy ymosod ar y Gymraeg y cychwynnodd llên Saesneg ddilys Gymreig ond drwy ymwneud ag agweddau ar brofiadau'r gymdeithas ddiwydiannol newydd yn ne-ddwyrain Cymru yr oedd y Saesneg yn rhan annatod ohoni. Felly yr oedd y llên honno yn y bôn yn ymateb annibynnol, diffuant, i amgylchiadau cymdeithasol newydd. Ond nid dyna ddiwedd y stori chwaith, oherwydd yr oedd J. O. Francis yn rhan o fudiad drama newydd a gynhwysai ddramâu Cymraeg D. T. Davies a W. J. Gruffydd. Ymhellach, yr oedd Francis – a Caradoc Evans yntau, cofier – yn perthyn i genhedlaeth o awduron yng Nghymru a wrthryfelai yn erbyn gormes y sefydliad Anghydffurfiol, ac ymhlith arwein-wyr y genhedlaeth honno yr oedd awduron Cymraeg megis T. Gwynn Jones, W. J. Gruffydd a'r Saunders Lewis ifanc.[3]

Dengys hyn pa mor orsyml ac annigonol yw'r syniadau deuol, gwrthgyferbyniol, sydd gennym fel arfer am berthynas y naill lenyddiaeth â'r llall yn y Gymru fodern. Ysywaeth, nid oes gennym fodelau deallusol cymwys ar gyfer y berthynas gyson newidiol, amlweddog honno, a hyd yn hyn ni wnaethpwyd digon o'r gwaith ymchwil ymarferol, manwl, cychwynnol a fyddai'n galluogi modelau cynhwysfawr o'r fath i ddatblygu. Serch hynny, mae ambell unigolyn wedi'n gosod ar ben y ffordd – unigolion sydd yn dilyn ôl troed pobl fel Aneirin Talfan Davies a Pennar Davies, a fu'n ddolennau cyswllt mor werthfawr rhwng y ddwy lenyddiaeth yn eu cyfnod. Gwnaeth Tony Conran a Bobi Jones yn fawr, er enghraifft, o'r traddodiad o ganu mawl sy'n brigo i'r wyneb ym marddoniaeth Saesneg gyfoes Cymru yn ogystal ag yn y farddoniaeth Gymraeg.[4] Mae Tony Conran hefyd wedi dadlau, a Jeremy Hooker yr un modd, fod gweddau ar y diwylliant Cymreig (megis brogarwch, agosatrwydd cymdeithasol, gwerthoedd democrataidd ac ati) yn dirgel lywodraethu'r ffordd y bydd beirdd Eingl-Gymreig yn ymagweddu yn eu cerddi.[5] Dangosodd Tony Bianchi sut y mae gwerthoedd y dosbarth deallusol Cymreig yn ymhlyg yn nhraethu R. S. Thomas yn ogystal ag yn y testunau a drafodir ganddo.[6] A bu Gerwyn Wiliams ac eraill yn dadlennu'r cyfeiriadau at lenyddiaeth Gymraeg sy'n hydreiddio nofelau pwysicaf Emyr Humphreys,[7] gan greu'r hyn a alwyd gan John Rowlands yn 'we ryngdestunol'.[8]

Fe welir yn syth mai sôn y mae'r rhain i gyd am ddylanwad y cefndir diwylliannol/llenyddol Cymraeg ar lên Saesneg Cymru. Bach iawn o drafod a fu ar y sefyllfa i'r gwrthwyneb, a hynny am nifer o resymau mae'n debyg. Yn gyntaf, ac yn bennaf, mae'r Cymry Cymraeg am bwysleisio arwahanrwydd cyfoethog eu diwylliant llenyddol hwy trwy wadu fod a wnelo llên Saesneg ddiweddar Cymru ddim ag ef. Yn wir, ymddengys weithiau fod tabŵ i bob pwrpas ar drafod y testun hwnnw, am resymau gwleidyddol-ddiwylliannol y mae'n hawdd iawn cydymdeimlo â hwy. At hynny, fe ellir dadlau yn gytbwys ac yn berffaith deg na chafodd llên Eingl-Gymreig fel y cyfryw fawr o ddylanwad uniongyrchol ar y byd llên Cymraeg. (Mater arall yw'r dylanwad a gafodd llên Lloegr neu lên America ar y byd llên hwnnw, wrth gwrs, ac fe roddwyd sylw gwerthfawr i hynny gan Ned Thomas, yn achos Waldo Williams, a chan Alan Llwyd, yn achos R. Williams Parry, er enghraifft.[9]) Eithriadau, mae'n debyg, yw diddordeb Alun Llywelyn-Williams yng ngwaith llenorion Eingl-Gymreig y tridegau, dyweder, neu ddiddordeb Euros Bowen yng ngwaith Dylan Thomas. (Onid oes traethawd pwysig iawn i'w ysgrifennu, gyda llaw, am y modd yr ymatebodd awduron a deallusion llên Cymru i Dylan?)

Eithaf teg, ond onid syniadau go elfennol am natur 'cydberthynas' neu 'ddylanwad' sy'n llechu y tu ôl i gasgliadau fel hyn? Oni fyddai'n ddiddorol holi, er enghraifft, pa effaith gyffredinol a gafodd twf, a phresenoldeb cynyddol, llên Eingl-Gymreig ar ddatblygiad llên Gymraeg y ganrif hon? Onid yw'n bosibl mai ymateb i'r datblygiad hwnnw, i raddau bach beth bynnag, oedd y pwyslais a gafwyd yn y Gymraeg ar 'dradd-odiad llên' hunangynhaliol, hynafol? Ar ganol y tridegau fe draddododd Saunders Lewis ddarlith enwog lle y dangosodd fod bodolaeth llên Saesneg yng Nghymru yn destun pryder iddo: tybed a gafodd y diddordeb pryderus hwnnw ddylanwad ar ei ddatblygiad ef fel bardd ac fel dramodydd? Tybed a fu gan lên Eingl-Gymreig, Eingl-Americanaidd ei naws, gyfran yn natblygiad Saunders Lewis fel awdur 'Ewropeaidd'? Wedi'r cyfan y mae adwaith yn wedd bwysig ar ddylanwad. Fe fyddai'n ddiddorol ymchwilio i'r posibilrwydd fod llên Gymraeg a llên Saesneg Cymru wedi bod yn 'arall' pwysig y naill i'r llall y ddwy ffordd, a bod yr 'arall' hwnnw wedi dylanwadu ar ddatblygiad y ddwy lenyddiaeth yn ystod y ganrif hon. Does neb eto, hyd y gwn i, wedi mynd ati, er enghraifft, i drafod o ddifrif y defnydd a wnaed gan Keidrych Rhys yn y cylchgrawn beiddgar *Wales* a Gwyn Jones yn y cylchgrawn allweddol *The Welsh Review* o waith gan awduron a ysgrifennai yn y Gymraeg. A does neb, chwaith, wedi dadansoddi dylanwad cyfieithiadau Gwyn Williams (*The Burning Tree*) a Tony Conran (*The Penguin Book of Welsh Verse*) ar genhedlaeth gyfan o feirdd Eingl-Gymreig. Ymhellach, mae lle i rywun ddechrau astudio'r effaith a gafodd Saunders Lewis ar awduron a ysgrifennai yn y Saesneg yng Nghymru: fe ellir ystyried R. S. Thomas[10] ac Emyr Humphreys, yn sicr, yn 'etifeddion' Saunders Lewis, ond hefyd mae lle i amau fod elfen o adwaith bwriadol yn erbyn y cysyniad Saundersaidd am y llenor ymrwymedig i'w weld yng ngwaith Leslie Norris, John Ormond a Dannie Abse, dyweder. Ac o ddilyn y trywydd hwn, hwyrach y darganfyddwn fod perthynas ddiddorol rhwng gwaith y tri bardd hyn a gwaith beirdd Cymraeg fel Gwyn Thomas ac R. Gerallt Jones.

Camsyniad, yn fy marn i, yw ceisio esbonio'r dadeni llenyddol gwych a welwyd yn y Gymraeg yn y ganrif hon heb gofio am y llên Saesneg wefreiddiol newydd a ymddangosodd fwy neu lai ar yr un pryd. Hyd yn oed os yw dyn am gredu na fu i'r ail ddatblygiad 'ddylanwadu' mewn unrhyw ffordd yn y byd ar y datblygiad cyntaf, yna o leiaf fe fyddai'n werth inni ystyried y posibilrwydd fod perthynas glòs rhwng y prosesau cymdeithasol deinamig a esgorodd ar y naill ddatblygiad fel y llall. Ymhellach, fe ddylid defnyddio cynnyrch llenyddol y dadeni Cymraeg i oleuo gwahanol nodweddion cynnyrch llenyddol y deffroad Saesneg, gan wneud yr un peth hefyd i'r gwrthwyneb. Wrth gwrs, golyga hynny bwysleisio'r gwahaniaethau ffurf a thestun rhwng llên Gymraeg a llên Saesneg y Gymru fodern. Ond fe ddylem fod yn effro, ar yr un pryd, i'r cyffelybiaethau arwyddocaol a all lechu dan wyneb rhai o'r gwahaniaethau mwyaf amlwg. Er enghraifft, yr oedd arbrofion T. Gwynn Jones yn y canu caeth a nofelau Marcsaidd chwyldroadol Lewis Jones fel ei gilydd yn ffordd greadigol o ymateb i gyfnewidiadau cymdeithasol enbyd ac yn ffrwyth ymdrech y ddau awdur i ddefnyddio'u dychymyg i adeiladu byd gwell. Eithr nid oes angen chwilio am enghraifft mor

---

eithafol, neu mor annisgwyl, â honno. Meddylier yn hytrach am yr hiraeth am fywyd diflanedig a geir yn ngherddi T. Harri Jones, Leslie Norris a John Ormond yn ogystal ag yng nghymaint o gerddi Cymraeg y chwedegau a'r saithdegau. Neu sylwer ar y ffordd y mae nofel newydd Mihangel Morgan, *Dirgel Ddyn*, a chasgliad diweddar Robert Minhinnick, *Looters*, yn mynegi'r wedd gyffrous a'r wedd gythryblus ar y gymdeithas ansefydlog sydd ohoni yn y Gymru gyfoes. Bu beirniadaeth lenyddol draddodiadol yng Nghymru braidd yn amharod i fynd i'r afael ag ystyriaethau cymdeithasegol/diwylliannol fel hyn sy'n anwybyddu'r ffin rhwng y ddwy iaith, ond hwyrach y cânt well sylw drwy gyfrwng yr 'astudiaethau diwylliannol' sy'n prysur ennill tir mewn rhai mannau ar hyn o bryd. Mae argoelion hefyd y gall astudiaethau benywaidd fod o fudd yn y cyswllt hwn, fel y dengys cyfraniadau'r ddwy ferch i'r gyfrol hon.

Yn sicr fe fydd angen llyfr swmpus, cynhwysfawr, maes o law, i wyntyllu'r pynciau a grybwyllwyd yn y rhagymadrodd hwn. Hwyrach y llwydda'r llyfr hwnnw, hefyd, i osod rhyw fath o drefn gredadwy, gymeradwy, ar yr holl drafodaethau. Eithr, ysywaeth, nid y llyfr hwn yw'r llyfr hwnnw! Yn hytrach fy ngobaith i, wrth dderbyn gwahoddiad caredig John Rowlands i olygu'r gyfrol hon, oedd y medrwn gasglu ynghyd ysgrifau amrywiol a fyddai'n cynnig cip cyffrous inni ar ehangder y maes dan sylw. Gobeithiwn ymhellach y medrai'r ysgrifau enghreifftio rhyngddynt yr ystwythder meddwl y mae'n rhaid inni wrtho os ydym am ddeall cymhlethdod y gweddau 'anghymdeithasgar' a 'chymdeithasgar' ar y berthynas rhwng y naill lenyddiaeth a'r llall yng Nghymru yn ystod y ganrif hon. Yn fy marn i, dyma'r union gymwynas a wneir orau gan gasgliad o ysgrifau a baratowyd gan gyfranwyr sydd fel arfer yn gweithio mewn meysydd pur wahanol i'w gilydd. Mae'n amlwg mai union gryfder casgliad o'r fath yw'r safbwynt a'r pwysleisiau gwahanol amlygir ganddo, ac fe garwn ddiolch yn gynnes i'r cyfranwyr i gyd am wireddu fy ngobeithion yn hyn o beth.

Nodiadau

[1] M. Maty, 'Letter to the Author', yn Edward Gibbon, 'An Essay on the Study of Literature', yn Lord Sheffield (ed.), *The Miscellaneous Works*, (London, 1837). Dyfynnwyd yn Timothy L. Reiss, 'Mapping identities:

literature, nationalism, colonialism', *American Literary History* 4, no. 4 (Winter, 1992), 674.

[2] 'Parodi ar Gymru', *Llên Cyni a Rhyfel* (Llandysul, 1987), 192–216.

[3] M. Wynn Thomas, 'All change: the new Welsh drama before the Great War', yn *Internal Difference: twentieth-century writing in Wales* (Cardiff, 1992), 1–24.

[4] Er enghraifft, gweler Tony Conran, 'Introduction', *Welsh Verse* (Bridgend, 1986), 23–110; ac 'After the Funeral: the praise-poetry of Dylan Thomas', yn Tony Conran, *The Cost of Strangeness* (Llandysul, 1982), 180–8.

[5] Gweler Jeremy Hooker, *The Presence of the Past* (Bridgend, 1987).

[6] Tony Bianchi, 'R. S. Thomas and his readers', yn Tony Curtis (ed.), *Wales: The Imagined Nation* (Bridgend, 1986), 71–95.

[7] Gerwyn Wiliams, 'Options and allegiances: Emyr Humphreys and Welsh Literature', *Planet* 71 (1988), 30–6.

[8] 'Nodiadau Golygyddol', *Taliesin* 82 (Haf, 1993), 5.

[9] Alan Llwyd, *R. Williams Parry* (Caernarfon, 1984); Ned Thomas, *Waldo* (Caernarfon, 1985).

[10] M. Wynn Thomas, 'R. S. Thomas and Wales', yn William V. Davis (ed.), *Miraculous Simplicity: essays on R. S. Thomas* (Fayetteville, 1993), 61–79.

O'r Pentre Gwyn i Llaregyb

HYWEL TEIFI EDWARDS

Yng nghanol heldrin yr Ail Ryfel Byd y cyfansoddodd J. M. Edwards y gerdd 'Pentrefi Cymru'. Fe'u gwelodd yn geyrydd yn 'Aros yn eich symledd ar draethau'r môr anniddig', yn wynebu'r bwystfil o'r tu mewn i sicrwydd eu ffiniau digyfnewid y deuai'r cof amdanynt â 'Holl gerddi a lliwiau ieuenctid . . .' yn ôl i'w plant yn y dinasoedd materol, di-ffin. Ceid balm o'r pentrefi:

> Daw arnom eich tangnefedd eilwaith megis salm,
> Megis cysgod palmwydden garedig ar gôl y crastir.
> Lle mae undod y ceinciau, yno y mae brig bro,
> Yno y cawn hefyd weddillion y bywyd
> A dyfodd erioed yn flaguryn parch, yn falchder
> Ein mamwlad ni.
>
> Rhyngom a'r hyrddwynt chwychwi yn unig a saif,
> Gobaith ein hiraeth ydych.
> Lle mae'r gwraidd yn grymuso'r grawn,
> Dyddgwaith yn blodeuo yn ddefod foddhaus,
> Oriau hwyrddydd yn aeddfedrwydd hamdden.
> A Sul yn gynhaeaf y saint.[1]

Cafodd J. M. Edwards ei hun yn troi at y noddfa bentrefol a fuasai at alwad beirdd a nofelwyr Ewrop er dechreuad y mudiad Rhamantaidd. Ac nid dyna'r tro cyntaf iddo droi ati, na'r tro olaf chwaith.

Yn Eisteddfod Genedlaethol Machynlleth, 1937, ei bryddest ef ar 'Y Pentref' a gipiodd y goron er na roes ei ddefnydd o'r mesur moel fawr o bleser i T. Gwynn Jones a Simon B. Jones.

Disgrifiodd lanc yn syrffedu ar fywyd caeedig ei bentref gan
farnu mai

> Ofer troi yn hwy
> Ymysg y rhai na fedrant weld y byd
> Yn lletach na'u diddordeb bach a'u greddf
> Gymdogol hwy.

Y mae'n dianc rhag y 'lleddf gaethiwed' a fu'n 'dal yn rhwym/
Flynyddoedd nwydus bywyd,' ac yn

> Ffoi rhag haint
> Cyngor a rhagfarn gwŷr a gwragedd oer
> Eu gwaed, a noddwyr moesau'r wyneb hir.

Clywsai gan 'gymheiriaid hoff' am amgenach ffordd o fyw,

> Am fyw synhwyrus eu penrhyddid llwyr
> A chwim anturiaeth y dinasoedd llawn.

Ac fe'u credodd. Dilynodd hwy ac fe'i dadrithiwyd.[2]
Yn y dref aliwn dôi atgofion am ei gynefin i gynnau

> awydd am ei fyd
> A'i strydoedd bach, di-balmant, a phob drws
> Gan mor gyfarwydd pawb, o led y pen . . .

A chyda'r nos meddyliai am y gwmnïaeth yng ngweithdy Dai'r
Crydd, a Dafydd y Saer yn ei weithdy yntau yn darogan tranc
crefftau'r wlad

> Oni ddeffrown i herio'r estron drais
> A yrr ei gancr i hamdden maith y pridd
> A'i ddeifiol haint dros henaint teg y wlad . . .

a Morgan y Go' yn ei efail yn diolch am 'fedyddiadau'r tân a
losgodd fflam/ "1904" i'w enaid'. Meddyliai am y seiet a'r
gweddïo dwys am 'dirion nawdd a diogel hynt' i blant yr
eglwys. Ac wrth feddwl y mae'n gweld ffolineb ei ymdrech i
ymwadu ag ef ei hun. Y pentref a'i piau:

> Ni chaf
> Gysur ym mreichiau henaint onid hyn

Bridge and Village – Llanrhystyd

Llanrhystud c.1930

Ac aros eilwaith wrth ffynhonnau rhin
Unigrwydd mawr y galon, yna troi
I orffwys yn fy ngweryd diwahardd
A thirion law yr henfro i ddal fy llwch!

. . .

'Rwy' fyth ynghlwm wrth bentref dinod mwy
Gan hiraeth llawn y fron a'm dagrau tost![3]

Cynigiwyd tri thestun i bryddestwyr 1937 ganu arnynt, sef 'Y
Pentref', 'Cyni' a 'Powys'. O'r pedwar ar ddeg a gystadlodd, 'Y
Pentref' oedd dewis wyth ohonynt a 'Cyni' oedd dewis y chwech
arall. O gofio'r amserau gellid disgwyl i 'Cyni' esgor ar ganu
grymus, ond dim ond pryddest 'Ariannin' a gafodd le ymhlith y
pedair gorau er ei bod yn amlwg iddo geisio 'gorfodi' cerdd
flaenorol ar fenter Patagonia i ateb gofynion 'Cyni'. Fel y gellid
disgwyl, yr oedd yn haws atgofioni a theyrngedu'n llawn-galon
i bentrefi bore oes nag ydoedd i ddod o hyd i weledigaeth
ac arddull a drôi gymunedau dirwasgedig Cymru yn fater
barddoniaeth ergydiol, ac y mae siom y beirniaid i'w briodoli i'r
ffaith iddynt gael eu dwyn at bentrefi unwedd gan dywyswyr a
lynai wrth hen gyfarwyddiadau. Sylwodd Simon B. Jones fod
stori'r bryddest fuddugol 'mor hen â llenyddiaeth gyntaf y byd'
a'r awgrym yw na fyddai dim o'i le ar hynny petai'r bardd
wedi'i dweud o'r newydd. Dangosodd T. Gwynn Jones ei fod yn
dyheu am feiddgarwch pan sylwodd ar un o'r 'cameos' yn y
pryddest 'O'r Tŵr' –

Dim ond Rebecca Puw yn cyrchu dŵr o'r pistyll,
A chleisiau ar ei gruddiau,
A gwaed,
A phawb yn cofio Tomos Puw,
Yn dod o'i hynt
Y noson gynt,
A'r plant yn dianc nerth eu traed.

– a dweud: 'Dylai peth fel hyn wneud lles i brydyddiaeth
Gymraeg.'[4]

Yn 1937, fodd bynnag, parhâi'r pentref Cymraeg yn gadarnle'r
Gymru lân a llonydd, yn bwerdy'r gwerthoedd gwerinol y
dibynnai enaid y genedl, fel y tybid, ar eu nodd. A phrin fod
rhaid dweud mai pentref gwledig ydoedd y pentref rhiniol yn ei
hanfod, pentref a oedd yn rhinwedd y briodas rhwng harddwch

ei leoliad a daioni ei drigolion yn symbol o'r gwarineb a hanfyddai mewn ffordd oesol o fyw a gynganeddai â throeon y rhod a rhythmau byd natur. Ar 3 Hydref 1951, diolch i'r BBC, cafodd J. M. Edwards gyfle eto i fawrhau'r gwarineb hwnnw gerbron cynulleidfa genedlaethol pan ddarlledwyd ei bryddest radio 'Y Pentref', a'r tro hwn, fel y cawn weld yn nes ymlaen, roedd ei arddull yn llawer mwy enillgar.

O Loegr y daeth y pentref delfrydedig hwn i Gymru. Fe'i dyrchafwyd gan artistiaid a dehonglwyr y Pictiwrésg yn niwedd y ddeunawfed ganrif yn hoffter llên, llun a phensaernïaeth a bu'r wedd honno ar Ramantiaeth a gododd lef yn erbyn hylltod y Chwyldro Diwydiannol yn foddion i drosglwyddo'i ddelwedd yn ei grym nostalgaidd i'r ugeinfed ganrif. I ddyfynnu Gillian Darley: 'The Picturesque in fact encouraged a nostalgia which was already present but which became all the more forceful once the Industrial Revolution made itself felt.'[5] I 'waredwr' â'i fryd ar ddyrchafu Cymru ar sail ei gwerin yr oedd apêl y pentref pictiwrésg yn ddiwrthdro ac nid yw'n ddim syndod mai O. M. Edwards, yn niwedd y ganrif ddiwethaf, a welodd fod i bentref hardd, fel i gartref teg, ran hollbwysig yn y frwydr 'I godi'r hen wlad yn ei hôl'. Ni raid amau i John Ruskin, William Morris a'r Cyn-Raphaelyddion agor ei lygaid i'r gwirionedd hwnnw yn ystod y blynyddoedd a dreuliodd yn Rhydychen.

Mewn erthygl ar 'The Discovery of Rural England' y mae Alun Howkins wedi dangos i gymaint graddau – o wythdegau'r ganrif ddiwethaf hyd yr Ail Ryfel Byd – y syniwyd am 'the real England' yn nhermau'r gwledig, ac yn fwyaf arbennig yn nhermau de Lloegr, 'the "south country"'. Yno yr oedd y gymdeithas organig, naturiol iach a daionus i'w chael, y math o gymdeithas y sylweddolwyd ei gwerth fwyfwy yn y blynyddoedd cyn Rhyfel Byd 1914–18 pan geisiwyd gwrthweithio drygau canrif o ddiboblogi wrth i'r pleidiau gwleidyddol a'r economegwyr ddyfeisio polisïau a ddangosai ddoethineb dychwelyd i'r wlad: 'In contrast to the towns, and London in particular, the country and country people were seen as the essence of England, uncontaminated by racial degeneration and the false values of cosmopolitan urban life.' Golygai sylweddoli'r canfyddiad hwnnw, yn ôl Howkins, fod yn rhaid, ar ôl pwysleisio rhagoriaeth y bywyd trefol cyhyd, ailysgrifennu hanes diwylliannol Lloegr a darganfod 'a new Englishness . . . which accorded with changed perceptions of society'.[6]

Aed ati i adfeddiannu gwerthoedd diwylliant diledryw 'Tudor England', y Lloegr Duduraidd a wreiddiwyd ym mlynyddoedd olaf teyrnasiad Elizabeth I, gan ymroi i boblogeiddio'i cherddoriaeth werin a gosod stamp ei phensaernïaeth ar bentrefi'r 'south country'. Ond yn llyfrau awduron megis W. H. Hudson, Edward Thomas a George Sturt, yn bennaf, y crewyd y wlad hudol honno a'i sodro'n rhan o ideoleg genedlaethol. Troesant ryw Loegr benodol-wledig yr hanfyddai ynddi ymwybod â pharhad a chytgord, yn ddelfryd ac, yn ôl Howkins, i ddegau o filoedd o filwyr – y rhan fwyaf ohonynt wrth gwrs yn drigolion dinas a thref – y delfryd hwnnw oedd craidd y wlad yr aethant i ymladd drosti yn 1914. A chryfhau gafael y delfryd ar galonnau'r bechgyn oedd pwrpas llawer o'r llên bropaganda a ddarparwyd ar eu cyfer, megis *The Old Country*, antholeg yr *YMCA* a olygwyd gan Ernest Rhys ar ran Llyfrgell Pobun. I ddyfynnu un o frawddegau cofiadwy Howkins: 'In Flanders, in the very antithesis of England's South Country, the rural ideal was enshrined by mass slaughter.'[7]

Wedi Rhyfel Byd 1914–18 byddai heidio cyson i'r wlad i ddarganfod 'England as it "really was", unspoilt and natural'. Yn 1924 lleisiodd Stanley Baldwin farn ddigamsyniol boblogaidd pan ddywedodd: 'To me, England is the country, and the country is England.' Dan ganu –

> There'll always be an England
> While there's a country lane,
> As long as there's a cottage small
> Beside a field of grain . . .

– y martsiodd meibion Lloegr i wynebu'r Natsïaid, ac y mae Malcolm Chase, hefyd, wedi dadlau fod y llenydda a fynnai fod ansoddau hanfodol 'Englishness' i'w canfod yn y Lloegr wledig wedi cyrraedd uchafbwynt rhwng 1930 ac 1945. Iddo ef, 'The rural idyll of the pre-war and wartime period reacted to economic and social instability by positing an idealised view of rural society, landscape, and virtue', a thanlinellodd ymagwedd adain dde awduron megis C. H. Warren a H. J. Massingham, y naill yn awdur *The Land is Yours* (1943) a'r llall yn olygydd *The Natural Order* (1945). Gwladwr oedd y Sais pur: 'No one is a true Englishman, or has lived a fully-balanced life, if the country has played no part in his development.'[8]

Dechreuodd y broses o 'ddarganfod' y Lloegr wledig yn niwedd y bedwaredd ganrif ar bymtheg yng nghyd-destun dirwasgiad amaethyddol a gofid yn wyneb y trefoli cynyddol, a chyflymodd y broses rhwng y ddau Ryfel Byd i'r fath raddau fel y gellid dadlau yn 1940 mai'r Lloegr wledig ar ei phen ei hun a heriai fryntni Natsïaeth. A'r pentref, yn anad dim, oedd dynodwr glendid y Lloegr honno: 'The best of England is a village,' chwedl Warren yn ei lyfr, *England is a Village* (1940). Yn ystod y rhyfel y cyhoeddodd Gwasg Prifysgol Rhydychen drioleg dra phoblogaidd Flora Thompson, *Lark Rise to Candleford*. Yn ystod y pedwardegau y golygodd Richard Harman y tri chasgliad cysurlon – *Countryside Mood, Countryside Character* a *Countryside Companion*. Ac yn 1946, yn ei gyfrol *Where Man Belongs*, y pennodd Massingham wir drigle dyn: 'In his own place . . . in touch with what is beyond land and time. The simple Christmas story affirms this to be true. Its tale of the infinite lodged in a village is absolute truth in a nutshell.' Gallai Jack Hilton, plastrwr o Rochdale, ymwrthod â myth y pentref diddig-brydferth mewn byr eiriau yn ei lyfr, *English Ways. A Walk from the Pennines to the Epsom Downs in 1939* (1940): 'The Village is mildewy-insular' oedd ei farn ef, ond barn na chylchredai'n eang oedd honno. Yr oedd, fel y dengys Malcolm Chase, gorff solet o ysgrifennu, gan gynnwys cyfrol awdurdodol F. R. Leavis a Denys Thompson yn 1933, *Culture and Environment*, o blaid y pentref fel cymuned organig a ffynnai mewn amgylchedd dynol, creadigol. Nid i'r od a'r arallfydol y perthynai canu clodydd pentrefolrwydd, ac y mae llenyddiaeth Lloegr ar drothwy'r Ail Ryfel Byd yn cyfiawnhau dweud, yng ngeiriau Chase, fod y pentref yn dal i fod 'both a totem of stability and a tabernacle of values'. Felly'n union y syniai J. M. Edwards am bentrefi Cymru fel y dengys y ddwy gerdd y sylwyd arnynt eisoes.[9]

Trwy gydol yr amser y bu'n golygu *Cymru*, o 1891 tan ei farw yn 1920, gofalodd O. M. Edwards fod ugeiniau o bentrefi, y mwyafrif mawr ohonynt yn bentrefi gwledig, fel y gellid disgwyl, yn cael eu portreadu'n gariadus gan eu dyledwyr mewn cyfres ar 'Ardaloedd Cymru'. A phan geisiodd ennyn yr un balchder yng nghalonnau'r Cymry di-Gymraeg yn *Wales* (1894–7) roedd yn ei fryd drachefn i ddefnyddio delweddau o'r pentref i greu'r ysbryd coledd priodol. Yn Ionawr 1896, ochr yn ochr â ffotograff o bedwar o'r hen bobl 'In a Merionethshire Village', apeliodd am help ei ddarllenwyr:

Mewn pentref ym Meirionnydd (*Wales*, January 1896)

I am collecting photographs illustrating Welsh village life of the last century, and would be very grateful for photographs or pictures of village corners, old farmhouses, spinning wheels, old furniture, and of everything relating to the good old times.[10]

Fe'i gorfodwyd i roi'r gorau i *Wales* oherwydd diffyg cefnogaeth, a gwelodd yn ei fethiant brawf o israddolder diwylliannol y 'peasants' di-Gymraeg o'u cyferbynnu â'r werin. Roedd wedi gobeithio gweld *Wales* yn datblygu i fod 'a power in the development of our people in the direction of happiness and purity' ac i'r perwyl hwnnw gwnaethai ymdrech i briodi llun a llên er consurio natur 'idyllic' bywyd gwledig y famwlad. Mae'n ddiau fod a wnelo methiant cynnar *Wales* â'r ffaith na chafodd y Gymru ddiwydiannol fawr o le yng nghyhoeddiadau O. M. Edwards ac, er cymaint y defnyddiodd y camera i gyfoethogi *Cymru*, gan ymlawenhau pan gafodd nifer o ffotograffau John Thomas i'w cynnwys yn y cylchgrawn, idiomau'r 'idyllic' yn hytrach nag idiomau'r realaidd a oedd yn cyson liwio'i ymdrech ef i 'godi'r hen wlad yn ei hôl'. Yn amlach na pheidio y mae'r camera, megis brws rhyw Helen Allingham o artist, wrthi'n delweddu gwlad sy'n fwy o fyth rhamantaidd nag o realiti. Y mae Cymru wledig O. M. Edwards, megis Surrey Helen Allingham, yn ddihangfa. Da y gwyddai'r ddau fod grymoedd materol ar waith yn newid 'yr hen fyd' o flaen eu llygaid. Mynnai Allingham (1848–1926) greu seintwar rhag hagrwch y byd modern; mynnai O. M. Edwards grisialu harddwch gwlad a glendid moes grefyddol ei gwerin yn ddelfryd a gadwai'r Cymry yn driw i'r 'pethau gorau'.[11]

Yn Rhydychen, lle daeth Ruskin, William Morris a'r Cyn-Raphaelyddion i goethi ei ymdeimlad greddfol â harddwch a natur bywyd y wlad, ni allai O. M. Edwards lai na gwybod am hirhoedledd yr hiraeth yn llên y Sais am ragoriaeth 'yr hen amser gwledig gynt', yr hiraeth a ganfu Raymond Williams yn dirwyn yn ôl o hanner cyntaf yr ugeinfed ganrif trwy Hardy, George Eliot, Cobbett, John Clare, George Crabbe, Goldsmith – yn ôl hyd at 'Piers Plowman' Langland yn y bedwaredd ganrif ar ddeg, trwy'r Pla Du a Magna Carta, yn ôl o hyd o'r naill 'Old England' at y llall nes cyrraedd, ond odid, fan cychwyn pob 'gwlad' o'r fath – Gardd Eden. Nid oedd llenyddiaeth Gymraeg heb ymwybod â'r un hiraeth, ond ni chawsai mo'i fynegi fel y'i

Bwth Glaslyn (*Cymru*, XXI (1901))

mynegwyd, er enghraifft, gan Goldsmith yn 'The Deserted Village' (1770), gan George Crabbe yn 'The Village' (1783) a chan nifer o nofelwyr o Fielding hyd at Hardy, gan gynnwys Miss Mitford, awdur *Our Village* (1832), a roes gymaint o bleser i Ruskin. Â'i lygaid a'i glustiau llenyddol wedi'u hagor i rym nostalgia fel gallu i ennyn cariad at degwch gwlad a theyrngarwch i ddelfryd, gwelodd O. M. Edwards fod ganddo yn Llanuwchllyn ei faboed a'r wlad o amgylch ddefnyddiau crai y gallai greu ohonynt y math o gymuned a fyddai'n gonglfaen y Gymru werinol deledïw y trigai popeth da ynddi. Y mae ei ragymadrodd i *Rhobet Wiliam, Wern Ddu. Adgofion am dano, gan rai a'i hadwaenent* (1897) yn fwrlwm o ymffrost ym mhlwyf Llanuwchllyn fel costrel athrylith Cymru. Cymru fythig ydyw, wrth gwrs. Y mae'n hawdd dadlennu ei thwyll, ond nid yw mor hawdd gwadu pŵer ei hapêl. Fel golygfeydd Helen Allingham, sy'n fawr eu bri yn Lloegr heddiw, y mae portreadau O. M. Edwards o Gymru ei ddyheadau yn gallu meddiannu dyn yn llwyr. Raymond Williams a ddywedodd, 'Nostalgia, it can be said, is universal and persistent; only other men's nostalgias offend.' Rhyfeddod O. M. yw fod ei nostalgia, er gwaethaf popeth sydd wedi digwydd yng Nghymru'r ugeinfed ganrif, yn dal i'n hatynnu, ac y mae cysgod ei Lanuwchllyn ef yn drwm ar bentrefi ein llên.[12]

Dadleuodd W. J. Gruffydd yn *Owen Morgan Edwards. Cofiant* (1938) iddo weld Llanuwchllyn 'fel arwydd o holl werin Cymru' ac nad oedd yn ei fywyd ar ôl y weledigaeth 'ond un amod, un ymhoniad, un ymdrech, – cadw Llanuwchllyn y weledigaeth drwy wneuthur y gwrthrych ynddo'i hun yn gyfystyr â'r symbol'. Ie, 'cadw Llanuwchllyn fel yr oedd, cadw Cymru fel yr oedd' fyddai ei genhadaeth am oes, a hynny'n bennaf, fel y dywedodd Gruffydd ag arddeliad, am iddo gael golwg fawr ar rinwedd y bobl:

> Golwg a gafodd O. M. Edwards ar bethau, nid clywed y byddai; golwg ar ei dad yn y lluwch eira, golwg ar fynyddoedd Meirion a'r glaw yn ysgubo drostynt, golwg ar hen lafurwyr gwyrgam a mamau'r werin yn codi cyn dydd ac yn hen cyn amser; golwg ar hen bregethwyr y Methodistiaid yn gwrando ar dician y cloc yn nhŷ ei dad. Anwesodd ac anwylodd y gweledigaethau hynny yn ei dawelwch swil a'i bellterau ei hun; a throesant yn grefydd ac yn gredo a oedd fel tân ysol. Ei gredo oedd na welodd y byd erioed y

fath werin; ei grefydd oedd penderfynu cadw y rhagor hwn yn y werin honno.[13]

Edrycher ar 'Ardaloedd Cymru' yn rhifynnau *Cymru*, ac fe welir yr un awydd i oreuro'r diwylliant gwerinol Ymneilltuol sy'n brif addurn bywyd cynifer o'r pentrefi. Y mae'n amlwg fod eu portreadwyr yn gwybod beth a ddisgwylid ganddynt. Troer at lyfr Alfred Thomas, *In the Land of the Harp and Feathers* (1896), sef 'A series of Welsh Village Idylls' a gyhoeddwyd fesul un yn *Wales* (1894–5), a gwelir bod portread yr ysgolfeistr, Ivor Meredith, o Wengroes a'i drigolion yn folawd i bentref cadarn ei ddaioni Calfinaidd lle mae Gwenny a Gomer Shinkin yn ei letya mewn bwthyn '[where] I learnt lessons of love, devotion, honour, and rectitude . . . such as might possibly be equalled, but never excelled, in the greatest university in Europe'. Rhai o dduwiolion Mr Jeffers, 'dear old Jeffers', gweinidog Capel Wengroes, yw Gwenny a Gomer, wrth gwrs; byddai'n annichon i'r rheithor, y Parch. John Leatherhead, MA, ddenu rhai o'u bath, ac ni raid dweud mwy am annheilyngdod Eglwys Loegr na bod y rheithor yn ddieithriad yn anwybyddu'r gweinidog pan groesai eu llwybrau. Y mae Wengroes yn bod i arddangos gogoniant duwiolfrydedd Calfinaidd, ac y mae Gomer yn bod i ddangos sut y mae ffydd Calfin cywir yn gallu troi colledion busnes yn elw. Troer drachefn at lyfr H. Elwyn Thomas, *Where Eden's Tongue Is Spoken Still*, casgliad o 'simple sketches' am drigolion Llanderyn, a cheir bod eu bywydau hwythau i'w gweld yn nrych yr un duwiolfrydedd. Er mwyn dathlu gweith-redoedd da pentrefwyr unplyg y lluniwyd y 'sketches' ac mae Llanderyn i'w weld fel man cymod a gwaredigaeth lle ceir y gorau ar ddrygau'r natur ddynol ymhen hir a hwyr. Y mae hyd yn oed 'y ffeirad', diolch i 'bagan' y Llan sydd wrth gwrs yn Gristion gloyw yn y bôn, yn cael ei dderbyn yn gyflawn aelod o'r gymdeithas lle mae grasusau'r capel yn gallu eneinio pawb a phopeth.[14]

Yn 1906 cyhoeddodd O. M. Edwards y fwyaf hudolus, ond odid, o'i gyfrolau, sef *Clych Atgof*. Yr oedd yn 48 oed a buasai'n 'alltud' yn Rhydychen am nifer o flynyddoedd. Yn *Clych Atgof* consuriodd Lanuwchllyn ei fachgendod gyda holl ddeheurwydd bwriadus athro coleg yr oedd 'codi' Cymru yn genhadaeth ei fywyd. Bwriadau 'gwaredwr' canol oed a luniodd ysgrifau *Clych*

Atgof lle'r ymrithia Llanuwchllyn eto yn gymuned gynddelwig ac ni raid amau mai ef yw ffynhonnell llên faboed y canol oed, llên yr atgofion dethol y mae iddi le mor drawiadol o amlwg yn rhyddiaith Gymraeg y ganrif hon. Llenyddiaeth cadw, coledd a charu ydyw ac y mae iddi o hyd gynulleidfa deyrngar.

Ymhen tair blynedd ar ôl cyhoeddi *Clych Atgof* cyhoeddodd y Parch. R. J. Rowland (Anthropos) *Y Pentre Gwyn* gan ddefnyddio pennill o gerdd Ceiriog, 'Y Garreg Wen,' yn epigraff, fel y defnyddiasai O. M. Edwards linellau o un arall o'i gerddi, 'Mae'n Gymro Byth', yn *Clych Atgof*. Cynhwysodd ffotograffau, hefyd, yn unol ag arfer O. M. i gryfhau apêl nostalgaidd ei atgofion, ac o'r foment yr ymddangosodd *Y Pentre Gwyn* bu'n boblogaidd iawn. Y mae'r ffaith nad enwodd Anthropos mo'i bentref a'i fod, meddai, wedi gwneud 'ymgais i bortreadu y bywyd pentref-ol yng Nghymru cyn i'r cyfnewidiadau "diweddaraf" ei oddiweddyd', yn cyfiawnhau credu ei fod ef yn ystyried gwirionedd ei stori yn wirionedd cyffredinol am ffordd o fyw a fuasai'n nodweddiadol Gymreig. Ac yr oedd yn wirionedd na thalai i Gymru ei anghofio:

> Yr oedd yr allanolion yn hynod syml a diaddurn, a'r Pentre, fel ei drigianwyr, yn gwbl amddifad o unrhyw hynodrwydd, neu hanesiaeth henafol a chyffrous. Ond yn y cyfryw lanerchau y tŷf cymeriadau naturiol a gwerthfawr; ac y mae dylanwad rhai o'r cyfryw wedi ymsuddo i feddwl ac i fywyd Cymru. Nid oes coffa am danynt mewn cylchgrawn na bywgraffiad; ond dichon y bydd yr hyn adroddir am danynt yn yr ystori hon yn rhyw fantais i ereill i weld eu neilltuolion, pan oeddynt yn gwasanaethu eu cenhedlaeth yn y 'Pentre Gwyn'.[15]

Yr oedd Anthropos yn 1909 yn 56 oed a phwysleisiai iddo geisio 'adfeddiannu "meddwl" ein bachgendod; a phortreadu pobl a phethau fel yr oeddynt yn ymddangos i'n llygaid dibrofiad yn y cyfnod hwnnw'. Yr oedd yn consurio bywyd pentref gwledig ym Meirionnydd 'nôl yn chwedegau'r ganrif ddiwethaf ac yr oedd yn ddigon gonest i gyfaddef ei fod yn gweld yr hen ddyddiau yng ngolau breuddwydion, golau a oedd 'wedi eu gweddnewid, a'u gogoneddu oll'. Gwyddai'r gweinidog canol oed nad gwyn popeth a phawb bryd hynny ond nid atebai'r gwirionedd hwnnw mo'i bwrpas:

Y Pentre Gwyn

Diau fod dyddiau anifyr, a throion anhyfryd a siomedig yn dod, yn awr ac eilwaith, yn y cyfnod dedwydd hwnnw. Ond y mae y cyfryw ddyddiau wedi diflannu yn llwyr o lyfr ein coffadwriaeth. Yr hyn sydd yn aros ydyw y dyddiau braf, claerwynion, megis y dyddiau hynny pan fyddem yn dyrfa ddedwydd yng nghangau 'derwen fawr' Coed y Barcud, a'r awel yn suo yn y dail. Ac os anghofiaf di, – Ffynnon y Ddôl, – anghofied fy neheulaw ganu! Ie, 'canu' yr oeddym yn y llannerch honno, ac nid oedd un nodyn lleddf wedi dod i delyn bywyd.[16]

Mewn ysgrif bortread dda dadleuodd E. Morgan Humphreys mai meddylfryd Cymru Oes Aur Fictoria, sef meddylfryd y cyfnod consernol wedi Brad Llyfrau Gleision 1847, a luniodd ac a liwiodd lenyddiaeth Anthropos. Nid yw'n syn, felly, fod cynifer o'i lu darllenwyr yn tybio mai gŵr a garai'r 'mwyn' a'r 'prydferth' ydoedd gan ei fod, fel bardd a llenor, mor chwannog i daro'r tannau hynny. Eithr y gwir yw fod Anthropos, yn ôl Humphreys, wedi gwadu'r ddawn lenyddol a allasai'i wneud yn llenor o bwys, a dawn y dychanwr ydoedd honno, dawn y 'cleddyfwr'. Y mae'n werth gwrando ar dystiolaeth Humphreys oherwydd y mae'n rhoi ei fys ar un o ddiffygion mwyaf ein llenyddiaeth yn Oes Fictoria – ei hanallu i gymell a gwerthfawrogi'r dychanwr pan oedd cymaint o'i angen. Bu'n rhaid i Geiriog dewi rhag colli ei boblogrwydd; darllenwyd Daniel Owen fel pe na bai'n ddychanwr, ac ymgroeswyd rhag blinder ysbryd Emrys ap Iwan. Dysgodd Anthropos ofni ei 'ddawn halltu', hefyd, gan ddewis canu 'i bethau megis seren min yr hwyr a chanwyllbren y capel':

> Dychanwr oedd Anthropos wrth natur; dyna ei arf briodol ef, ac un miniog ac effeithiol iawn ydoedd, ond ni ddefnyddiodd ef ond i raddau cyfyngedig iawn. Gwyddai yn dda am ei ddawn, – ni allai beidio gwybod, – a rhoddodd y ffrwyn ar ei gwar weithiau mewn ymgom. Byddai yn teimlo ias o euogrwydd wedyn, mi gredaf. Meddyliai fod y gwrthrych wedi clywed yr hyn a ddywedwyd amdano a'i fod yn ddig. Âi yntau o dipyn i beth i ddychmygu y teimlid gelyniaeth tuag ato ef am yr hyn a ddywedodd, a bu'r teimlad hwn, – teimlad cwbl ddisail y rhan amlaf, – yn faen tramgwydd iddo ar hyd ei oes . . . Dyma'r pwynt; ni ddefnyddiodd Anthropos yr arf yr oedd yn feistr arno i ddim byd tebyg i'r graddau y gallasai fod wedi ei ddefnyddio.[17]

Y mae'n glir fod Anthropos, mewn cwmni, yn ŵr a hoffai

daflu geiriau, a phetai wedi dangos yr un hoffter fel llenor byddai'n rhaid ystyried y ddamcaniaeth sy'n dal fod y dychanwr, fel rheol, yn dial cam ei eni. Wedi'r cyfan, plentyn siawns (barnai mai ffrwyth cyfathrach milwr a morwyn ydoedd) a ddaeth yn weinidog Methodist parchus (hwyrach ar draul y newyddiadurwr ynddo) oedd Anthropos. Yn Oes Fictoria, gellir tybio ei fod yn gyfuniad o groesterau digon dolurus. (Pwy fyth a gredai y byddai weithiau ar ôl tyfu'n ddyn yn sôn am 'vulgar peasants' yr hen le yn gymwys fel Sais diystyrllyd?) Fodd bynnag, nid yw ei lenyddiaeth – a'r *Pentre Gwyn* yn arbennig felly – yn rhoi achos i ni ddyfalu tarddiad unrhyw ddawn ddychan. Bodlonodd ar arlwyo atgofion maboed gŵr canol-oed sy'n mynnu bod yn fachgennyn gwyn ei fyd mewn pentref lle mae tlodi hyd yn oed yn hardd, a chyfoeth, ym mherson Cyrnol Wood, perchen Plas Marian, yn ddynol braf. Y mae ei ddisgrifiad o'r 'Slendai' yn peri meddwl am baentiadau dyfrlliw Helen Allingham 'where the banks of hollyhocks and the cottages tumbling under the weight of rambler roses threaten to suffocate the inhabitants', ac nid yw'n ddim syndod fod eu trigolion, megis Miss Green a'r hen filwr, Tomos Olfyr, a'i wraig, Catrin, yn gymeriadau persawrus. Yn wir, achubir Tomos Olfyr gan blant y pentref a ymwelai ag ef yn gyson i ddarllen y Beibl a chanu emynau iddo ac nid oes dim sy'n tystio'n fwy croyw i dduwiolfrydedd y pentref nag angladd Tomos. Cododd Anthropos 'idyll' ar sail cymwynasgarwch Cristnogol sy'n medru cydymddwyn â'r baledwr alcoholig, 'Eos Mawddwy', a phedleriaid llygad-y-geiniog fel 'Martin' ac 'Uncle Sam', ac y mae'n briodol, gan mor hydreiddiol yw'r cytgord rhwng tegwch dyn a natur yn hanes *Y Pentre Gwyn*, mai'r peth diwethaf a glywn â chlust dychymyg yr awdur yw sŵn côr y plant wrth Ffynnon y Ddôl yn canu 'Cawn ni gwrdd tu draw i'r afon' wrth i'r haul fachlud dros Goed y Barcud. Oherwydd un o bentref-i'r 'ochor draw' yw'r 'Pentre Gwyn', wrth gwrs; paradwys goll ydyw sy'n ateb gofyn oesol ynom. Dyna pam fod ei apêl yn drech na phob dadleniad beirniadol-gymdeithasegol o'i afrealiti.[18]

Y mae Christopher Wood, yn ei gyfrol *Paradise Lost*, yn ymdrin â phaentiadau o fywyd gwledig a thirlun Lloegr rhwng 1850 ac 1914 gan ofyn i ba raddau y maent yn corffori'r gwir am y bywyd hwnnw. Y mae ei gasgliad yn ddiamwys: 'Most Victorian artists

Ffynnon y Ddôl

were painters of pretty pictures first, and social historians second.' Dyna a fynnai'r cyhoedd iddynt fod. Yn syml, ni fynnid gweld y wlad trwy lygaid celfyddyd ond fel paradwys. Yr oedd digon o dystiolaeth i'r gwrthwyneb mewn newyddiaduron a chylchgronau, 'But like many men faced with the unpleasant or the unacceptable, they simply ignored it. They preferred their own image of the countryside – a beautiful, healthy, pure, innocent arcadia, where peasants went happily about their labours, children played on the village green and mothers sat by the fireside in neat, picturesque little cottages, all watched over by a benevolent gentry and clergy.' Dwysawyd yr ymlyniad wrth y baradwys wledig gan effeithiau brawychus diwyd-iannaeth a esgorodd ar y syniad cysurlon mai dyn a wnaeth y dref fyglyd, slymllyd ond mai Duw a greodd y wlad, ac yr oedd y prynwyr dosbarth-canol yn barod i wario ar baentiadau a wnâi'r cysur hwnnw'n hyfryd weladwy ar furiau eu cartrefi: 'The ideal picture was a pleasant scene, painted in good weather, suitable for all the family, and making few mental demands on the viewer . . . Painter and patron were united in their devotion to the artistic fiction of the rural paradise.'[19]

Y mae'r rhagfarn o blaid rhagoriaeth bywyd y wlad yr un mor amlwg yn llenyddiaeth Gymraeg Oes Fictoria. Am ei fod yn canu fel 'mab y mynydd' y rhôi O. M. Edwards gymaint bri ar delyn-egion Ceiriog a phan fabwysiadodd 'I godi'r hen wlad yn ei hôl' yn epigraff ar gyfer *Cymru*, gwnaeth hynny am mai'r Gymru wledig, gynddiwydiannol oedd yr 'hen wlad' y dymunai adfer ei bri. Wedi marw Ceiriog daeth Eifion Wyn i lanw ei le ac y mae ei awdl anfuddugol ar 'Y Bugail' yn Eisteddfod Genedlaethol Lerpwl 1900, yn fynegiant clasurol o'r meddylfryd na welai ond daioni yn y wlad a drwg yn y dref. Y mae'r ffaith fod Alun Llywelyn-Williams wedi teimlo rheidrwydd i brotestio droeon yn erbyn 'Gwladeiddiwch' llenyddiaeth Gymraeg yn tystio i'r modd y gallai bardd a llenor trefol ei olygwedd deimlo fod yn rhaid iddo 'gyfiawnhau' y llên a draethai, a diau iddo ef ddeall beth oedd pwrpas llennydda O. M. Edwards am iddo ymdrechu i fod yn deg â meddylfryd nad oedd yn deg yn ei olwg ef:

> Y gwir yw, er cymaint ei ddiddordeb mewn llenyddiaeth ac mewn hanes, nad y pethau hyn oedd agosaf at ei galon, eithr yn hytrach rhyw ofal angerddol dros les a ffyniant y gymdeithas Gymraeg fel cyfangorff, ac i'r graddau y gallai gwybodaeth o'i hanes a

gwerthfawrogiad o'i llenyddiaeth hyrwyddo bywyd y genedl yn y presennol a'r dyfodol, i'r graddau hynny yn unig yr oeddynt yn bwysig. Propagandydd ydoedd yn hytrach na llenor creadigol.[20]

Nid oes dim sy'n sicrach prawf o ddylanwad O. M. na'r ffaith na fennodd ymgais Caradoc Evans i flingo'r werin yn *My People* (1915) ar benderfyniad ei edmygwyr i ddal ati i'w dyrchafu yng ngoleuni ei ganfyddiad ef o'i rhagoriaeth. Ystyrier llên atgofus W. Llewelyn Williams, *Gŵr y Dolau* (1899) a *Slawer Dydd* (1918), W. J. Gruffydd, *Hen Atgofion* (1936) a D. J. Williams, *Hen Wynebau* (1934) a *Hen Dŷ Ffarm* (1953) os am amgyffred cymaint arwr ydoedd O. M. i rai o lenorion arwyddocaol hanner cyntaf y ganrif hon. Ac y mae ei ôl yr un mor eglur ar y telynegion a gyfansoddwyd i'r 'Bywyd Pentrefol' yn Eisteddfod Genedlaethol Bae Colwyn, 1910, pan wobrwywyd H. Parry Williams, Rhyddu, yn ogystal ag ar y gyfres ysgrifau gan 'John Henry' ar 'Pobol y Pentref' a ymddangosodd yn *Yr Eurgrawn Wesleaidd* rhwng 1921 ac 1926. Ni allai Caradoc Evans mo'i siglo, heb sôn am ei ddymchwel. Pan oedd protestiadau ei gyd-Gymry ffyrnicaf yn erbyn y 'bradwr' a'r 'renegade' ni chafodd sillaf o sylw yn *Cymru*. Yn wir, ni chafwyd yr un ymdriniaeth feirniadol o bwys yn y Gymraeg â storïau dychanwr nad oedd neb, er 1847, wedi trwblu 'psyche' y genedl mor gynddeiriog. Bodlonwyd ar ei ddilorni, gan mwyaf yn y wasg Saesneg, a dilynodd y naill bentref gwâr y llall yng nghyfres 'Ardaloedd Cymru' sydd i'w gweld yn rhan o ymdrech O. M. i roi inni, yng ngeiriau Alun Llywelyn-Williams, 'yr olwg olaf ar wlad a fu'n rhyfeddol ddigyfnewid ers canrifoedd, neu o leiaf lle bu pob newid yn araf a phwyllog iawn, gwlad dawel, heddychlon, anghysbell – *gyda'r diffygion cyfatebol, mae'n ddiau.*' (Myfi sy'n italeiddio.)[21]

Ar y 'diffygion cyfatebol' yr âi'r Gymraeg o'r naill ochr heibio iddynt ar flaenau'i thraed y disgynnodd dychan Caradoc Evans fel barcud ar gyw. Gwyrdrôdd Rydlewis ei faboed yn 'Manteg' ei ddiawlineb gan 'greu' pentref a'i boblogi â'r 'grotesques' a genhedlwyd gan flys ei ddialedd. Y mae cymhellion y dychanwr bob amser yn gymhleth ac y mae astudiaethau diweddar John Harris yn dangos o'r newydd fod Caradoc Evans mor ddyrys ei du mewn ag unrhyw un o'i gymrodyr. Y mae un peth, fodd bynnag, mor glir â'r dydd, fel y dangosodd sylwebydd y mae ei wybodaeth am 'milieu' *My People* yn ddifahal, sef fod 'Dai

Caradog', fel yr ysgrifennodd David Jenkins amdano, yn gwbl argyhoeddedig iddo ef a'i rieini gael cam gan werin gapelgar, ragrithiol Rhydlewis a'r fro. Dyna'n ddiau yw gwreiddyn ei ddychan. Gellir dyfalu maint ei ddyled i Zola, Gogol a Maxim Gorki, a sylwi ar ei dresbasu ysbrydoledig ar arddull y Beibl, ond Rhydlewis a roes gyfle iddo gredu ei fod yn byw ar drugaredd pac o ragrithwyr brwnt eu hanian a'u moes.[22]

O safbwynt yr hyn a greodd, gwaith ofer yw cwestiynu ei hawl i ysgrifennu fel y gwnaeth ac amau ei bwrpas. Nid oedd ronyn mwy unllygeidiog nag O. M. Edwards a fynnai weld gwerin gwlad ddidramgwydd. Barnai Caradoc Evans iddo ef weld gwirionedd na fynnai llygaid O. M. mo'i weld: 'I told the truth,' meddai, 'and it was the stinking truth.' Yr oedd, yn sicr, wirioneddau drewllyd i'w dweud am y Gymru wledig ac yr oedd angerdd gofal O. M. a'i edmygwyr yn rhwym o esgor ymhen hir a hwyr ar eu traethwyr. Yn Chwefror 1923, cododd Caradoc Evans storm drachefn pan lwyfannwyd *Taffy: A Play of Welsh Village Life* yn Llundain. Gwylltiodd ei ddadleniad o grefyddolder hunan-geisiol yn un o bentrefi Sir Aberteifi nifer o Gymry Llundain ac ni wnaeth hynny ond cynddeiriogi 'daemon' y dialydd:

> In my early days in Wales I was brought up amongst grinding poverty, always with the background of sanctimonious hymn-singing and hypocrisy . . . Chapels strew the land. It would be far better if there were more cowhouses – they, at least, show the healthy prosperity of a nation . . . In the Welsh village everybody hates his neighbour and nobody knows God . . .[23]

Yn ateb i'r protestwyr a fynnai ei fod yn difrïo'i bobl ei hun, dywedodd yn syml nad oedd modd dweud dim rhy ddrwg am y Cymry. Yn *Taffy* dangosasai'r ochr arall iddynt; pe dangosasai'r ochr waethaf ni chaent aros yn Llundain! A chan dapio pwll o grawn o'i fewn chwaraeodd ran yr hilgi er difyrrwch i ddarllenwyr y *Sunday Express*:

> The trouble about the Welsh is that they are not Welsh. Our place of origin is somewhere on the Red Sea. I believe that our ways were so abominable – leading astray the loose women of Egypt and tricking the Houses of Israel – that Egyptian and Jew combined to rid the land of us. We wandered hither and thither and found ourselves in Wales. But our mentality is Oriental, hence our friendliness with the Jews. This is a byword: wherever two or three Welshmen are gathered together, there is also a Jew.[24]

Yr unig beth i'w wneud, hwyrach, â sylwadau o'r fath yw gadael iddynt. Yr hyn sy'n drist o safbwynt llenyddiaeth Gymraeg yw na chododd neb i 'greu' pentref credadwy ar sail y cyd-ymdeimlad artistig sy'n barod i edrych â dwy lygad agored ar dda a drwg y ddynoliaeth a bwrw coelbren gyda'i hamher-ffeithrwydd. Bu'n rhaid aros i Gymro di-Gymraeg gyflawni'r gamp honno mor ddiweddar â gaeaf 1953–4 tra daliodd y Cymry Cymraeg ati i atgofioni'n fawr eu sêl am yr hen le yn y wlad a'r hen bobl ddi-fai.

Yn Eisteddfod Genedlaethol Castell-nedd 1918, buwyd yn trafod 'Some Problems of Rural Reconstruction in Wales'[25] ac o safbwynt yr erthygl hon yr hyn sy'n drawiadol yw'r modd y pwysleisiodd y prif siaradwr, Robert Richards, BA (Cantab.), darlithydd yn Adran Economeg, Coleg Prifysgol Gogledd Cymru, Bangor ragoriaeth y bywyd gwledig ar fywyd y broydd diwydiannol. Mae'n wir i Swyddog Iechyd Bwrdeistref Aber-tawe, Mr Thomas Evans, MB, DPH, a Mrs Coombe Tennant, Cadoxton Lodge, dynnu sylw at ofynion meddygol difrifol y cefn gwlad ac i Robert Richards ei hun alw ar Brifysgol Cymru i ymroi i gyfoethogi diwylliant cyffredinol y gwladwr gan fod ei anghenion yn amlwg. Ond byrdwn Richards oedd y dylai adfer hoen cymunedol y cefn gwlad fod yn flaenoriaeth wedi'r rhyfel am fod iechyd y bywyd cenedlaethol yn dibynnu arno: 'Our very existence as a nation seems to me to depend upon it. We cannot look to industrialism to cherish and foster our national ideals, because industrialism is devoid of every tinge of idealism of any description.' Ar sail adfywiad gwareiddiad gwledig gellid codi math o fywyd uwch na bywyd y dref 'in our country villages, and on our remote hill-sides'. Dyna'r unig sail ddichonadwy i genedlaetholdeb Cymreig:

> Welsh life has always been racy of the soil. Your so called urban civilization is a mere excrescence, alien alike to the spirit and traditions of our race. The wealth of the Rhondda and the Rhymney is as nothing in its effects upon our national life compared with the influence exerted by a county town like Bala, or a village like Trefecca.[26]

Maentumiai Richards fod amaethyddiaeth wedi elwa ar Ryfel 1914–18 ond na wnaethai hynny ddim i swcro bywyd cymunedol yn y wlad. Yn wir, maentumiai fod bywyd o'r fath wedi darfod yn y parthau gwledig ers trigain neu bedwar ugain mlynedd a'u hymdrech i'w ail-greu a gyfrifai am boblogrwydd llyfrau awduron fel O. M. Edwards a W. Llewelyn Williams. Gellir yn hawdd ddychmygu'r gwrandawiad cefnogol a gafodd Richards yn Neuadd Gwynn wrth iddo gonsurio'r hyn a gollwyd mewn paragraff sy'n ymgorffori'r meddylfryd wrth wraidd cymaint o'r llenydda atgofus a gynhyrchwyd yn ein canrif ni:

> As we of the younger generation strain our ears to catch the lingering echoes of those ancient days we cannot help realising how great is the distance which separates us from our grandfathers. The native art that cut the rude pattern on oak chest, and *cwpbwrdd tridarn* seems lost for ever. Forgotten are the generations that of winter evenings made their own household utensils by the ruddy light of the sullen peat fire, while others entertained the company with snatches of old songs or tales of the countryside. Gone even is the generation that read its theology out of the *Traethodydd* and its politics out of the *Baner*, that raised its own food, baked its own bread and oatcake, that wove its own cloth, and whose only relaxation was a tramp over the hills to Sassiwn and Cymanfa. Its life ebbed out to the slow, mournful ticking of the old grand-father's clock, as it painfully let slip the moments that were to bear its disembodied spirits to the shores of eternity. It is true that they lived laborious days, and that life had few of those glittering prizes to offer them which seem so to dazzle our own generation. To restore them may be impossible, and we may have to remain content with recalling them to mind. But to me they stand for Wales, and to allow their quiet strength to depart altogether, is to make straight for national extinction.[27]

Ni raid dyfalu beth a ddywedai Caradoc Evans wrth y pethau hyn dair blynedd ar ôl cyhoeddi *My People*. Gellir clywed ei roch o bell. Byddai darn arall o bapur Richards, fodd bynnag, yn sicr at ei ddant wrth iddo resynu at y modd yr oedd bywyd y pentref wedi'i rannu'n anobeithiol rhwng y gwahanol enwadau a'r dafarn – 'where the moral outcasts and the backsliders are wont to meet'. Tra parhâi'r rhaniad rhwng y defaid a'r geifr byddai'r bywyd cymunedol yn brin o'r llawenydd a hanfyddai mewn cymdeithas a wyddai werth cydymddwyn:

> While I yield to no one in my respect for the healthy moral tone of our rural villages as the result of the rigid discipline exerted by the

various religious denominations, it is sad to reflect that the quality of humour which would do so much to soften the angularities of a too strait-laced Puritanism, is very frequently only to be found around the comfortable fire of the village inn. The steps of Puritanism are always dogged by Pharisaism, the sworn foe of the 'joie de vivre'.[28]

Yr oedd J. O. Francis, W. J. Gruffydd, R. G. Berry a D. T. Davies wedi mynd i'r afael â'r Phariseaeth honno cyn i Caradoc Evans ddwyn cyrch waedlyd arni. Byddai Idwal Jones, yntau, ar ei gwarthaf yn *Pobl yr Ymylon* (1927) ac *Yr Anfarwol Ifan Harris* (1928). Defnyddient gymeriadau o'r 'outer courts', chwedl Robert Richards, mewn ymgais i ddynoli awdurdod y sefydliad crefyddol yn y llannau ac i ddadlau dros hawl pobl i fod, yn ôl cyngor Wil Bryan, yn driw i'w natur eu hunain. Tra ymwrthodai Caradoc Evans yn llwyr, meddai, â'r gymdeithas y'i ganed iddi, ceisiai dramodwyr Cymraeg dechrau'r ganrif hon lacio gafael capelyddiaeth sensoriol ar y bobl gan ddefnyddio cymeriadau 'anghydffurfiol' yn ofalus i'r perwyl hwnnw. Nid dinistrio oedd eu bwriad hwy wrth ysgrifennu ond iacháu a rhyddhau ac y mae'n werth nodi cymaint o naws didactig sydd i'r dramâu a fynnai wared cymdeithas rhag setfawryddiaeth a oedd yn crino'r ysbryd, a pha mor debyg i gymeriadau mewn damhegion yw'r potsiars a'r tramps a'r anffodusion sydd droeon yn enau i radlonrwydd a haelfrydedd y 'colledigion'. Y ffaith fod rhywbeth mor amlwg 'manipulative' yn eu perthynas â'u cymeriadau a rwystrodd ddramodwyr cynnar y ganrif hon rhag creu byd i ymgolli ynddo, byd heb fod yn gaeth i'w gyfnod. Roedd eu hawydd i ddiwygio, er mor gymeradwy ydoedd, yn drech na'u drama. Roedd mynd i'w theatr hwy fel mynd i siop fferyllydd am foddion, tra bod mynd i theatr Caradoc Evans fel ymweliad â lladd-dŷ, neu 'knacker's yard'.

Yr oedd teyrnged Robert Richards i'r hen bobl a ymgorfforai Gymru iddo ef i'w hailadrodd droeon ar ôl 1918. Cyfeiriwyd eisoes at *Slawer Dydd* W. Llewelyn Williams ac enghraifft arall o deyrngarwch awdur o 'Shir Gâr' yw cyfrol y Parch. David Davies, *Reminiscences of My Country and People* (1925), y ceir ynddi folawd i bentref Rhydargaeau lle y'i ganed ef yn 1849, ac i'r diwylliant a'i moldiodd cyn iddo symud yn saith mlwydd oed i Drefforest a chyfnewid, fel y barnai, nefoedd am uffern:

To this day, I remember keenly how shoddy the whole creation had become to me, when I left the serene skies, pure air, and rustic scenery of my native village, for the gloomy skies, stifling atmosphere, and grimy surroundings of that Glamorgan industrial centre. My whole nature recoiled against it!

Ac er iddo dreulio chwarter canrif yn Lloegr galwai Rhydargaeau ef yn ôl o hyd, 'and there, amid the scenes in which I drew the first inspirations of life, replenish the strength, which the exacting demands of populous and exciting centres had insidiously sapped'. Mae'n wir fod rhyw hanner dwsin o yfwyr cadarn yn trigo ym mhentref ei blentyndod, hefyd – eithriadau oeddynt wrth gwrs, eithriadau dymunol, waeth beth am eu syched – ac nid amharent ar wynder ei atgofion. Yr oedd y Parch. David Davies i dyfu'n ymladdwr di-ildio yn erbyn yr Eglwys sefydledig, sy'n profi, o leiaf, nad oedd cael eich magu mewn nefoedd yn golygu na chaech hwyl ar golbo cyd-Gristnogion.[29]

Yn 1931 cyhoeddwyd *Cwm Eithin*, sef detholiad o'r 'Straeon Atgof' a gyfrannodd Hugh Evans i'r *Beirniad* rhwng 1923 ac 1926. Ar unwaith cydnabu W. J. Gruffydd y gyfrol yn glasur – ac yntau ar fin dechrau taenu defnyddiau *Hen Atgofion* yn *Y Llenor*. A'r dirwasgiad yn y tir yr oedd Hugh Evans, wrth atgofioni am fywyd gwledig Cymru yn hanner cyntaf tra chaled y bedwaredd ganrif ar bymtheg, yn bwriadu 'yn gyntaf magu gewynnau yn y to sydd yn codi, ac yn ail, gwneud cyfiawnder â'r tadau' – dau amcan y byddai Gruffydd ei hun yn fwy na pharod i'w harddel fel, yn sicr, y byddai D. J. Williams hefyd. Cyhoeddodd ef *Hen Wynebau* yn 1934 ac am y rhan orau o ddeugain mlynedd wedyn byddai rhith 'Y Filltir Sgwâr', y filltir sgwâr, wâr, wledig y rhoesai O. M. Edwards gymaint am ei cherdded, yn un o ffeithiau diffiniol y Gymru yr oedd yn rhaid ei diogelu.[30]

Yng nghanol blynyddoedd dreng y dirwasgiad, hefyd, y cyhoeddodd yr Athro David Evans *Y Wlad: Ei Bywyd, Ei Haddysg A'i Chrefydd* (1933), cyfrol gydnaws â'r papur a draddododd Robert Richards yn Eisteddfod Genedlaethol 1918 a'r papurau a ddarllenwyd ar 'The Preservation of Rural Wales' yn Eisteddfod Genedlaethol Caergybi, 1927, a chyfrol arall a gawsai fendith O. M. Edwards. Yn ôl Evans: 'I ni fel Cymry, y mae prif werthoedd ein cenedl yn y wlad; i ni yn fwy felly na holl wledydd y Cyfandir. Y mae'r hyn sydd o'n trefydd yn Gymraeg wedi dyfod yn uniongyrchol o'r wlad: ni enir bywyd Cymraeg newydd yn y dref.' Byddai tranc y bywyd gwledig yn gyfystyr â thranc y genedl – dyna neges ganolog cyfrol David Evans. Roedd ei sylwadau ar 'Bywyd y Pentref' eisoes wedi ymddangos yn *Yr Efrydydd* ac y mae pryddest J. M. Edwards megis ateg iddynt. Y pentref, yn nesaf at y teulu, oedd canolbwynt bywyd y wlad. Yr oedd yn fagwrfa dysg, diwylliant a democratiaeth: 'Ni pharatoir neb yn y wlad i lywyddu nac i lywodraethu ar eraill, fel y gwneir yn y dref . . . Yn y pentref y mae'r plant yn gymdeithas ddemocrataidd.' Ac nid economeg yn gymaint â thraddodiad moes a chrefydd oedd sylfaen bywyd y wlad: 'Bod yn gymydog i bawb, heb elyniaeth, heb gyfeillgarwch, mewn cydymdeimlad bydol llawn ac mewn teyrngarwch tawel – dyna hanfod bywyd cymdeithasol y wlad.' Dyna'r delfryd, yn sicr, ac i E. Morgan Humphreys yn 1936, gweld bywyd y wlad wedi 'colli ei ganolbwynt' oedd y gofid mwyaf.[31]

Pa ryfedd, gan mor rhyfeddol y delfryd, fod David Evans yn ofni fod 'llawer o ddylanwadau newydd, ysywaeth, yn sarnu ac yn dinistrio pentrefi gwledig Cymru. Ffurfiau cymdeithasol newydd, basder meddyliol, ariangarwch, dylanwadau trefol, fel gamblo, betio, etc., yw rhai o'r pethau newydd sydd yn ymosod ar fywyd y wlad.' Gwelai fywyd traddodiadol y pentref yn gwanio o ddiffyg yr hen ysbryd annibynnol, hunangynhaliol ac o ddiffyg gwreiddioldeb. Gwelai'r pentref yng ngafael y meddylfryd materol a ffynnai ar adfyd. Economeg oedd piau'r bobl, gorff ac enaid:

> Nid ymestynnir i awyrgylch y gwerthoedd uwch ac uchaf. Ni ddatblygir moes ac arferion gwlad ymhellach. Yn wir, syrth yr hen draddodiadau yn ôl yn ffurfiau ysgafn a di-fywyd. Arwyddion yw hyn oll fod cyfansoddiad a meddwl yr ardal wledig yn dioddef o dan ymosodiadau cryf a dygn. Y perygl yw i ddiwylliant naturiol y wlad ddirywio'n anadferadwy. Yr oedd y gwladwyr gynt yn ddynion llawn a chrwn, yn bersonau ac arnynt ôl dylanwadau traddodiad ardal gyfan; ac yn abl felly i ychwanegu at yr hen ddiwylliant gwledig ac i dderbyn popeth newydd a'i wneud yn rhan o'u horganiaeth bersonol a lleol.[32]

Trigain mlynedd yn ddiweddarach y mae i alarnad David Evans 'resonance' o hyd yn ein llên. Rhoes yr Adferwyr eu hytgyrn at ei hiws am dro, ond mae anallu nifer o'r pentrefi a welsai J. M. Edwards yn gwrthsefyll 'llanw brochus' yr Ail Ryfel Byd, i wrthsefyll mewnlifiad parhaus y dwthwn hwn, yn peri meddwl fod dirgryniadau gofid David Evans bellach i'w teimlo'n symud

---

trwy gyfangorff ein llên. Nid mor rhwydd heddiw y'u gwelir yn 'obaith ein hiraeth' a saif 'rhyngom a'r hyrddwynt', ond y mae beirdd o hyd i'w clodfori.

Adolygwyd *Y Wlad* yn ffafriol yn *Y Ford Gron* gan Percy Ogwen Jones. Yr oedd y cylchgrawn hwnnw wrthi ar y pryd yn portreadu 'Pentrefi Cymru', 36 ohonynt i gyd a phob portread mor galon-gynnes â'r portreadau o 'Ardaloedd Cymru' yng nghylchgrawn O. M. gynt. Yn wir, yr un oedd y fformiwla – tegwch natur, hen hanes, cymuned wâr a gynhyrchai gymwynaswyr a chyfoethogwyr bro a chenedl. Ni raid ond eu rhestru i weld ymhle y nythai'r mwyafrif mawr ohonynt: Rhydlewis, Aberdaron, Ystalyfera, Gwernogle, Llanbedr (Meirionnydd), Carno, Ponterwyd, Rhiwbeina, Tre-fin, Felin-fach, Dolwyddelan, Llandderfel, Talgarth, Bethesda, Resolfen, Caersws, Cefneithin, Llanrhaeadr-ym-Mochnant, Llangwyryfon, Clynnog, Lledrod, Rhosllannerchrugog, Llangurig, Porthaethwy, Llangower, Rhymni, Cenarth, Waunysgor, Dylife, Llanafan Fawr ac Ardal y Beirdd. Tros y cyfan ymdaena gwawl gwrogaeth a hawddgaredd; y mae dyledion serch yn cael eu talu'n llawn a hiraeth am a fu yn bloesgeirio ambell baragraff. Ni ddaw'r un awel groes na'r un ysbryd drwg i darfu ar eu hedd.[33]

Mae darllen portread S. M. Powell o bentref Rhydlewis ar ôl darllen *My People* a *Taffy* fel ailddarganfod yr haul, ond nid yw'n anodd dychmygu Caradoc Evans yn cael prawf o'i eirwiredd ef ei hun yn 'rhagrith' diweddglo'r ysgrif. Cofiai S. M. Powell i rywun ar bwyllgor eisteddfod awgrymu 'Rhestr o enwogion a gododd o unrhyw bentref yn Sir Aberteifi' yn destun cystadleuaeth, ac i rywun gynnig gwelliant, 'Rhestr o rai a aeth i'r jêl o unrhyw bentref'. Ymarfer doethineb a wnaeth Powell:

Mae'r byd yn 'round' iawn, ys dywedir yn Nhregaron, ac oddi yno, chwi gofiwch, y daeth nid yn unig Henry Richard ond Twm Shôn Cati hefyd. Wrth sôn am waedoliaeth, aeth y Deon Swift ym-hellach. 'My great-grandfather,' meddai, 'disappeared about the time of the assizes.' Fel yna, gan mai un o blant Rhydlewis ydwyf innau, mi fodlonwn ar beidio â rhoi'r siop yn y ffenester.[34]

Gellir clywed Caradoc yn rhochian ei ddirmyg drachefn wrth ddarllen molawd E. Myfyr Evans i Gaerwedros, pentref lle'r oedd y trigolion 'wedi dysgu gwers ddrutaf byw, – bod yn llonydd'. Byddai'r olwg ar 'wŷr disyml y parth' yn araf gyrchu

Pobl Hamddenol Rhydlewis (*Y Ford Gron*, II (1931–2))

Bethelau'r fro, ac o dan bob cesail lyfr emynau neu esboniad, yn ddigon i godi cyfog arno, ac y mae'n sicr y byddai parodrwydd J. Trefor Lloyd i gofio Lledrod 'yn fro dawel, lonydd; pawb yn fodlon ar ei fyd a phawb yn feistr arno'i hun . . .' yn ormod iddo'i stumogi, heb sôn am yr ymffrost yn y pentref fel lle a ddanfonai allan i'r byd drysorau llawer gwerthfawrocach nag arian ac aur, sef 'meibion a merched i arwain ac i ddiwyllio'r byd'. Ni fyddai Caradoc am i'w anghrediniaeth ei adael yn llonydd.[35]

Mae'r ysgrifau portread hyn yn Y Ford Gron yn peri meddwl am y sampler hollbresennol a bwythwyd i fod yn gariadus yng nghartrefi Cymru ers talwm. Wrth i William Phillips orffen ei folawd ef i Rosllannerchrugog lle'r oedd y trigolion 'yn garedig a hael hyd at fai', gofynnodd gwestiwn: 'Ni wn i am ardal â mwy o ddeunydd drama a nofelau na mwy o ddawn i ddynwared nag sydd yn y Rhos. Pwy a ddaw i bortreadu ei chymeriadau a'i bywyd?'[36] Y mae'r cwestiwn hwnnw, i mi, yn tanlinellu'r ffaith na fedr yr atgofionwr gorau greu byd hafal i fyd y nofelydd a'r dramodydd am y rheswm syml fod ei berthynas â'i ddefnyddiau crai yn rhy uniongyrchol bersonol a'i awydd i gyfeirio'i stori er mwyn dangos ystyrlonedd ei fywyd yn rhy daer. Ansawdd anwes fwy na heb sydd i lên atgof y Gymraeg, neu o'i roi mewn ffordd arall, mae'r clychau atgof heb grac. Dim ond celwyddgi, wrth gwrs, a wadai fod i'w canu swyn. Dim ond celwyddgi, hefyd, a wadai mai swyn dihangfa ydyw, swyn y dyheu bythol am 'y dyddiau difyr gynt'.

Ailddychwelodd J. M. Edwards ar hyd llwybrau'r cof i Lanrhystud ei faboed yn ei bryddest radio, 'Y Pentref', a ddarlledwyd 3 Hydref 1951. Nid oedd ganddo ddim byd newydd i'w ddweud, ond fe'i dywedodd y tro hwn yn rhugl. Ar ôl dwyn 'Y Lle' a'r 'Hen Fro' yn ôl ar lif ei hiraeth galwodd ar 'Yr Afon', 'Y Saer', 'Y Gof', a'r 'Amaethwr' i dystio dros hen wariaeth crefftwrus gan beri i'r 'Amaethwr' adleisio Alun Mabon wrth ddannod i'r byd diwydiannol ei ddibyniaeth ar y wlad:

> Mae gwreiddyn pob bywyd yng nghelloedd y ddaear,
> Mae pob dinas a'i phwys ar ryw fryn;
> Mae hanfod ffynhonnell pob tref yn y pridd,
> A'r cae gwenith yw eich gobaith gwyn.

Canodd glodydd 'Y Crefftwyr' –

> Y rhain a fydd ynom a'u hysbrydoedd yn ddur
> Rhag yfory'r anwybod a dyddiau'r cur.

– 'Y Clocsiwr' a'r 'Gweinidog' ill dau'n ymgeleddu cyd-ddyn, gorff ac enaid. A diweddodd trwy ewyllysio parhad 'Y Gaer' yn nyddiau'r Rhyfel a'r 'oerwynt deifiol ar ei daith/ Tros eang feysydd Ewrop'. Y mae parhad pob ceinder yn dibynnu arni hi:

> Os torrir y gwrthglawdd a disgyn o'r gaer
> A gododd y dwylo a fu unwaith mor daer, –
> Fe ruthra'r llifeiriant sy'n bygwth pob tu,
> Ac ni ddychwel drachefn y diddanwch a fu.
>
> . . .
>
> Ac os erys dy gryfdwr yn wyneb y byd,
> A diogelu'r gwareiddiad a fu'n eiddot cyhyd, –
> Bydd bywyd yfory tan nodded dy Dduw
> I'r plant yn y dyffryn eto'n werth ei fyw.[37]

Y mae 1953 yn glawdd terfyn o flwyddyn i'r erthygl hon. Cyhoeddwyd *Hen Dŷ Ffarm* ym mis Hydref, ac erbyn diwedd y mis hwnnw rhoesai Dylan Thomas fersiwn terfynol *Under Milk Wood* yn nwylo'r BBC. Bu farw yn Efrog Newydd, 9 Tachwedd 1953, yn 39 mlwydd oed a pherfformiwyd ei ddrama radio gan gwmni disglair o actorion Cymreig dan gyfarwyddyd Douglas Cleverdon am y tro cyntaf ar 25 Ionawr 1954. Y mae *Hen Dŷ Ffarm* yn greadigaeth gŵr 68 oed a fuasai'n dra phleidiol i'w wlad ers blynyddoedd lawer ac ni cheir yn y Gymraeg well enghraifft o'r cof detholus ar waith yn llunio Cymru sy'n hawlio teyrngarwch oes. Y mae *Under Milk Wood* yn offrwm serch un a'i cafodd yn amhosibl i 'garu Cymru' fel D. J. ond a lwyddodd cyn ei farw trist i roi ar lwyfan un o'i phentrefi glan môr gomedi ddwys ein meidroldeb. Rhaid rhannu daliadau D. J. i fedru ildio i'w weledigaeth yn ddigwestiwn. Ni raid ond ymwybod ag iasau'r cnawd truan a digrifwch ei stranciau yng ngafael amser i fod yn un â byd *Under Milk Wood*. Llwyddodd Dylan Thomas i angerddoli â'i hiwmor osodiad Nantlais mai 'Rhyw deid yn dod miwn, a theid yn mynd ma's' yw bywyd. Dadl oes D. J. Williams oedd bod llanw bywyd cenedlaethol Cymru yn dibynnu ar barhad 'y werin' y dysgodd yn llanc gan ei ddau arwr, O. M. Edwards a W. Llewelyn Williams, sut i'w choledd.

Bu farw O. M. yn 1920, ugain mlynedd ar ôl i D. J. yn bymtheg oed dderbyn rhifyn o *Cymru* am y tro cyntaf. Yn 1922 bu farw W. Llewelyn Williams – 'Llew Brown Hill' – ac yn y fynwent gwelodd D. J. y bedd 'wedi'i fwsogli'n gynnes gan ei gyd-ardalwyr i ddisgwyl eu hen arwr . . . adref o Lundain, i'w hun olaf yn nhawelwch y bryniau hyn a garodd mor fawr drwy gydol ei fywyd'. Yn 1947, wrth adolygu argraffiad newydd o *Gŵr y Dolau* (1899), barnai mai 'Costrel o serch calon fawr, gynnes wedi ei thorri ar ben ei eilun, gwerin ddiddan, ddiwylliedig bro ei febyd,' oedd llyfrau Llewelyn Williams, 'a churiad o'i waed ef ei hun ymhob un o'i gymeriadau'. Ni ellid gwell disgrifiad o lyfrau D. J. ei hun, ac wrth eu darllen daw'r bedd hwnnw a fwsoglwyd ar gyfer 'Llew Brown Hill' i flaen y meddwl droeon a thro. Llenor chwalfa fawr yw D. J. wedi'r cyfan ac angerdd ei gyflead o golled bersonol anadferadwy, sydd hefyd yn golled genedlaethol, sy'n cyfrif am ei afael ar ein teyrngarwch.[38]

Am eu bod yn ei olwg yn annheyrngar i'w Gymru ef yr wfftiai D. J. mor barod – yn rhy barod o lawer – at lenyddiaeth yr Eingl-Gymry. Ni allai ond edliw i Caradoc Evans ei 'lurguniaeth annynol' o Rydlewis a gresynu fod y Cymro mewn ffilmiau megis *The Last Days of Dolwyn* a *How Green Was My Valley* wedi disgyn i wastad y Gwyddel llwyfan gynt: 'Druain ohonom, druain ohonom! Paham y'n ganed ni'n Geltiaid?' (Tybed, gyda llaw, a fyddai Caradoc Evans wedi bod mor dirion â D. J. wrth Nwncwl Jâms a gâi hwyl ar 'shot-tho' ambell ferch a llawn gymaint o hwyl weithiau, o ddarllen rhwng y llinellau, ar fod yn hen ddiawl croes, diffaith, brwnt ei anair?) Prin fod rhaid amau y byddai i Nwncwl Jâms ym Manteg *My People* le ymhlith y 'grotesques', ond yn Llaregyb Dylan Thomas siawns na fyddai'n frawd o'r un bru i Mr Waldo. A siawns na fyddai'n onestach portread. Os gallodd D. J. yn grwtyn byr, byr ei olwg gredu ei fod, wrth wrando ar siarad eraill amdanynt, yn 'gweld' y ffesants a'r petris yn y caeau draw am fod byrdra'i olygon yn ddiarwybod iddo 'wedi estyn fy nychymyg, a gwneud celwyddgi bach ardderchog a chwbl onest ohonof', gallai'r llenor aeddfed byr ei olwg 'weld' ei gymeriadau yr un fel, eu gweld 'yn onest' cyn belled, hynny yw, ag yr oedd eu rhan yn ei stori ef yn bod. Wedi'r cyfan, chwedl D. J., 'o wybod popeth amdano pwy ohonom a all farnu a beio celwyddgi da . . .' Pwy yn wir?[39]

Yn 1933, ar drothwy ei ben-blwydd yn bedair ar bymtheg oed, gadawodd Dylan Thomas Abertawe ac aeth i Lundain yn llawen: 'The land of my fathers. My fathers can keep it.' Yng ngwlad y Saeson teimlodd Gymru yn gafael ynddo ac ar ôl priodi Caitlin yn 1937 dechreuodd ymweld â Chymru'n amlach a threulio amser yn Nhalacharn, Llan-gain a Cheinewydd. O 1948 hyd ei farw yn 1953 gwnaeth ei gartref yn Nhalacharn. Fe'i galwyd yntau 'nôl gan glychau atgof fel y tystiodd yn 1949 yn ei sgwrs radio, 'Living in Wales': 'All I could do was remember, and I am good at that.' Ac yn Nhalacharn, 'in this timeless, beautiful, barmy (both spellings) town . . .' yn anad unlle, bu'n deor *Under Milk Wood* yn llafurus ymhlith 'human, often all too human, beings'.[40]

Y mae'n ddigon hysbys fod hedyn y ddrama radio fydenwog eisoes yn bod yn y sgwrs radio, 'Quite Early One Morning', ac y mae'r un mor hysbys fod Thomas wedi bwriadu estyn y sgwrs yn ddrama a'i galw 'The Town was Mad'. Ffaith arall lai cyfarwydd sy'n werth ei nodi yw fod J. O. Francis wedi lleoli un o'i ddramâu ef, *Little Village. A Welsh Farce in Three Acts*, mewn pentref glan môr a oedd yn rhan o Portifor, bwrdeistref hynafol ar arfordir Cymru a chanddi ei Siarter yn mynd 'nôl i 1215, siarter a ddeddfai mai Arglwydd y Faenol a ddewisai'r Maer. Talacharn yw Portifor, wrth gwrs. Perfformiwyd *Little Village* am y tro cyntaf gan Gwmni Drama Trecynon, 27 Rhagfyr 1928, a chan ei bod yn dal i ymladd brwydr Dici Bach Dwl yn erbyn Phariseaeth a pharchusrwydd, cafodd groeso.[41]

Mae'r ddrama yn troi o gwmpas dau gwestiwn y mae'r ateb iddynt yn mynd i benderfynu dyfodol y pentref. Yn gyntaf, pwy sy'n mynd i briodi Suzannah Thomas, gweddw'r Druid's Arms, ai'r morwr ysgyfala Shoni Dai Dai, neu'r siopwr ariangar, capelgar Elias Watkin sy'n byw yn 'Upper Village'? Yn ail, sut mae arbed stad Maesgwyn rhag mynd i afael 'syndicate' pan fydd yr olaf o deulu Colby-Pugh wedi marw? Ymleddir math o 'duel' rhwng Shoni ac Elias yn yr eisteddfod flynyddol ar ôl i Shoni haeru y gallai godi côr meibion o blith ei gyd-yfwyr yn y Druid's Arms i drechu côr Elias, y 'Metropolitan Male Voice Party', ac y mae J. O. Francis yn cael hwyl ddifalais ar draul yr eisteddfod leol a'r beirniad cerdd, John Mendelssohn Evans, mewn modd sy'n peri meddwl am gyffyrddiad Dylan Thomas wrth bortreadu'r Parch. Eli Jenkins. Nid yw Shoni yn colli a threchir Elias Watkin yn llwyr pan brynir stad Maesgwyn gan un o blant y pentref sydd wedi gwneud ei ffortiwn yn Awstralia. Mae Silas J. Morgan yn rhoi'r stad i'w ferch, Mary, ac y mae hi yn ôl ei hawl fel perchennog yn codi Shoni Dai Dai yn faer er mwyn sicrhau parhad yr hen ffordd o fyw: 'This is a Welsh Borough.

You are Welsh people. I am a Welsh woman. In my first official act, I want to show that I am in sympathy with Welsh traditions.' Priodir Shoni Dai Dai a Suzannah ac y mae Mary Morgan gyfoethog yn cymryd Mostyn Pryce, mab radicalaidd y Parch. Evan Pryce, yn ŵr. Gadewir 'Little Village' i wynebu'r dyfodol dan arweiniad y pâr ifanc goleuedig a than ysbrydoliaeth y Druid's Arms, lle bydd Shoni, gyda chymorth Johnnie Genteel, Mog Militia, Jones the Shoes, Bevan Bobby, Large Lewis, Joe Jocky, Willie Walrus a Dic Paraffin yn sicrhau na chaiff yr hwyl gymunedol ddiffygio. Y mae Elias a'i surni hunangeisiol wedi'i yrru adref i 'Upper Village' ac y mae'r dramodydd wedi cystwyo'r diacon unwaith eto.

Y mae naws *Under Milk Wood* i'w deimlo fwy nag unwaith yn *Little Village*, ond yn wahanol i Dylan Thomas yr oedd J. O. Francis am roi byd yn ei le. Ffars, nid comedi, yw *Little Village* a phwrpas ffars yw dial, cael y gorau ar elyn neu ddrygioni. Fel pob 'adyn' mewn ffars y mae Elias Watkin yn cael ei haeddiant ac rydym yn falch. Awn ati i fwynhau yn y Druid's Arms heb falio dim amdano – 'Serfo'r diawl yn reit!' Nid yw comedi yn caniatáu i ni ymwrthod â chyd-ddyn felly. Y mae cydymdeimlad y comedïwr yn cofleidio pawb.

Mae clych atgof y Gymraeg yn galw 'nôl ragorach byd na'r presennol; mae pruddglwyf pêr eu cân yn edliw i'r presennol ei ddirywiad. Neu mae'r pentref yn y wlad yn edliw i'r gymdeithas ddiwydiannol ei dallineb a'i hanwarineb. Y pentref gwledig, chwedl Raymond Williams, yw'r 'knowable community'; y mae'n rhagori. Yn *Under Milk Wood* nid oes neb yn ymddiwygio, nac yn gwaethygu. Nid ymwrthodir â neb; caniateir i bawb ei hawl i ymdopi â'i gyflwr dynol orau y gall. Y mae harddwch y pentref glan môr yn driw i dras y pentref Cymraeg telediw ond y mae ei drigolion yn driw yn unig i'w natur. Y maent bob un yn ymglywed â thipian y cloc ac yr ydym ni, wrth wrando arnynt, yn ymglywed â churiadau awydd dihysbydd i fyw bywyd i'r fyl ac yn ymwybod yn ein chwerthin ag iasau eu rhwystredigaethau a'u cyfyngiadau. Athrylith Dylan Thomas a wnaeth iddo ymgorffori trydan chwant byw trigolion Llaregyb yn Jack Black – 'sbaddwr' y cariadon a'r godinebwyr – sy'n ymarfogi rhag ei flys ei hun cyn mynd i'w waith:

> Jack Black prepares once more to meet his Satan in the Wood. He grinds his night-teeth, closes his eyes, climbs into his religious

trousers, their flies sewn up with cobbler's thread, and pads out, torched and bibled, grimly, joyfully, into the already sinning dusk. Off to Gomorrah![43]

Y mae'n rhaid wrth Gymro Cymraeg Anghydffurfiol i lawn werthfawrogi cyflwr Jack Black!

Y mae clych atgof y Gymraeg yn galw 'nôl ffordd o fyw pan oedd i Gymreictod sicrach stad a Duw a ŵyr fod i'w galw afael ar galon Cymro a Chymraes. Mae gennym hawl i'n breudd-wydion. Ond y mae 'Come back, come back,' Captain Cat ddall a'i 'Oh, my dead dears!', yn lleisio'n hiraeth anesgor am degwch dydd y gŵyr pob meidrolyn loes ei golli. Cofiwn eiriau Dylan Thomas i'r perwyl mai dim ond am ddarn bychan o'i fywyd y mae bardd yn fardd: 'for the rest, he is a human being, one of whose responsibilities is to know and feel, as much as he can, all that is moving around and within him'. A chofiwn ei eiriau ar ei wely angau yn Efrog Newydd bell a'i hiraeth am gartref yn dygyfor ei enaid: 'Tonight in my home the men have their arms around one another, and they are singing.' Oherwydd *Under Milk Wood* fe bery'r cofleidio a'r canu tra bydd Cymru'n bod.[44]

Pe gofynnid i mi ateb y math o gwestiwn a anelid yn fychanus at garedigion llenyddiaeth Gymraeg yn Oes Fictoria – 'Ble mae eich Dylan Thomas?' – fy ateb fyddai i'r angau ddwyn oddi arnom yr un a allasai 'greu' pentref cydnaws â Llaregyb mor greulon o gynnar ag y dygodd grëwr y lle hwnnw. Yr oedd gan Idwal Jones, a fu farw yn 1937 yn 42 oed, y weledigaeth a'r ddawn i gyflawni camp gyffelyb fel y prawf ei ysgrif ar 'Cymeriadau'r Felin-fach' yn *Y Ford Gron*. Gwrandawsai ar ei fam yn y cartref yn Llanbedr yn llanw'r tŷ 'ag ysbrydion Dyffryn Aeron', yn adrodd hanesion o ddydd i ddydd a'r cyfan 'yn myned ymlaen fel math o chwedl para-byth'. Idwal Jones a droes *My People* Caradoc Evans yn 'My Piffle' mewn sgit ddwyieithog farwol na chyhoeddwyd mohoni, gwaetha'r modd. Cawsai olwg ar drigolion Felin-fach a allasai, yn rhinwedd ei gydymdeimlad a'i hiwmor, eu gwneud yn gymeriadau mewn pentref Cymraeg na fyddai'n rhaid ond ymateb i'w dynoliaeth i'w gwerthfawrogi. Am Idwal Jones y dywedodd Gwenallt: 'Byrlymai ei hiwmor ar wely marw. Yr oedd Angau ei hun yn jôc. Chwarddai ar lan Iorddonen. Ac aeth hiwmor Cymru i'r nefoedd.' Yr oedd llawer mwy o'i angen ar yr hen wlad.[45]

Nodiadau

1 J. M. Edwards, *Cerddi'r Daith* (Llandysul, 1954), 49–50.
2 *Eisteddfod Genedlaethol Frenhinol Cymru, 1937 Machynlleth. Yr Awdl a'r Bryddest a darnau buddugol eraill* (Wrecsam, d.d.), 27–8.
3 Ibid., 30–1, 34.
4 *Cymdeithas yr Eisteddfod Genedlaethol, Yr Unfed Adroddiad ar Bymtheg a Deugain ynghyda Rhestr o Swyddogion, Beirniaid, y Cystadlaethau a'r Buddugwyr yn Eisteddfod Genedlaethol Abergwaun 1936 a'r Beirniadaethau Cyflawn ar y Prif Destunau yn Abergwaun, 1936 a Machynlleth, 1937* (Caerdydd, d.d), 217–26.
5 Gillian Darley, *Villages of Vision* (London, 1975), 19.
6 Alun Howkins, 'The Discovery of Rural England', yn Robert Colls a Philip Dodd (eds.), *Englishness. Politics and Culture 1880–1920* (London, 1986), 62–88. Gw. 69.
7 Ibid., 80.
8 Ibid., 82–4; Malcolm Chase, 'This is no claptrap, this is our heritage', yn Christopher Shaw a Malcolm Chase (eds.), *The Imagined Past: history and nostalgia* (Manchester, 1989), 128–46. Gw. 129, 142.
9 Ibid., 132–4.
10 *Wales*, 3 (1896), 3.
11 Ibid., 1 (1894), iii–iv. Gw. Ina Taylor, *Helen Allingham's England. An Idyllic View of Rural Life* (London, 1990).
12 Raymond Williams, *The Country and the City* (London, 1975), 18–22.
13 W. J. Gruffydd, *Owen Morgan Edwards. Cofiant. Cyfrol I, 1858–1883* (Aberystwyth, 1938), 1, 4.
14 Alfred Thomas, *In the Land of the Harp and Feathers* (London, 1896), 17; H. Elwyn Thomas, *Where Eden's Tongue Is Spoken Still* (London, s.l.), 187–200.
15 Anthropos, *Y Pentre Gwyn. Ystori Bore Bywyd* (Argraffiad Gwasg Salesbury, Llandybïe, d.d.). Gw. 'Rhagymadrodd.'
16 Ibid., 109–10.
17 E. Morgan Humphreys, *Gwŷr Enwog Gynt. Argraffiadau ac Atgofion Personol* (Llandysul, 1950), 85–94. Gw. 89.
18 O. Llew Owain, *Anthropos* (1953), 28–30, 33, 35; *Y Pentre Gwyn*, 22–8, 94–9.
19 Christopher Wood, *Paradise Lost. Paintings of English Country Life and Landscape 1850–1914* (London, 1988), 7–10.
20 Alun Llywelyn-Williams, *Nes Na'r Hanesydd? Ysgrifau Llenyddol* (Dinbych, d.d.), 26–7.
21 Ibid., 25; *Cofnodion a Chyfansoddiadau Eisteddfod Genedlaethol 1910 (Colwyn Bay)*, 142-59; *Yr Eurgrawn Wesleaidd*, CXIII (1921), 248-53, 293-6, 332-6, 377-80, 415-19, 451-4; ibid., CXIV (1922), 23-7, 60-65, 148-52, 186-90; ibid., CXVIII (1926), 145-9. 'Pant-y-Cysgod' yw'r enw a roes 'John Henry' i'r pentref y bwriadai edrych arno 'fel drych o fywyd gwledig Cymru'. Yr oedd yn bod mewn gwirionedd: 'Pentref bychan, gwyngalchog, ydoedd, yn llechu ar waelod isaf dyffryn cul yng

nghesail mynydd-dir Hiraethog . . . pentref tawel, prydferth a neilltuedig, heb ddim trwst trafnidiaeth, dim cyffro gwleidyddol, dim cynhyrfiadau cymdeithasol! "The village of Sleepy Hollow, where nothing ever happens," meddai rhyw Philistiad dienwaededig o Sais a fu yno am ysbaid yn ysgolfeistr.'

22 Caradoc Evans, *My People*. Edited and Introduced by John Harris (Bridgend, 1987); David Jenkins, 'Dai Caradog', *Taliesin*, 20 (Gorff. 1970), 79–86.

23 *The Referee*, 4 March 1923.

24 *Sunday Express*, 4 March 1923.

25 *Transactions of the Honourable Society of Cymmrodorion* (1917–18), 190–255.

26 Ibid., 196–7, 200, 220–31, 239–43.

27 Ibid., 196.

28 Ibid., 201.

29 David Davies, *Reminiscences of My Country and People* (Cardiff, 1925), 54, 64.

30 Hugh Evans, *Cwm Eithin* (Lerpwl, 1931), vii.

31 David Evans, *Y Wlad: Ei Bywyd, Ei Haddysg, A'i Chrefydd* (Lerpwl, 1933), 34–7. Cymh. *Yr Efrydydd*, 6–7 (1929–31), 247–50; *Transactions of the Honourable Society of Cymmrodorion* (1926–7), 156–69; E. Morgan Humphreys, 'Bywyd yn y Wlad', *Yr Efrydydd*, 1 (Mehefin 1936), 207–11.

32 David Evans, *Yr Efrydydd*, 6–7 (1929–31), 249–50.

33 *Y Ford Gron*, IV (1933–4), 141–2; ceir y gyfres 'Pentrefi Cymru' yng nghyfrolau II, III, IV o'r *Ford Gron*.

34 S. M. Powell, 'Pobl Hamddenol Rhydlewis', *Y Ford Gron*, II (1931–2), 8 a 17.

35 E. Myfyr Evans, 'Bro a'r Efail yn Senedd iddi', *Y Ford Gron*, III (1932–3), 234 a 238; J. Trefor Lloyd, 'Pentref â Dyffryn yn ei Guddio', *Y Ford Gron*, IV (1933–4), 44.

36 William Phillips, 'Rhos-Llanerch-Rugog', *Y Ford Gron*, IV (1933–4), 71.

37 J. M. Edwards, *Cerddi Hamdden* (Llandybïe, 1962), 42–58.

38 J. Gwyn Griffiths (gol.), *Y Gaseg Ddu a Gweithiau Eraill gan D. J. Williams, Abergwaun* (Llandysul, 1970), 95; 'Canmlwyddiant W. Llewelyn Williams: gair o deyrnged', *Seren Cymru* (8 Rhagfyr 1967), 5 a 8; *Y Fflam* (Mai 1947), 64.

39 D. J. Williams, *Hen Dŷ Ffarm* (Llandysul, 1953), 140, 160, 181–9.

40 Ralph Maud, *Dylan Thomas. The Broadcasts* (London, 1991), 204, 280.

41 Dylan Thomas, *Under Milk Wood. A Play for Voices* (London, 1954). Gw. 'Preface' (v–viii) gan Daniel Jones; J. O. Francis, *Little Village. A Welsh Farce in Three Acts* (Welsh Drama Series, No.97).

42 Ibid.

43 Dylan Thomas, *Under Milk Wood*, 79.

44 John Ackerman, *Welsh Dylan* (Cardiff, 1979), 34, 120.

45 Idwal Jones, 'Cymeriadau'r Felin-fach', *Y Ford Gron*, II (1931–2), 235–6; D. Gwenallt Jones, 'Idwal Jones a'i Waith', *Yr Efrydydd*, III (1938), 35.

Gwerin Dau Garadog

GERWYN WILIAMS

Yn draddodiadol, ni bu fawr o Gymraeg rhwng llenorion y ddwy iaith yng Nghymru ac os rhown goel ar eiriau Robert Minhinnick, dyw pethau'n fawr gwell ddechrau'r nawdegau eangfrydig chwaith.[1] Wrth drafod y ddelwedd o Gymru a daflunnir yn ffuglen yr iaith fain – *Gwyneth of the Welsh Hills* (1918) Edith Nepean,[2] a *Capel Sion* (1916) Caradoc Evans, yn ei phlith – dyma sy gan Tecwyn Lloyd i'w ddweud:

> Sut na ellid sgrifennu am Gymru yn Saesneg mewn ffordd y gallem ni, Gymry cefn gwlad Cymraeg, ei chredu a'i derbyn? Paham fod pob stori a nofel am Gymru, i bob golwg, yn ein disgrifio fel pobl â chyrn ar ein pennau; fel pobl yn perthyn i fyd ffantastig, afreal. Yn ein disgrifio, wir, nid fel pobl llawn llathen ond fel pypedau? Sut na cheid rhyw Ddaniel Owen neu Degla neu Kate Roberts neu Islwyn Ffowc Elis yn y llenyddiaeth hon i gyd – rhywun a oedd yn adnabod Cymru, ei bywyd bob dydd, ei gwahaniaethau ardal a bro?[3]

Mae'r safbwynt yn driw i ymresymiad Saunders Lewis a ddaliodd yn 1939 nad oedd y fath beth â llenyddiaeth Eingl-Gymreig: '. . . there is not a separate literature that is Anglo-Welsh . . . it is improbable that there ever can be that.'[4] Coleddodd ei gofiannydd yr un amheuon ynghylch perthnasedd yr hyn a sgrifennir yn Saesneg am Gymru ar hyd ei oes; yn wir, mewn llythyr a ymddangosodd yn y wasg fisoedd yn unig cyn ei farwolaeth mynnodd yn ddiedifar:

> Llenyddiaeth ranbarthol sy'n rhan o gorff mawr llenyddiaeth

Lloegr yw'r hyn a sgrifennir yng Nghymru yn Saesneg, boed ryddiaith neu farddoniaeth . . . Methiant fu pob ymdrech i gyfleu Cymru Gymraeg mewn nofel, stori fer, drama a mydryddiaeth trwy gyfrwng Saesneg . . . Perthyn i ddau fyd llenyddol cwbl wahanol y mae'r 'tyddynnwr' o Gymro a'r 'peasant' o Sais: nid oes heiffen rhyngddynt, ac ni ellir un byth.[5]

Mynegiant cwbl ddigymrodedd o wrthwynebiad.

Wrth ymateb ddechrau'r chwedegau i gyfres o erthyglau'n dadlau achos tebyg, dyma fel yr oedd Aneirin Talfan Davies yn ei gweld hi:

Y mae'n ddyletswydd arnom ni sy'n medru'r Gymraeg, ac yn ei defnyddio i lenydda, ymgadw rhag edrych yn drwyn-sur falch ar y llenorion Cymreig sy'n gorfod defnyddio'r Saesneg fel cyfrwng. Y mae gan y Cymro sy'n defnyddio Saesneg yn gyfrwng iddo, ran bwysig i'w chwarae yn y frwydr dros yr iaith Gymraeg. Ychydig o gyfle a roddwyd iddo hyd yma, oherwydd diffygion amlwg ein cyfundrefn addysg, i amgyffred ei ddyletswydd tuag at ei genedl. Ni allwn lai na gofidio am y gwahanfur sydd rhyngom. Y mae mor ddinistriol bob tamaid â mur Berlin – ac efallai yn fwy parhaol.[6]

Gyda rhybudd od o broffwydol y frawddeg ola'n adleisio yn y meddwl, a chan arddel yr un ysbryd cymodlon, yr hyn yr hoffwn innau ei wneud yn yr ysgrif hon fyddai ystyried rhai agweddau ar lenyddiaeth Gymraeg, o *Rhys Lewis* (1885) hyd *Un Nos Ola Leuad* (1961), gyda darlun gwrthodedig Caradoc Evans, yn *My People* (1915) a *Capel Sion* yn benodol, mewn cof. Er mwyn ceisio cael golwg lai carfanus ar ei gyfraniad creadigol, bwriadaf ei wahanu am y tro oddi wrth gwmni mwy cyfarwydd ei gyd-lenorion Eingl-Gymreig, cwmni yr ystyrir ef ei hun yn aml fel ei sylfaenydd modern.[7]

~

Fe erlidiwyd Caradoc Evans ag arddeliad moesol gan ei gyd-Gymry ar hyd yr yrfa lenyddol a lansiwyd mewn storm o wrthwynebiad yn Nhachwedd 1915. Teyrnfradwriaeth oedd ei drosedd, darlunio yn iaith y Saeson – ac yntau'n Gymro Cymraeg – werin dlawd cefn gwlad Ceredigion, ei bobl ef ei hun, fel criw o anwariaid a gyfathrebai â'i gilydd mewn deialog hurt bost. Flwyddyn yn ddiweddarach, ffrwydrodd ail fom yr awdur, *Capel Sion*, cyfrol y dywedodd adolygydd y *Western Mail* am ei hawdur a'i bortread o'r werin:

> . . . he seems to have lived in a sort of moral sewer. They are
> certainly not Welsh; they are certainly not Welsh peasants; and the
> language they speak is not to be found anywhere in the world
> outside Mr. Evans's books . . . The stories are gross in tone, in
> intent, and in effect, and the reviewer's final feeling on finishing the
> work is to go and have a bath.[8]

Tynnodd holl lid y consensws Ymneilltuol-Rhyddfrydol yn ei
ben – partneriaeth y rhoes ei gas arni[9] – a chafodd ei lwytho â
theitlau fel 'renegade', 'stormy petrel' a 'best hated man in
Wales', un a chanddo ddychymyg 'like a sexual pigsty'. A
chwedloniaeth wedi tanseilio ffaith, drwg yr holl gyhuddo
egnïol fu iddo godi muriau carchar rhyngom a gwaith creadigol
Caradoc Evans. Daeth yn hen bryd inni ddringo dros y muriau
hynny a holi pa mor unigryw ac eithriadol yn ei hanfod oedd
ei olwg feirniadol ef ar gyflwr y werin Gymreig a'i famwlad.
Onid *eithafiaeth* ei ddarlun rhagor ei *sylwedd* a'i gosodai ar wahân
i'w gyd-Gymry? Tybed, hefyd, nad amddifadwyd llenorion
Cymraeg o gyfle creadigol o ganlyniad i'r sensoriaeth – an-
swyddogol ond llym[10] – a weithredwyd ar ei waith? Ac onid
oedd gan y twlc mochyn hwnnw o ddychymyg rywbeth i'w
gynnig i lenorion Cymraeg?

Saith mlynedd a wahanai Caradoc Evans (g.1878) oddi wrth
D. J. Williams (g.1885) a deng milltir ar hugain ar y mwyaf oedd
rhwng cynefin y naill yn Rhydlewis, Ceredigion a chartre'r llall
yn Rhydcymerau, Sir Gaerfyrddin. Nid afresymol casglu eu bod
yn darlunio'r un gymdeithas yn yr un cyfnod yn ei hanes; ond
nid dyna dystiolaeth eu gwaith:

> Nevertheless, they present widely different pictures of it. How did
> it come about that two men possessed of great powers of
> observation and of an unusual capacity to convey their meaning
> through the written word, should nevertheless describe the same
> society so differently?[11]

Gwahaniaethau economaidd a chymdeithasegol rhwng
magwraeth y ddau sy'n esbonio'r cyferbyniad rhwng dar-
luniau'r ddau o'r un tirlun, yn nhyb W. J. Rees. Diffygiol ddigon
oedd ansawdd addysg gynnar Caradoc Evans, yn ôl ei
dystiolaeth ef ei hun; fodd bynnag, anodd barnu cywirdeb ei
ddyfarniad oherwydd y cymhlethdodau yn ei bersonoliaeth sy'n
cynnig gwledd i'r beirniad seicoddadansoddol.[12] Faint o

Gymraeg a ganiateid yn ysgol Rhydlewis, yn ystod yr hanner canrif a ddilynodd Frad y Llyfrau Gleision, pan oedd y *Welsh Not* mewn grym,[13] sy'n gwestiwn. Ai llefaru'n herfeiddiol ynteu mewn anwybodaeth ynteu gan fynegi cymhleth israddoldeb a wna yn y dyfyniad hwn o lythyr i'r *Western Mail* yn 1917 ac yntau ar y pryd yn amddiffyn *Capel Sion* yn wyneb beirniadaeth ei gyn-ysgolfeistr, John Crowther?

> There is not a Welsh novelist. Not one Welshman has produced fiction which has lived six months after the day of its publication. *Rhys Lewis*, often regarded by my countrymen as a work of a great genius, judged from every standard of fiction is bad: it has no form, it is loosely constructed, its humour is common-place, and it is extremely dull. Only in one respect is it interesting: it is an example of Welsh mediocrity.[14]

Gwyddys fod y ddau gyfaill, gweinidog Annibynnol Capel Hawen, David Adams, a'r ysgolfeistr, John Crowther, yn ddihirod mawr yng ngolwg Caradoc Evans; cynrychiolent ormes Ymneilltuaeth-Rhyddfrydiaeth dros fywyd Rhydlewis; cymeriad y gwneir hwyl am ei ben yw'r 'schoolin' yn ddieithriad yn ei storïau byrion a'r gweinidogion hwythau – Bern-Davydd a Bryn-Bevan yn neilltuol – yn gythreuliaid mewn cnawd. Eto i gyd, mae'n bosib fod un ai ei awydd i dalu'r pwyth neu natur gyfyngedig ei ddeunydd darllen Cymraeg wedi'i ddallu rhag gweld yn Daniel Owen frawd o gyffelyb anian.[15]

Hywel Teifi Edwards sy'n nodi wrth drafod dehongliad nofelydd yr Wyddgrug o'r 'gwir':

> Eironi yw prif arf Daniel Owen a'i ddefnydd ohono 'yn y mannau cysegredicaf' a'i henwogodd mewn gwlad a fuasai'n ddibris o'r dychanwr ers dyddiau Twm o'r Nant. Stori lenyddol fwyaf eironig y ganrif ddiwethaf yw'r modd y traflyncodd y Cymry crefyddol ei ddychan . . . Ystyrier yr ymateb husterig a gafwyd i *My People* Caradoc Evans yn 1915 – llyfr llawer llai cyrhaeddgar na *Rhys Lewis* ac *Enoc Huws* – a siawns na ddechreuir sylweddoli pa mor llwyr y gorchfygodd Daniel Owen ei ddarllenwyr.[16]

Wrth i'n dirnadaeth o Gymru oes Fictoria ddyfnhau, felly hefyd y datblygodd ein golwg ar nofelau Daniel Owen ac y daethpwyd i herio safbwynt John Gwilym Jones, safbwynt dylanwadol yr oedd peryg iddo ymsefydlu'n uniongrededd feirniadol, ynglŷn â drwgeffeithiau Calfiniaeth ar y nofelydd.[17] Camarweiniol os nad nawddoglyd yw'r darlun o Daniel Owen yn sgrifennu'n ochelgar dan fawd Methodistiaeth; nes at y gwir yw ei fod wedi trin a thrafod Calfiniaeth gyda chryn elfen o wrthrychedd ac annibyniaeth, fel y dadleuwyd gan Ioan Williams a John Rowlands yn bur ddiweddar.[18]

Dangosir yn eglur yn *Rhys Lewis* amhosibilrwydd gwasanaethu dau feistr: ar y naill law, ceisir gwireddu'r penderfyniad i fod yn onest, costied a gostio; ar y llaw arall, ceisir gweithredu'n driw i Galfiniaeth. Daw Daniel Owen yn ei nofel wyneb-yn-wyneb ag amherffeithrwydd Methodistiaeth. Diwedd y gân yw'r sylweddoliad alaethus nad yw Methodistiaeth a gonestrwydd yn gyfystyron: amod derbyn Bob Lewis yn ôl i'r gorlan yw ei fod yn rhagrithio drwy syrthio ar ei fai am y cweir a roes i Robin y Sowldiwr. Gwendid Bob erioed fu ei ymrwymiad i '[d]deyd gormod o wir',[19] yn ôl ei fam. Ac yn ystod yr ymrafael nerthol rhwng y fam a'r mab, y delir Rhys Lewis yn ei ganol, Bob sy'n mynegi'r feirniadaeth waelodol hon:

> Gwyddoch fy mod cystal dirwestwr â neb sydd yn yr eglwys, ac yr wyf yn meddwl fy mod yn gofidio cymaint ag un dyn am y trueni a achosir gan annghymedroldeb. Ond nid Duw dirwestiaeth yn unig ydyw ein Duw ni, tybed? Onid ydyw efe yn Dduw cyfiawnder, cariad, boneddigeiddrwydd, a lledneisrwydd? Mae y Testament Newydd yn fy nysgu i ei fod ac yn arbennig felly. Ond pa bryd y gwelsoch chwi Abel Hughes – pob parch i Abel – yr wyf yn credu ei fod yn gristion gloew – ond pryd y gwelsoch chwi ef yn codi ar ei draed i ofyn am arwydd i ddiarddel un am ei gybydd-dod, ei galongaledwch a'i wynebgaledwch? Pwy welsoch chwi yn cael ei dori allan am yru pobl yn mhenau eu gilydd? am erlid ei well? neu am fryntni ei dafod? Neb, mi wn. (185)

Yn ei chaethiwed i ddogma ar draul dynoliaeth gwelir hadau hunanddinistr Methodistiaeth: drannoeth carcharu Bob, ni ddaw neb o bobl y capel ar gyfyl Rhys na'i fam i edrych amdanynt, hyd yn oed wrth ddychwelyd o'r oedfa; y Samariaid trugarog ond diniwed a ddaw yn eu lle yw Thomas a Barbara Bartley – 'Ni fuasai yn bosibl ymron i ddau mwy annhebyg i fy mam o ran tueddiadau a chymeriad ddyfod i ymweld â hi' (122) – ar eu ffordd adref o'r *Crown* o bobman. Yr un anhyblygrwydd damniol sy'n taro dyn ar ddiwedd *Enoc Huws* (1891): yn cuddio dan y *façade* o hapusrwydd a ddaw yn sgil priodas ddwbl y diweddglo, mae'r sylweddoliad trist hwn: petai Mr Davies wedi gallu maddau i'w ferch ac anghofio am ei barchusrwydd ni fyddai'r holl hafoc a ymylai ar losgach wedi digwydd yn ddiweddarach yn y nofel. Plentyn *hubris* yw *nemesis*.

Nid darlun goddrychol o'r Hen Gorff yn ei holl burdeb diwyro yw'r darlun a dynnir o Mari Lewis chwaith; rhaid i hyd yn oed ei mab, yr adroddwr, gyfaddef â'r gonestrwydd sy'n hanfod integriti artistig, '. . . rhagrithiwn, ac ni byddwn ffyddlawn i fy addewid o ddywedyd y gwir, a'r holl wir, pe celwn ei gwendidau'. (150) Yn wir, try'n ysglyfaeth yn y pen draw i'w hannibyniaeth a'i balchder ei hun: dymuna farw yn hytrach na gorfod mynd ar y plwy a derbyn cardod yr Eglwys. '. . . y mae yna rywbeth, wel di, mewn crefydd o'r *sort* oreu ag sydd yn gwneyd un yn ofnadwy o *independent* ar y byd yma a'i bethau! Trïa gael crefydd fel crefydd dy fam' (254): geiriau doeth Abel Hughes wrth Rhys yn ei brofedigaeth; ond sut fath o grefydd yw'r un forbid o asgetig hon sydd â phwyslais mor wrth-fywydol?

Gellid taeru mai o 'Cymru Lan', pennod gyntaf Ioriol *Enoc Huws*, y cododd Caradoc Evans ei destun:

> Mab llwyn a pherth oedd Enoc Huws, ond nid yn Sir Fôn y ganwyd ef . . . Mi a wn ei fod yn bwnc tyner a llednais i'w grybwyll – mi a wn mai mwy hyfryd i'r teimlad yw gwrando ar leisiwr da yn canu, 'Cymru Lân, gwlad y gân,' a rhoi *encore* iddo, ac iddo yntau drachefn roddi i ni 'Hen wlad y menyg gwynion.' Ond ynfytyn a fyddai y dyn a dybiai ei fod wedi cael holl hanes Cymru yn y ddwy gân.[20]

Onid perthynas agos i'r Parch. Obediah Simon gosmetig a disylwedd yn *Enoc Huws* yw'r Respected Josiah Bryn-Bevan sydd, ar ddiwedd arswydus 'Be this her memorial',[21] yn sefyll uwchben Nanni ac yn gwthio ar wahân ei dyrnau, sy'n cydio'n dynn am lygoden fawr rôst, 'with the ferrule of his walking-stick'? (112) Ac onid amrywiad mwy sinistr ar y berthynas rhwng meistr a morwyn a ddarluniwyd mor gofiadwy ym mherthynas Enoc a Marged, yr howscipar sy'n 'gwyrdroi swyddogaeth rywiol y ferch barchus',[22] yw honno rhwng Hannah Harelip ac Evan Rhos yn 'Redemption', stori agoriadol *Capel Sion*?

Gwir y dywedodd Tecwyn Lloyd:

> Nid rhyfedd i Garadoc Evans dynnu'r fath ddicter ysol am ei ben

pan fentrodd gyhoeddi ym 1915 nad Gwalia dlos na gwlad y gân a'r gymanfa oedd 'My Country' ac nad oedd 'My People' nemor ddim gwell na lleng o ragrithwyr llwgr eu moesoldeb. 'Roedd y storïau hyn yn mynd yn gwbl groes i'w ddelw ohono'i hunan y buasai'r Cymro yn ei haddoli ers o leiaf 1847.[23]

Ond fe bortreadodd Daniel Owen yntau rhwng ei bedair nofel '[l]eng o ragrithwyr llwgr eu moesoldeb'. Does dim dwywaith ynglŷn ag adladd Brad y Llyfrau Gleision ac ymdrechion drudfawr y Cymry i brofi eu gwerth a'u moesoldeb yn llygaid y byd.[24] Ond does fawr o banig na hysteria moesol i'w synhwyro yng ngeiriau agoriadol *Enoc Huws*, arwydd efallai fod Cymry diwedd oes Fictoria wedi llwyddo erbyn hynny i ymdopi'n fwy llwyddiannus nag a dybir fel arfer â stigma condemniad cenedlaethol 1847. Yn sicr, rhaid hawlio rhyw radd o soff-istigeiddrwydd a hunanhyder i gynulleidfa a oedd yn fodlon cydchwerthin am ben ei beiau ei hun ynghyd â'i hymdrechion ei hun i beintio drostynt gyda chyfres o sloganau deniadol fel y gwneid ym mhennod gyntaf *Enoc Huws*.

Onid y gwir amdani yw fod yn dda iawn i'r nofel Gymraeg wrth Fethodistiaeth? Defnyddio'r *genre* i ddibenion crefyddol – dyna fwriad Daniel Owen wrth ysgrifennu nofelau fel y dywed Roger Edwards mewn rhagymadrodd i *Y Dreflan*:

> Dichon fod rhyw ychydig nifer o bobl dda yn meithrin gwrthwynebiad i ddwyn allan wirioneddau crefyddol mewn ffordd o adroddiadau neu ystorïau, megys y ceir yma. Ond os rhydd y cyfryw ddarlleniad trwyadl i'r DREFLAN, hwy a welant nad oes ynddi ddim yn annaturiol neu yn anghymeradwy, megys y mae mewn llawer o ffug-chwedlau; ac yn y llyfr hwn, hefyd, cyflwynir llïaws o wersi daionus i rai nad ânt i edrych am danynt mewn pregethau, traethodau, ac esboniadau.[25]

'Mae mwy nag un ffordd i addysgu a difyru ein gilydd' (iv): geiriau Daniel Owen ei hun mewn rhagymadrodd i *Enoc Huws*. Prun bynnag, os derbyniwn gasgliad ymchwil E. G. Millward i'r maes, roedd y gwrthwynebiad efengylaidd i'r nofel wedi'i drechu erbyn cyfnod Daniel Owen ac arfer hen gonfensiwn yr oeddid wrth gyfiawnhau'r defnydd ohoni fel hyn.[26]

Ond os amcanion ymarferol yn ymwneud â'i enwad oedd ysgogiad cychwynnol Daniel Owen, buan yr ymestynnodd y nofelau gorffenedig ymhell y tu hwnt i'r bwriadau hynny. Y mae'r hyn y gobeithiwyd ei ennill drosodd i fod yn gefn i

Fethodistiaeth yn datblygu'n foddion i ymchwilio i'w methiannau; buan y try ei ymwneud chwareus â'r cofiant yn chwerw yn *Rhys Lewis*, nofel wrtharwrol sy'n taflu dŵr oer ar yr holl ddelfrydiaeth a nodweddai'r 'ffurf bwysicaf ar ryddiaith greadigol Gymraeg'[27] yn y bedwaredd ganrif ar bymtheg. Hawliwyd hunanlywodraeth greadigol i'r nofel fel bod modd ei defnyddio fel offeryn amlbwrpas yn annibynnol ar nac enwad na phlaid. Ar ôl i Daniel Owen fynd i'r afael â hi, safai'r nofel fel car â'i injan wedi'i thiwnio yn barod i wibio ar hyd priffyrdd yr ugeinfed ganrif heb fod angen dyn â baner goch i gerdded yn rhybuddiol o'i blaen i gyhoeddi ei defnyddioldeb na'i desantrwydd i'r byd a'r betws.

Fe ddylai enghraifft lew Daniel Owen yn ystod chwarter ola'r ganrif ddiwethaf fod wedi arwain at ddegau o weithiau ffuglen mor ddigywilydd a hyderus â rhai Caradoc Evans ugain mlynedd ar ôl ei farwolaeth. Ond am ba reswm bynnag, ddigwyddodd hynny ddim. Yn eironig ddigon o gofio am giamocs y Bardd Newydd ddiwedd y bedwaredd ganrif ar bymtheg, ym maes barddoniaeth y gwelwyd arwyddion cyntaf dadeni llenyddol yr ugeinfed ganrif. Yn 1902, yr un flwyddyn â llwyddiant eisteddfodol ei awdl aruchel, 'Ymadawiad Arthur', cyhoeddodd T. Gwynn Jones gyfrol o brydyddiaeth sosialaidd ymgyrchol, *Gwlad y Gan a Chaniadau Eraill*, cyfrol ag ynddi gerddi mwy amlwg gyfoes eu hergyd o'r hanner. Dychangerdd hir yw'r gerdd deitl sy'n tyrchu, fel y tyrchwyd ar ddechrau *Enoc Huws*, dan wyneb cyhoeddus y cyfnod:

> Fe'm ganed i'n Hen Wlad y Menyg Gwynion,
> Gwyllt Walia, Cymru Wen, neu Gymru Lân;
> Fe'i henwir hi wrth fel bo tuedd dynion,
> Neu'n llawer amlach fel bo odl cân:
> Nid dyna'r oll o'i henwau chwaith, can's da oedd
> Gan rai ei galw'n Wlad y Breintiau Mawr,
> A Gwlad y Bryniau, Gwlad y Cymanfaoedd,
> A Gwlad yr Eisteddfodau; wele! 'n awr
> Y mae – wrth gofio, Gwlad y Gân a'r Cenin –
> Ei henwau amled bron a rhai cyw brenin.[28]

Bu farw Daniel Owen yn 1895 a'r bardd hwn o sir gyfagos yw etifedd amlycaf ei fantell a hynny mewn cerdd y cyhoeddwyd rhannau ohoni gyntaf yn *Cymru* yn 1896. Eisoes yn y cartŵn bychanus hwn o'r Gymru Fictoraidd, clywir nodau'r dychanwr a fyddai'n taro'n ddidrugaredd yn erbyn milwriaeth drwy gydol y Rhyfel Byd Cyntaf.[29] Yn llythyrau'r ddau rhwng 1914 a 1918, damniol yw sylwadau T. Gwynn Jones a W. J. Gruffydd am gyflwr y werin ac Ymneilltuaeth: 'Oni chredwch chwi bellach fod Ymneilltuaeth wedi darfod am byth?';[30] 'Nid yw'r "werin" mor ffyddlon iddi [y Gymraeg] ag y mynnodd rhai prydyddion. Gwn am laweroedd a'i sieryd yn unig am mai hi yn unig a fedrant – *bourgeoisie* Lloegr yw eu duwiau mewn gwirionedd';[31] '. . . yr wyf wedi gweled o'r diwedd mai *illusion* yw gweriniaeth a gwerin, ond *illusion* annwyl imi er hynny'.[32] Ac fel 'y dyn bach yna o Gricieth'[33] y cyfeirir yn ddilornus at bennaf arweinydd y Gymru hon, sef Lloyd George.

Ddechrau'r ganrif a chyn y rhyfel, teimlir bod T. Gwynn Jones yn dychanu'n gadarnhaol dros amodau byw tecach i aelodau cyffredin y werin a'i fod mewn cerdd realaidd fel 'Pro Patria!' (1913) yn ymwneud â chymeriadau meidrol, cyfarwydd yn hytrach na bodau pendefigaidd, arallfydol fel Arthur ac Anatiomaros. Ond fel y sylwodd John Rowlands yn ddiweddar, newidiodd ei gân:

> . . . mae yna ddirmyg mawr yng ngwaith Gwynn Jones at y mwyafrif difeddwl, y gymdeithas fas, ddiddiwylliant. Y gerdd 'Argoed' . . . sy'n cyfleu hynny orau efallai . . . Mae'r bardd yn drwm ei lach ar y werin am lyncu'r anniwylliant newydd.[34]

Drannoeth y rhyfel ymloddesta'n gynyddol ar besimistiaeth a wna, cefnu ar idiom gyfoes a bwrw'i lid o glydwch academia ar y werin yn ei gwendid.

Un arall a wrthwynebodd y Rhyfel Mawr yn chwyrn oedd T. E. Nicholas; serch hynny, cryfhau yn hytrach na chilio a wnaeth ei werinoldeb ef yn sgil ei brofiad o'r rhyfel. Does dim dwywaith am y sêl ddiwygiadol wrth wraidd penillion fel y rhain a ymddangosodd yn *Cerddi Rhyddid* (1914) ar drothwy'r rhyfel:

> Trof i'r hofelau afiach,
>   I gwmni puteiniaid y dref;
> Try yr offeiriad o'r fangre ddu
>   I chwilio am Grist a nef.

> Trof i'r hofelau afiach,
>   I gwmni fy Nuw a'r tylawd;
> Gwell cwmni trueiniaid cwteri'r byd
>   Na chrefydd sy'n mathru brawd.[35]

Ond condemnio anfoesoldeb y bardd moeswersol hwn a wnaeth adolygydd *Seren Cymru*!

> Ymddengys yn y gyfrol hon fel bardd o foesoldeb amheus, ac fel anhogwr gweithwyr i bethau croes iawn i ddysgeidiaeth Tywysog Tangnefedd . . . Diau fod gan y werin hawl i lef bardd, ond y mae rhygnu o hyd ar ei hawliau, heb sôn dim am ei rhwymedigaethau, a gwneuthur hynny 'o bulpud pres' – o hyd, yn tueddu i alaru arnom.[36]

Ni phlesiwyd mo adolygydd *Y Brython* chwaith:

> Pell ydym o dybio fod capeli a chrefydd Cymru uwchlaw beirniadaeth, ond rhaid inni addef nad yw'r awdur hwn yn ein hennill i'w dychanu fel y gwna ef . . . Dywedwn eto, er ein gofid, mai'r argraff a edy'r llyfr hwn arnom pe baem yn ei ddilyn, yw – fod mwy o swyn mewn pechod nag mewn duwioldeb.[37]

Erbyn cyfnod y Rhyfel Byd Cyntaf, felly, roedd y werin a'i chynheiliaid Ymneilltuol a Rhyddfrydol mewn mwy nag un ystyr yn ymladd am eu heinioes. Tair blynedd yn unig ar ôl llwyddiant ei bryddest ddathliadol yn Eisteddfod Genedlaethol Caerfyrddin, swniai 'Gwerin Cymru' (1911) Crwys fel gwaedd o'r gorffennol, marwnad gynamserol am a fu.

Ychydig fisoedd cyn cyhoeddi *My People*, cynhaliwyd cyrch arall ar fyth y werin a hynny ym mhryddest arobryn Eisteddfod Genedlaethol Bangor y tro hwn. Mangre ddiffaith ac anghreadigol sy'n boen ar enaid dyn yw'r ddinas ym mhryddest Parry-Williams; ond 'Y Ddinas' (1915) ei hun oedd yn boen ar enaid Eifion Wyn a gynhyrfwyd i gyfansoddi darn o feirniadaeth sy wedi hen gydio fel gelen yn y gerdd a'i hysbrydolodd:

> Cyfynga'r bardd ei hun i arweddau tristaf ac aflanaf bywyd. Ni thrig dim da yn ei Ddinas. Anobaith sydd yn ei phyrth ac anfoes yn ei phalasau. Chwiliais hi'n fanwl, a theml ni welais ynddi, na ffydd, na chariad, na hawddgarwch. Onid oes ysbrydoliaeth mewn daioni, a deunydd barddoniaeth mewn pethau pur? Awgryma'r gerdd hon nad oes. Cynwysa, ym mhob caniad, olud o iaith a meddwl; ond iaith ydyw wedi ei throi'n drythyllwch a meddwl wedi ei ddarostwng i oferedd. Hi yw'r alluocaf a'r hyotlaf yn ddiamau; ond ni wna ei darllen les i ben na chalon neb. Nid yw ei chynnwys yn ·llednais, na'i dysg yn ddiogel, na'i thôn yn ddyrchafedig, ac am hynny ni fedraf fi ei dyfarnu'n deilwng o urddas Coron Eisteddfod Genedlaethol Cymru.[38]

Sylwodd E. G. Millward fod byd o brofiad rhwng 'Gwerin Cymru' ac 'Y Ddinas': 'Delfrydu'r werin a wnaeth y bardd, mewn gwirionedd – yn union fel O. M. Edwards yn ei ysgrifau – gwneud delw ohoni. Dryllio'r ddelw honno a wnaeth Parry-Williams.'[39] Yn lle gwerin fucheddol a chrefyddol Crwys caed proletariaid dibersonoliaeth a diobaith Parry-Williams, llafur-wyr yn boddi eu gofidiau yn y gasgen gwrw, gwallgofiaid, hunanleiddiaid a phuteiniaid. Hyn oll ychydig fisoedd cyn cyhoeddi *My People!* Does dim syndod fod Eifion Wyn wedi ei styrbio. Ac eto, er gwaetha'i safiad arwrol mae'n amlwg ei fod wedi camddarllen y bryddest yn ddybryd. Wedi'r cyfan, nid gwerin Cymru mo'r rhain ond trigolion diwyneb Paris, prifddinas moderniaeth. Y tu ôl i'r darlun hwn o fodolaeth fecanyddol y llafurwr mae ymwybod â bywyd gwell y gwladwr ar y tir:

> Gwelodd ar y dwfr
> Undonedd y llifeiriant. Canfu rym
> Gwallgofrwydd ei lafurwaith. Na, nid gwaith,
> Ond gwaith diweledigaeth beunydd oedd
> Yn cynddeiriogi enaid wyddai chwant
> Mynegi'i hunan, petai ond mewn pridd,
> A syched am adnabod gwaith ei law
> A gweled ynddo'n codi, rîs ar rîs,
> Feiddgarwch creadigol. Nid oedd nôd
> I fywyd y creadur ond i greu,
> A'i greadigaeth ar ei ddelw'i hun.
> I greu y crëwyd enaid, – a pha greu
> Oedd yn undonedd ei lafurwaith ef![40]

Am y tro o leiaf yn hanes prifardd Rhyd-ddu, mae yma batrwm gwerthoedd o hyd; fel y Bardd Cwsg gynt, gweledigaeth ry-buddiol yw un Parry-Williams yntau.

Dramor y digwyddodd holl regi a threisio 'Pro Patria!' ac yn ninas Llundain ac ar lannau'r Somme y digwyddodd holl ladd a meddwi 'Mab y Bwthyn' yn 1921 hefyd. Gallai milwr Cynan ddychwelyd ar ddiwedd y bryddest honno i'w gynefin yng nghefn gwlad Cymru a chanfod nad '[G]wynfa goll' na dim ond 'breuddwyd' ydoedd o bell ffordd.[41] Er gwaethaf pawb a phopeth – anhrefn y rhyfel a darlun gwrthfugeiliol Caradoc Evans o'r Gymru wledig – ni fathrwyd mo'r winllan hon. Heblaw am gerddi T. E. Nicholas a feiddiodd leoli'r drwg ar erwau Cymru wiw, roedd haenen styfnig o amddiffynolrwydd a gochelgarwch wrth galon y cerddi delwddrylliol yma.

Ac eto, does dim dwywaith fod yr holl greadigaethau heriol hyn a gyhoeddwyd o gwmpas cyfnod y Rhyfel Mawr yn arwyddo cymdeithas a oedd yn profi metamorffosis, diwylliant a oedd wrthi'n holi cwestiynau ynglŷn â natur ei byw a rôl y llenor yn y byd oedd ohoni. Does dim syndod mai'r flwyddyn 1914 a ddewiswyd gan Alun Llywelyn-Williams yn fan priodol i ddwyn ei astudiaeth o'r profiad Rhamantaidd yng Nghymru i ben.[42] Yn sicr does yn y casgliad cerddi hyn mo'r niwtraliaeth a'r anymyrraeth awdurol sy'n nodweddu storïau Caradoc Evans o'r un cyfnod na'i ddarluniau cwbl ddigyfaddawd o gymeriadau anachubedig; dylem wahaniaethu rhwng ei 'foderniaeth' ef a'u 'modernrwydd' hwy. Ond mae yma ymdrech wirioneddol yn y cyfansoddiadau realaidd hyn i edrych i fyw llygad y byd o gwmpas, er gwaethaf peth ansicrwydd o hyd ynglŷn ag arwyddocâd yr hyn yr oeddid yn ei weld i Gymru.

Yn hyn o beth fe welai Caradoc Evans ac amryw o'i gydlenorion Cymraeg lygad yn llygad: roedd dyddiau'r bartneriaeth Ymneilltuol-Rhyddfrydol wedi'u rhifo; ni wnaeth parodrwydd cynifer o weinidogion i weithredu fel asiantwyr recriwtio i'r lluoedd arfog yn ystod y rhyfel ond gwthio hoelen arall i arch ei hintegriti. Gallai Caradoc Evans ddathlu llwyddiant etholiadol y Blaid Lafur yn 1922 ac enciliad Lloyd George – Ben Lloyd *My Neighbours* (1919) – i'r anialwch gwleidyddol. Ond i rywrai a oedd ynglŷn â'r broses o adfer ac ailgyfeirio Cymru'r dwthwn hwnnw – a'r Gymru Gymraeg yn neilltuol a uniaethwyd i'r fath raddau â chysyniad y werin[43] – ni chwblhawyd mo'r llawdriniaeth i ymddihatru oddi wrth ddelfrydau ddoe heb ddôs hirhoedlog o anesthetig. Fel y canfyddai Saunders Lewis yn y man, ni weithiai ffisig chwerw dideimladrwydd a rhesymeg oer y cyfranogodd Caradoc Evans gynt ohono er gwella'r claf. Er nad adar o'r unlliw mohonynt yn wleidyddol, gallai'r mab y mans o Wallasey eilio'r rhan fwyaf o'r rhethreg genhadol hon:

> We are not dead. We have intellect; it is in the coal-pits, in the universities, and in the fields . . . We have a group of writers and a group of politicians who are marching along; they are not faint of heart; they are marching with dignity and majesty and with great purpose. They and those who come after them will create a new Wales – a Wales for the Welsh.[44]

Ond er pob brad, daliai rhai eu gafael yn sentimental ar chwedloniaeth yr hen fyd: dyfynnir drachefn eiriau paradocsaidd W. J. Gruffydd ac yntau ar y pryd yn aelod o'r llynges: '. . . yr wyf wedi gweled o'r diwedd mai *illusion* yw gweriniaeth a gwerin, ond *illusion* annwyl imi er hynny'.

I ddeallusyn fel Gruffydd hyd yn oed, roedd i'r gorffennol atynfa emosiynol gref yn wyneb bygythiad y dyfodol. Do, fe achubwyd cam Caradoc Evans o'r dauddegau ymlaen ar dudalennau'r *Llenor* a hynny er i'r gwrthwynebiad iddo aildanio'n goelcerth ar ôl perfformio'i ddrama lwyfan, *Taffy*, yn 1923. Meddai'r golygydd yn amddiffynnol yn ei nodiadau:

> Os beiddia Mr. Caradog Evans siarad yn gas amdanom a hynny'n agored, yr ydym fel bytheuaid yn udo wrth ei sodlau; pe bai Mr. Evans, er yn ein casáu filwaith yn fwy yn adrodd Dull Yr Yma- droddion Iachus amdanom, a hynny'n anonest, croesewid ef i bob cinio Gŵyl Dewi yn y wlad, – oherwydd y mae ganddo'r cym- hwyster anhepgor, sef gwneuthur enw iddo'i hunan yn Lloegr.[45]

At hyn, cyfrannodd Gruffydd erthyglau i *T. P.'s Weekly* dan olygyddiaeth Caradoc Evans yn ystod y dauddegau.[46] Ond er gwaethaf rhyddfrydiaeth gydymdeimladol Gruffydd a'i empathi gyda chyd-rebel, gweledigaeth ddi-ildio Saunders Lewis sy'n dwyn y gymhariaeth amlycaf â gwaith yr adyn o Rydlewis.[47]

Cymuned wedi'i witsio yw Manteg y straeon byrion, fel Salem, Massachusetts ddiwedd yr ail ganrif ar bymtheg lle'r âi suon peryglus ar led fel tân gwyllt. O gymdeithas honedig Gristnogol, mae'n ymroi i bechodau marwol ag afiaith er na all adnabod ei chamweddau gan ei bod yn bodoli mewn llewyg o hunan-dwyll. Am adfer y cysyniad o bechod i lenyddiaeth yr oedd Saunders Lewis yn ôl tystiolaeth ei '[L]ythyr ynghylch Catholigiaeth' a'r ohebiaeth gyhoeddus rhyngddo ef a Gruffydd, gornest – mewn termau diwinyddol o leiaf – rhwng traddod- iadaeth a moderniaeth: 'Colled i lenyddiaeth yw colli pechod . . . dylem barchu ein hetifeddiaeth a gwneud yn fawr o bechod.'[48] Nid yn annisgwyl, dioddefodd *Monica* (1930), a ddarluniai gnawdolrwydd ac a grybwyllai glefyd gwenerol, yn arw dan law rhyddfrydwyr Ymneilltuol. Yn ogystal â chyhuddo'i hawdur o ddynwared ffasiwn ddyddiedig mewn ffuglen Saesneg o drafod rhyw, galwodd Tegla hi'n '[d]dadansoddiad fferyllol o domen dail' gan ychwanegu:

Mynegi prydferthwch yw nôd llên, ac y mae pob testun at law'r
llenor y gall fynegi prydferthwch trwyddo, ond tystiolaeth
pentywysog byd llenyddol Cymru heddiw yw na ellir gwneud
tomen dail yn brydferth, tra fo'n domen dail.[49]

Dan yr haen o feirniadaeth esthetaidd, synhwyrir awydd i roi'r
enfant terrible hwn yn ei le. Tynnu'r nofel yn gareiau a wnaeth
Iorwerth Peate yntau, y gwrthwynebydd diflino hwnnw i
foderniaeth,[50] a'i fflangellu am ei diffygion technegol a thematig:
'stori fer wedi ei sgrifennu'n ddigon anghynnil i gymryd
maintioli nofel, heb odid un o hanfodion gwir nofel iddi'.[51]

Er bod dyn yn darllen adolygiad Peate yn gegrwth erbyn hyn,
rhydd ei fys ar un agwedd bwysig ac nid cwbl ddi-sail:

> I'r aristocrat gan yr awdur, pobl ddirmygus yw gwŷr a gwragedd
> ei *suburbia*: ni ddelia â neb ohonynt fel brodyr a chwiorydd, eithr
> fel marionèts a greir ac a dynnir yn ôl ac ymlaen ganddo i'w
> hergydio a'u beirniadu fel y mynno.

Meibion a merched y werin a ymddyrchafodd i rengoedd y
dosbarth canol newydd yw preswylwyr y swbwrbia newydd
hon – roedd Peate, ynghyd â Gruffydd, R. T. Jenkins, Kate
Roberts a Morris Williams, ymhlith preswylwyr gwladfa
Gymreig Rhiwbeina ar y pryd[52] – a darlun digydymdeimlad yw
un Saunders Lewis o'r Drenewydd didraddodiad a diwreiddiau.
Mewn adolygiad gochelgar ac amddiffynnol, methodd J. Hubert
Morgan â gweld perthnasedd lleoliad anghymreig y nofel o
gwbl:

> . . . gallai'r cwbl fod yn byw lawn cystal yn y Drenewydd, a'r rhan
> fwyaf o'r digwyddiadau a'r hanes amdanynt fel teuluoedd cyn
> wired am Saeson neu Ellmyn . . . tybed ai dyma'r math o nofel . . .
> sydd â'r galw cyntaf amdano'n awr? . . . Onid oes rhyw arbenig-
> rwydd yn perthyn i fywyd cenedl y Cymry a gwahaniaethau
> hanfodol rhyngddo a bywyd cenhedloedd eraill Ewrob, yna, ni
> allaf ddirnad paham yr abertha'r awdur, fel prif swyddog y Blaid
> Genedlaethol, gymaint o'i egni a'i ddoniau dros hawliau cenedl
> nad yw'n namyn cysgod gwan o genhedloedd gwâr eraill sydd yn
> cyfrannu'n sylweddol at feddwl a diwylliant y byd.[53]

Mae'n amlwg fod y darlun o'r faestref gosmopolitan yn rhy
gynnil a beirniadaeth gyfredol yn rhy ansoffistigedig i adolyg-
wyr ddehongli rhybudd posib ynglŷn â dyfodol Cymru yn y
darlun anghymreig ohoni. Hyd yn oed wedyn, ac er bod yr

adolygydd yn dadlau fod gan Saunders Lewis 'fel artist, nid fel artist Cymreig sylwer, berffaith hawl i ymdrin ag actau naturiol a'u canlyniadau' (61), mae'n ddigon parod i weld cyfyngu'r rhyddid creadigol hwnnw a chael yr awdur, yn rhinwedd ei lywyddiaeth, i glymu ei gelfyddyd wrth alwadau cenedlaethol.

Er mai'r ymatebion uchod a nodweddai gyflwr beirniadaeth lenyddol Gymraeg ar y pryd a'r bygythiad i greadigrwydd newydd a oedd yn ymhlyg ynddi, cafwyd eithriad gloyw i'r norm yn adolygiad blaengar gŵr ifanc yn ei ugeiniau. Gan fod y pwyntiau a godir ganddo mor ganolog i'r drafodaeth hon, afraid ymddiheuro am ddyfynnu'n helaeth ohono:

> Stori gyflawn, wedi ei gweithio'n gywrain, yw *Monica*, ag ôl yr artist ar bob dalen ynddi. Ni chynhyrfa'r awdur wrth ddweud ei stori, ac nid yw'n gwylltio wrth neb nac yn cythruddo wrth ddim. Ni phregethir wrthym fod anhwylderau'n dilyn pechod, dim ond mynegi mai dyna a ddigwyddodd yma. Enghraifft o hunan-feddiant y gwir artist . . .
>
> Clywir llawer o feirniadu llawdrwm ar y llyfr hwn a'i awdur. Y mae'n annymunol, yn atgas, yn ffiaidd mewn mannau: fe gytunwn oll ar hynny. Ond onid annymunol, atgas a ffiaidd yw bywydau llawer o blant dynion, nid yn unig yn slymiau Caerdydd ac Abertawe, ond hefyd yng nghartrefi 'dedwydd' ein dyffrynnoedd a'n bryniau? Nid yw Miss Kate Roberts a Mr. R. G. Berry wedi disgrifio *popeth* ym mywyd Cymru. Y mae'r rhan fwyaf ohonom yn ddigon ffodus i beidio â gwybod yr hyn a ŵyr y fferyllwyr a'r meddygon, ac am y rheswm hwnnw, a hefyd am fod cymdeithas ym mhob oes yn dewis anwybyddu ei haflendid ac ymhyfrydu yn ei harddwch, yr ydym yn wfftio llyfr fel *Monica*. Oni fedr dynion yn eu hoed a'u synnwyr ddarllen am bydredd y natur y maent yn rhan ohoni, heb rusio ac ymhyllio, a hwythau'n gwybod bod anniweirdeb o amrywiol fathau yn rhemp yn hen wlad y diwygiadau (fel mewn gwledydd eraill, y mae'n debyg)? . . . Ymddengys mai camgymeriad Mr. Lewis, fel ambell un arall, oedd dweud y gwir yn *rhy* blaen – yn Gymraeg.[54]

Petai adolygiad y Thomas Parry ifanc ar ddechrau'i yrfa academaidd yn nodweddiadol o hinsawdd feirniadol y dydd, dichon y byddai'n ffuglen wedi aeddfedu'n llawer cynt drannoeth y Rhyfel Mawr. Yn rhannol am iddi wrando gormod ar feirniaid cymedrol a borthodd ei cheidwadaeth gynhenid, ymataliodd rhag torri dros y tresi a dysgodd fyhafio ac ymddisgyblu.[55]

I bob pwrpas, ymsefydlodd *Monica* yn air masweddus mewn cwmni parchus, fel teitl cyfrol Caradoc Evans bymtheng mlynedd ynghynt, a hynny'n rhannol am fod y ddau awdur tra moesol hyn wedi caniatáu i bechodau'u cymeriadau lefaru'n ddiymyrraeth drostynt eu hunain. Pum mlynedd yn ddiwedd-arach, gellid sgrifennu geiriau fel y rhain mewn nofel a rannodd wobr eisteddfodol gyda *Traed Mewn Cyffion* (1936):

> Cofiodd glywed Gwilym yn dweud unwaith nad ysgrifennwyd un nofel lygredig yn Gymraeg, ac na chredai y gwerthid llawer ar un felly pes ysgrifenasid . . . Dywedodd Gwilym mai un ffordd o farnu moesoldeb gwlad oedd wrth ei llenyddiaeth.[56]

Awgrym o anfodolaeth *Monica* ddewr?

Ganol y tridegau hyd yn oed, credid ei bod yn anfoesol darlunio anfoesoldeb mewn llenyddiaeth heb i'r awdur gythru â chorn siarad i ganol ei greadigaeth i ddatgan ei stans foesol. Yn nydd ffuglen chwyldroadol Joyce a Lawrence a blynyddoedd ar ôl cyfraniad cynyddgar Daniel Owen roedd hyn yn gam pendant yn ôl ac yn arwydd o gyflwr bregus y foeseg Anghydffurfiol. Mae'r gwendidau y rhoes Saunders Lewis ei fys arnynt yn *Gŵr Pen y Bryn* (1923) ganol y dauddegau, ac a ddaliai i blagio T. Rowland Hughes yn ei nofelau yn y pedwardegau, hefyd yn awgrymu nerfusrwydd yr awduron yng ngŵydd rhyddid creadigol *genre* y nofel:

> What Tegla Davies lacks is cruelty, or in other terms artistic integrity. He wants to save people, even the people of his imagination. He cannot leave them to complete the evil that is in them, but must convert them to repentance and amiability.[57]

> Y mae'r arwriaeth a bwysleisir gan Mr. Hughes yn wir am ddioddefwyr y Deau yn y blynyddoedd blin. Nid dyna'r cwbl o'r gwir . . . nid hanes dewrder a chariad a duwioldeb yn gorchfygu pob adfyd yw llawn hanes blynyddoedd y diffyg gwaith. Na, bu drygau moesol, bu colledion moesol anadferadwy, bu dirywiad ar bob llaw, ac ar fywyd teuluol Cymraeg yn ogystal ag ar y rhai digapel. Y mae Mr. Hughes yn achub pob un o'i gymeriadau . . . Nid oes digon o bechod, nid oes digon o 'wylo' yn narluniad Mr. Hughes o fywyd Shoni.[58]

Does dim sy'n unigolyddol ynglŷn â nofelau T. Rowland Hughes a fawr ddim i awgrymu unrhyw ansicrwydd yn llechu dan ddillad gwaith yr ymagweddiad propr heb sôn am guddio'n ddyfnach byth, dan wisg y cnawd. Darlun swyddogol, darlun cyhoeddus: '. . . mae byd ei nofelau'n llawn i'r ymylon o ddeddfau anysgrifenedig sy'n rheoli ymagweddiad y cymeriadau, a'r cyfan yn gorffwys ar rai rhagdybiadau pendant dros ben ynghylch moesoldeb ac ymddangosiad.'[59] Nid yw'n syndod yn y byd fod beirniaid wedi tynnu sylw at natur annatblygedig ei nofelau.[60]

Dadleuodd Angharad Dafis fod Saunders Lewis a Kate Roberts yn anad neb wedi hyrwyddo'r cysyniad o gelfyddyd bur mewn ymgais i ymbellhau oddi wrth rywfaint o'r sectyddiaeth bropagandaidd a ddifethai gymaint o lenyddiaeth y ganrif ddiwethaf.[61] Er mor dderbyniol eu cenhadaeth er iechyd celfyddyd, ymarferiad seithug yn y pen draw fyddai cloriannu gwaith y ddau artist *par excellence* hyn, hyd yn oed, mewn gwagle ar wahân i'w daliadau gwleidyddol. Nid dweud yr ydys fod eu gwaith llenyddol yn ddarostyngedig i'w gwleidyddiaeth, ond dadlau y gall agweddau negyddol yn gymysg â'r rhai cadarnhaol godi o'r cyswllt clòs rhwng y politicaidd a'r artistig. Cenedlaetholdeb a roes *raison d'être* cynhaliol newydd i fywydau'r ddau: mae Emyr Humphreys yn llygad ei le pan yw'n disgrifio *Traed Mewn Cyffion* fel 'arwrgerdd'[62] a Saunders Lewis yntau pan yw'n dweud am yr un nofel, 'Y mae sgrifennu fel yna yn act o amddiffyniad i'r genedl.'[63] Ond dyw dyn sydd â'i fryd ar ddyrchafu a gwarchod ddim am ori'n rhy hir ar wendidau ei wrthrych.

Darlun dethol yw darlun diramant Kate Roberts o chwarelwyr Arfon a'u teuluoedd gwerinol. Awgrym yn unig o feirniadaeth a leisir ar ddiwedd *Traed Mewn Cyffion* ynglŷn â diymadferthedd gwleidyddol cenhedlaeth rhieni Kate Roberts: 'Gwrol yn eu gallu i ddioddef oeddynt, ac nid yn eu gallu i wneud dim yn erbyn achos eu dioddef.'[64] Mae holl fater ymagweddiad goddefol rhieni Kate Roberts, fel y'u darlunnir yn holl ystod ei rhyddiaith, wyneb-yn-wyneb â'i gwleidydda gweithredol hi, yn ennyn chwilfrydedd. Yn sicr fe fynega edmygedd at hunanaberth cenhedlaeth ei rhieni ac, wrth iddi ddannod i'w hoes ei hun ei diffyg dioddefaint, synhwyrir rhyw gymaint o euogrwydd am ei bod hi wedi'i chael hi'n weddol hawdd o gymharu. Eto i gyd, mewn pennod fel honno ar ddiwedd *Traed Mewn Cyffion* ac

Owen addysgedig yn amlwg yn gwisgo meddyliau y sawl a'i creodd, tybed pa mor galed y bu'n rhaid i Kate Roberts frathu ei thafod wrth ddarlunio stoiciaeth fel athroniaeth urddasol yn hytrach nag athrawiaeth hunanladdol? Yr un modd yn yr hunangofiant go iawn, *Y Lôn Wen*, lle gofynnir yn amddiffynnol, 'A fyddai'n weddus sôn am wendidau mewn rhai a frwydrodd mor galed?'[65] Oni orfodwyd Rhys Lewis hyd yn oed, ar drywydd y gwir, i edrych drwy lygaid beirniadol ar gymeriad ei fam?

Pan ddown ni i'r pumdegau a'r argyfwng newydd a wynebai Cymru drannoeth yr Ail Ryfel Byd, gwelir uniaethu mwy amlwg byth rhwng llenyddiaeth a chenedlaetholdeb. Yn *Llenyddiaeth Gymraeg 1936–1972* (1975), cyfrol Bobi Jones sy'n dal fod y Tân yn Llŷn wedi dynodi cefndeuddwr yn hanes ein llenyddiaeth yn ogystal â'n gwleidyddiaeth, un o'r penodau ar D. J. Williams sy'n dwyn y teitl 'Y Llenor Ymrwymedig'. Fel y sylwyd eisoes, mae D. J. Williams yn ymwneud â thirlun tebyg i hwnnw yn storïau Caradoc Evans ond ag agwedd drawiadol o gadarnhaol a dathliadol o gymharu â negyddiaeth ddu y llall. Un arferiad gwerin y cyfeirir ato droeon fel gwreiddyn llawer o'r beichiogi anghyfreithlon sy'n bla drwy storïau Caradoc Evans yw hwnnw o 'garu yn/ar y gwely'. Mae'n ddiddorol nodi sut y cyfiawnheir yr arferiad hwn a'i urddasoli gan D. J. Williams yng nghyfrol gynta'i hunangofiant, fel petai'n mynd ati i'w amddiffyn yn wyneb cyhuddiadau o gyntefigrwydd:

'R oedd traddodiad y 'caru'n gwely', os bu yno, erioed, wedi hen farw cyn fy amser i. Ond fe sgrifennwyd llawer o ddwli ar y pwnc hwn gan ddynion llwyr anwybodus o'r grefft . . .
Efallai y gellid cynnig dau awgrym pam y mae'r Cymry wedi bod yn fwy o blant y tywyllwch nag o blant y goleuni yn eu dull o garu: sef, yn gyntaf, – mai rhyw fath o swildod sensitif, hanner rhamantus ydyw a bair deimlo fod yna elfen o gyfriniaeth ddofn mewn serch a gyll ei rhin a'i chysegredigrwydd o'i harddangos gerbron y byd . . . I'r Cymro gwledig, rhywbeth a ddaeth i mewn yn swci yn sgil Santa Claus, neu yn hyglyw ymwthgar fel Guy Fawkes, yw'r caru cyhoeddus yma, – fel cynnal arddangosfa. Er y gellid dadlau'n hyf yn ei erbyn, eto, fe gollwyd llawer o swyn a diddanwch mewnol o golli'r hen ffordd Gymreig. Yr ail awgrym yw gwasgfa gaethiwus bywyd y werin yn y dyddiau gynt, a olygai fod pawb wrthi'n ddyfal o fore bach tan hwyr y dydd, fel nad oedd fawr o gyfle i unrhyw fath o gyfathrach gymdeithasol ymhlith yr ifainc, ond trwy ei ddwyn yn lladradaidd, o oriau dwfn y nos.[66]

Dyma 'ateb' cyhuddiadau Caradoc Evans: mewnforion tramor, yn aml o Loegr, sy'n drysu'r bychanfyd hwn; does dim byd cynhenid o'i le arno. Dyrchefir gwarineb yr aelwyd fore:

> Gellir dweud fod ym Mhenrhiw, dan ofal fy mam, aelwyd lawn a llawen, a phob gwas a morwyn a dyn hur yn aelod cyflawn a chydradd ohoni. Ac yr oedd i bob perchen anadl, ar fuarth ac ar faes, ei ran yn y gymdeithas wâr a chynnes hon. (183)

Tebyg yw'r gyd-ddealltwriaeth gyfriniol a'r undod greddfol sy'n bodoli ymhlith gwerinwyr cymdogol Waldo yn y Preselau adeg cynhaeaf gwair: 'Mor agos at ei [sic] gilydd y deuem';[67] 'un llef pedwar llais'.[68] Cymharer yr achlysuron egwyddorol hyn gyda Twm Tybach ddichellgar a welai ei gyfle yn 'The Glory that was Sion's': 'in season he pretended to help his neighbours in the hayfield, but nearly always succeeded in getting under covert with a woman.'[69]

~

'We should at the outset recognise that Caradoc's is a private vision, bearing only a tenuous relation to external facts';[70] bu'n rhaid i hyd yn oed rai o'i gefnogwyr selocaf gyfaddawdu wrth drafod ei waith. I'r gwrthwyneb, byddai'n ddigon hawdd dadlau achos straeon Caradoc Evans fel dogfennau cymdeithasegol a hanesyddol eirwir: afraid lluosogi enghreifftiau, ond mae'n hysbys mai Rhydlewis yw'r model ar gyfer Manteg, Castellnewydd Emlyn yw cynsail Castellbryn, a chyfeirir droeon at Gaerfyrddin, Aberteifi ac Aberystwyth.[71] At hynny, mae astudiaethau diweddar Russell Davies o hanes cymdeithasol de-orllewin Cymru rhwng oddeutu 1860 a 1920 yn garn i ddadl Caradoc Evans fod ei storïau wedi'u seilio ar ffeithiau ac nid ffantasi:

> Caradoc Evans is still seen as a monstrous Bruegelian figure on the Welsh literary landscape, as a portrayer of a peasantry that was capable only of following the dictates of their bulging codpieces. The outraged reaction to the publication of *My People* and the belief prevalent at the time of the nobility and the incorruptibility of the Welsh people, 'y werin', served to cloud people's perception of the rural community of South West Wales.[72]

Dyma a ddengys ei ymchwil ef:

. . . dark, depressing and sombre aspects in the reality of life in South West Wales in the nineteenth and twentieth centuries. These aspects have been exorcised like evil spirits from our history. They should be acknowledged as part of the reality of the total social context and studied in an attempt to gain a fuller understanding of the social forces and pressures that operate in modern society. (22)

I'r beirniad cymdeithasegol sydd am leoli *My People* a *Capel Sion* mewn cyd-destun diriaethol, mae'r ymchwil yma'n borfa fras.

Yn wahanol i Salman Rushdie pan roddwyd arno *fatwa*'r Mwslemiaid, ni fynnai Caradoc Evans wahaniaethu rhwng gwirionedd hanesyddol a gwirionedd llenyddol yn wyneb ymosodiadau'r consensws Ymneilltuol-Rhyddfrydol Cymreig:

> Whatever the provocation Caradoc would never publicly tease out the relationship between his fiction and the everyday world on which it drew: he simply argued for the 'truth' of his writing, both in its deeper assumptions and . . . in its individual detail.[73]

Pennwyd amodau'r dadlau dilynol ynglŷn â *My People* gan y cyhoeddiad ar siaced lwch argraffiad Andrew Melrose o'r gyfrol:[74]

> These stories of the Welsh peasantry, by one of themselves, are not meat for babes. The justification for the author's realistic pictures of peasant life, as he knows it, is the obvious sincerity of his aim, which is to portray that he may make ashamed. A well-known man of letters and critic has expressed the opinion that 'My People' is 'the best literature that has, so far, come out of Wales'.[75]

Dinoethi'r gwir er mwyn ei wella: Caradoc Evans yn lifrai'r diwygiwr cymdeithasol.

Ond yn y pen draw mae'n rhaid i greadigaethau artistig, os ydynt am fyw, fynnu bywyd annibynnol ar y sawl a'u creodd ac weithiau er ei waethaf. Pa mor gyfiawn bynnag oedd y gennad ddiwygiadol y tu cefn i'w storïau, mae dyn yn holi tybed na wnaeth Caradoc Evans fwy o ddrwg nag o les i'w achos *creadigol* drwy hefru am flynyddoedd ar yr un pen. Fel rhiant crafangus yn methu'n lân â gollwng gafael ar ei blant, bu ei bolemig ef ei hun yn help i roi stamp niwrosis a chyffion chwedloniaeth ar ei storïau.[76] Gwneud cam â storïau Caradoc Evans a wnaem o'u trafod fel enghreifftiau o realaeth a'u darostwng yn ddogfennau cymdeithasegol yn unig. Y gwir amdani yw fod *My People* a *Capel*

Sion yn arloesi â dulliau modernaidd o sgrifennu a oedd yn ddiarth i lenyddiaeth Gymraeg ar y pryd.[77]

Prawf o'i lwyddiant creadigol yw'r ffaith fod byd Caradoc Evans yn bodoli yn y dychymyg yn annibynnol ar wirioneddau hanes; fel 'Oceania' a'i 'Newspeak' yn *Nineteen Eighty-Four* Orwell (1949), mae Manteg yn anadlu gyda'i *rationale* a'i hiaith ei hun. A'r ffordd *gyntaf* – nid yr unig ffordd, wrth reswm – i werthfawrogi'r gwaith yw ar ei delerau ei hun fel creadigaeth unigryw a hunangynhaliol. Ystyriwyd ei waith yn garreg sylfaen i lenyddiaeth Eingl-Gymreig y ganrif hon; efallai mai yn anallu'r llenorion *di-Gymraeg* a'i dilynodd i sylweddoli pa mor ecsentrig, annynwaredadwy ac ysgaredig oddi wrth unrhyw ffrwd lenyddol oedd gwaith y Cymro *Cymraeg* hwn y gorwedd peth o sail y drwgdeimlad a goleddid tuag at lenyddiaeth Eingl-Gymreig gan Gymry Cymraeg yn y man. Bu perthynas llenorion yn y ddwy iaith yn un begynol o gychwyn cyntaf y traddodiad modern o lenyddiaeth Eingl-Gymreig yn 1915: tra hawliodd y llenor di-Gymraeg rôl yr erlynydd, meddiannodd ei gymrawd Cymraeg rôl yr amddiffynnydd. Afraid amlinellu goblygiadau ffeithiol a damcaniaethol sefyllfa mor afiach â hynny. Bu beirniaid Cymraeg hwythau'n amharod i wahanu Manteg ddychmygol oddi wrth Geredigion 'real':

> Ni welodd mo harddwch Sir Aberteifi ei hun, na'i phobl, mo'u cymwynasgarwch, mo'u hysbryd crefyddol, ddim o'u haberth na'u dewrder. Caeodd ei lygaid i'r pethau hyn, a dewis y pethau gwael mewn pobl. Nid oes amrywiaeth na gwrthgyferbyniad yn ei waith, dim tyndra moesol, na gwahaniaeth rhwng yr hardd a'r hyll.[78]

Ac ystrydebu, beth am y 'willing suspension of disbelief' y soniodd Coleridge amdano? Ynteu a yw rhagfarnau'r Cymry Cymraeg yn erbyn Caradoc Evans yn gomedd hynny i'w waith?

Er ei holl rinweddau, bu'r traddodiad naturiolaidd a dra-arglwyddiaethai ar ffuglen Gymraeg y ganrif hon hefyd yn fodd i danseilio creadigrwydd oherwydd fe hwylusodd broses ddiog o'i beirniadu yn ôl meini prawf rhy lythrennol ac ymarferol a chwilio am gyfatebiaethau hawdd rhwng dychymyg a ffaith. Bu honno'n broblem a wynebodd *Monica* yn 1930 a *Ffenestri Tua'r Gwyll* yn 1955; ac er y dylai *My People* fod wedi rhyddhau'r dychymyg, cyfrannodd yn baradocsaidd at ei ddrwgdybio ymhellach.[79]

Llwyddodd Caradog Prichard yn llawer gwell i warchod pŵer creadigol *Un Nos Ola Leuad* drwy gofleidio moderniaeth ac ymryddhau o grafangau'r nofel naturiolaidd.[80] Da yr hysbysodd – neu'n fwy addas, efallai – y rhybuddiodd ei ddarllenwyr ar ddechrau'r argraffiad gwreiddiol o *Un Nos Ola Leuad*:[81]

> Er bod brith-gofion bore oes yn sail i ambell ddigwyddiad yma, ystumiwyd cymaint arnynt gan amser a dychymyg fel nad oes unrhyw gysylltiad uniongyrchol ag unrhyw berson yn yr un o'r cymeriadau, ac y mae 'eu dydd yn gelwydd i gyd'.[82]

Fel petai am daro'r post i'r pared glywed, mae'n cadarnhau'r un pwynt yn ei hunangofiant:

> Darlun aneglur, wedi ei ystumio gan amser a dychymyg, fel darlun a welir mewn crychni dŵr, oedd y cronicl hwnnw. Darlun afreal, wedi ei weld yn y cyfnos ac yng ngolau'r lloer.[83]

Anghofiodd Caradog Prichard am realaeth a gwrthrychedd: sylweddolodd eu bod yn gysyniadau anghyraeddadwy ac aeth ati yn hytrach i forio mewn goddrychedd. Wrth gwrs fod y nofel ynghyd â gweddill gwaith creadigol Caradog Prichard, yn enwedig ar ôl cyhoeddi *Afal Drwg Adda* (1973) sy'n cymhlethu ac yn cyfoethogi'r darlun yn arw, yn gloddfa lawn chwilfrydedd i'r sawl sydd am ganfod seiliau daearol i ehediadau'r dychymyg. Yn wir, fe arweiniodd ymchwil o'r fath at astudiaeth ffrwyth-lon Menna Baines, 'Ffaith a Dychymyg yng Ngwaith Caradog Prichard' (1992). Ond ni ddihysbyddir ei hystyron mewn dar-lleniad mor ymarferol ei ogwydd â hynny o bell ffordd. Hon, o blith holl nofelau Cymraeg y ganrif, sydd fwyaf lluosog ei phosibiliadau am mai hi sy'n cyfaddawdu leiaf â'i darllenydd ac yn mynnu ei fod yn ei darllen ar ei thelerau hi ei hun.[84]

Fel Manteg, mae cymdeithas Caradog Prichard yn byw yn ôl ei hamodau gwallgof ei hun. Fel Hannah Harelip, Sam Warts a Lias Carpenter, mae cymeriadau cartwnaidd o liwgar eu glasenwau fel Ffranc Bee Hive, Joni Casgan Gwrw a Joni Sowth yn gor-ymdeithio'n dalog ar draws cynfas *Un Nos Ola Leuad*. Cyflea lluniau cartŵn Ruth Jên Ifans yn argraffiad diweddara'r nofel ei naws ystumiedig a gormodieithol i'r dim. Ystyrier yr olygfa loerig hon sy'n digwydd yn y bennod gyntaf un lle disgrifir ffrae dreisgar rhwng Mam Moi ac Yncl Now Moi:

Dyna ni'n tri yn cerddad yn ôl yn slo bach at y drws, a be welson ni ond Yncl Now Moi yn gafael yn ei gwallt hi efo'i law chwith a dal ei phen hi'n ôl nes oedd ei gwddw hi i gyd yn y golwg, a braich Mam Moi amdano fonta run fath â phetasan nhw'n ddau gariad, a'r gyllall frechdan yn sownd yn ei dwrn hi, ac ynta wedi cael gafael yn y twca oddiar y dresal efo'i law dde, a'i flaen o ar ochor gwddw Mam Moi, run fath â Joni Edwart Bwtsiar yn sticio mochyn pan aethom ni i'r lladd-dy ddoe i ofyn am swigan.(12)

Paragraff cyfan o frawddeg estynedig sy'n cyfleu'n gywir rythmau sgwrs hogyn bach ar frys eisiau cael dweud ei stori. Er mor fyw yw'r olygfa ym meddwl y darllenydd, nid disgrifiad oeraidd, gwrthrychol a geir ohoni o gwbl. Does dim elfen o banig yn y disgrifiad diduedd. Perthyn elfen afreal i'r cyfan: mae'r gyffelybiaeth ola'n mynd â ni i ganol byd chwarae plant. Does yma ddim ymwybod aeddfed â goblygiadau moesol na chorfforol yr hyn a ddisgrifir. Ni'r darllenwyr sy'n gorfod cywiro'r diffyg dychrynllyd hwn yng ngwneuthuriad yr adroddwr. Rhan o garnifal anarchaidd bywyd yw'r olygfa iddo ef, bywyd y mae'n ei fyw yn ddigydwybod braf.

Cynnud i'r ddau Garadog yw torpriodas, trais a gwyrdroadau corfforol a rhywiol, llosgach, hunanladdiad, gorffwylltra a gormes tlodi a chrefydd. Darlun du, digysur, dioddefus a dynnir ganddynt. Byd niwrotig, byd chwil sy'n gwneud synnwyr yw byd y ddau: mae'r darlun o'r byd hwn a ddisgrifir â thechnegau dieithriol, adnewyddol yn ceisio mynegi rhai gwirioneddau i ni am ein cyflwr ein hunain. Dichon mai byd Caradog Prichard yw'r un mwyaf styrbiol o'r ddau gan fod iddo helaethach ystod a chymhlethdod teimladol. Sgrifennu dan ysgogiad personol a seicolegol ddwfn a wnâi'r ddau ohonynt: Prichard yn carthu baich o euogrwydd mewnol i raddau helaeth oherwydd hynt ei fam wallgof; Evans yn talu'r pwyth am y cam a wnaed ag ef a'i fam yn eu tlodi ac yn bwrw'i lid yn erbyn ei ewythr a'i ysgolfeistr a'i weinidog. Collodd y naill ei dad mewn damwain yn y chwarel pan oedd yn chwe mis oed; tair blynedd a hanner yn hŷn nag ef oedd y llall pan gollodd yntau ei dad. Dau alltud hefyd a dreuliodd ran helaeth o'u hoes yn newyddiadura yn Stryd y Fflyd, dau allanolyn, ansefydlog a brith eu buchedd. Yn wahanol i'r rhan fwyaf o'i gyd-lenorion Cymraeg, yn y traddodiad eglwysig y maged Caradog Prichard, roedd ganddo chwilen yn ei ben ynglŷn â'r teulu brenhinol ac ef ei hun biau'r disgrifiad ohono'i hun fel 'mwy o Geidwadwr na dim arall', er nad oes tystiolaeth iddo erioed bleidleisio i'r Blaid Geidwadol er gwaetha'i holl frafado.[85] Synhwyrir fod ymwybod cryf â phechod y tu ôl i waith y ddau hyn a dynnodd luniau mor eithafol – eithafol ddieflig yn achos Caradoc Evans a chymysgedd o'r eithafol ddieflig a'r eithafol ddiniwed yn achos Caradog Prichard.

Ac yng ngwaith y ddau hyn a lwyddodd i ymryddhau o rwyd driphlyg crefydd, iaith a gwladgarwch – os caniateir yn achos y ddau, fel y gwneid ym mytholeg y werin, uniaethu gweriniaeth a gwladgarwch – y ceir y darlun cymhlethaf o'r werin a feddwn yn ein llenyddiaeth. Yng ngeiriau Dafydd Glyn Jones:

> . . . [mae] cymeriadau *Un Nos Ola Leuad* yn werinwyr nad ydynt erioed wedi clywed sôn am Y Werin, ac nad ydynt, felly, yn ymwybodol o unrhyw reidrwydd i fod yn gyson â hwy eu hunain nac ag unrhyw ddarlun stoc ohonynt. Nid ydynt yn teimlo dan rwymedigaeth i fod yn eirwir ac anrhydeddus ar bob achlysur; neu i oddef adfyd yn dawel a stoicaidd; neu i ddangos gwedduster priodol yng ngŵydd profedigaeth arall; neu i farw'n ddwys ac urddasol.[86]

Gan y gwirion y ceir y gwir yn *Un Nos Ola Leuad*: plentyn a gwallgofddyn, nid llefarydd yn ei oed a'i amser, sy'n rhoi'r byd yn ei le. A mentrir am unwaith rhoi sylw parchus i werin Buchedd 'B', gwerinwyr y bu'n rhaid iddynt – yn wahanol i gymeriadau penuchel a balch Daniel Owen a Kate Roberts – ildio i anfri cymdeithasol a byw ar y plwy. Eto i gyd, er cymhlethed y darlun a dynnir o werin Dyffryn Ogwen yn nofel Caradog Prichard, gallai'r awdur ildio'n rhwydd i sentimentaliaeth a delfrydiaeth gyda golwg ar Gymru mewn ysgrifeniadau ffeithiol a phersonol. Ystyrier y disgrifiad hwn o barti hwyrnosol a gynhaliwyd ar ei aelwyd yn Llundain ddiwedd 1959 – ddwy flynedd yn unig cyn cyhoeddi'i nofel chwyldroadol – i griw o Gymry alltud, disgrifiad na fyddai Richard Llewellyn â chywilydd ohono: 'The atmosphere last night was that which prevails on thousands of hearths in Wales every night, and is completely un-English. It remains so, and nothing can change it despite the continual talk of alien influences.'[87] Dyna'n hatgoffa drachefn am gymhlethdod anarferol y ddwy bersonoliaeth – athrylithgar ond hunanddinistriol – yr ydym yn eu gŵydd.

'We work to add dignity to Ireland' oedd geiriau Lady

Gregory adeg y dadeni llenyddol yn Iwerddon ar droad y ganrif.[88] Yr hyn a welwyd yw anhawster y llenor Cymraeg i fynegi, fel Rhys Lewis, 'y gwir, yr holl wir, a dim ond y gwir' yn wyneb ymrwymiadau cyhoeddus tebyg i Gymru a'i gwerin; rhoed aml faen melin am ei wddf. Tybed nad oes cysylltiad rhwng y derbyniad heintus i nofelau T. Rowland Hughes a'i ddarlun derbyniol o'r werin Gymraeg? Gall ymrwymedigaeth wleidyddol a galwadau cenedlaethol roi calon a chraidd a chyfeiriad i waith llenyddol; gall hefyd godi rhwystrau ar ffordd y sawl a fyn ganlyn ei weledigaeth artistig yn ddilyffethair. Yn ein cyfwng diwylliannol annormal, mae peryg inni gydnabod rhan gynta'r gosodiad hwn – y mae llawer o lenyddiaeth y ganrif hon yn gyfiawnhad drosto – ond diystyru posibilrwydd ail hanner y frawddeg. Nid cysyniad i'w hawlio heb gynhyrfu cryn dipyn ar y dyfroedd beirniadol mo'r integriti artistig y credai Saunders Lewis ei fod ar goll yng ngwaith Tegla. Gan dynnu beirniaid lu yn eu pennau y mentrodd rhai unigolion dewr gamu i 'terra incognito y mapiau gwâr Cymraeg' a bathu geiriau i'r '[p]ethau/nad oes gennym ni yng Nghymru/eiriau amdanynt . . .', chwedl Siôn Eirian. Onid yw'r ffaith na chafwyd am ymron hanner can mlynedd waith creadigol mor gymharol ag *Un Nos Ola Leuad* i *My People* a *Capel Sion* yn ei phortread di-ildio o werin ail ddegawd y ganrif hon – cyfnod cyhoeddi casgliadau Caradoc Evans – yn siarad cyfrolau?

Er dirfawr golled i lenyddiaeth Gymraeg y methodd ei llenorion â mentro trwy'r drws a agorwyd iddynt gyntaf gan Daniel Owen ac o'r newydd gan Caradoc Evans. Yn anffodus, fe ddylanwadodd y modd y derbyniwyd ei storïau a'u dehongli gan Gymry – Cymraeg a di-Gymraeg – yn andwyol ar lenyddiaeth ddilynol yn y ddwy iaith a'r berthynas rhwng llenorion ar naill ochr y ffin ieithyddol a'r llall. Mae'r hyn sy gan Dafydd Johnston i'w ddweud wrth drafod llenorion y ddwy iaith yn y tridegau yn wirionedd cyffredinol: er eu colled y diystyrir eu cydberthynas gan fod gan y naill garfan a'r llall gymaint i'w ddysgu i'w gilydd.[89]

~

Fel un a fodlonodd ar greu o fewn y rhwyd driphlyg y gwelodd Emyr Humphreys Kate Roberts ac fe ellid cymhwyso'r un syniad at genhedlaeth gyfan o lenorion Cymraeg a goleddai'r un egwyddorion gwleidyddol â hi.[90] Stephen Dedalus biau'r geiriau hyn:

> – The soul is born, he said vaguely, first in those moments I told you of. It has a slow and dark birth, more mysterious than the birth of the body. When the soul of a man is born in this country there are nets flung at it to hold it back from flight. You talk to me of nationality, language, religion. I shall try to fly by those nets.[91]

Soniodd Waldo am gael 'neuadd fawr/ Rhwng cyfyng furiau'[92] a chanmolwyd droeon weledigaeth lydan D. J. Williams a gododd o'i fyfyrdod ar ei 'filltir sgwâr' ddiarhebol. Ond a roes Kate Roberts fynegiant artistig llawn i'r teimladau rhwystredig a gorddai'r tu mewn iddi drwy ddal ati i ganu mewn caethiwed? Awgryma cynnyrch ei hail gyfnod creadigol nad felly mohoni.

Ddiwedd y pedwardegau, wrth drafod crefft y stori fer yn benodol, addefodd Kate Roberts 'bu'n rhaid imi ymladd megis â'r Diafol ei hun i ffrwyno fy nheimladau, a chael fy nghymeriadau i'r un tir o dawelwch'.[93] Fe deimlir nad oes ganddi fawr o amynedd gyda chymeriadau sy'n methu: mae rhwydd hynt iddynt golli'r frwydr faterol; ond gwae nhw os ildiant yn nannedd cyni a cholli urddas a'r frwydr egwyddorol yn sgil hynny. Dyna'r ddelwedd bositif o arwriaeth a gyfleir gan ei gwaith ac sy'n nodweddu *Traed Mewn Cyffion*. Dim ond yn raddol bach y caniatâ i gymeriadau dosbarth canol 'cyfnod Dinbych' – o gymharu â rhai 'cyfnod Rhosgadfan' – ildio'n hunanfoddhaus i edrych ar eu bogeiliau eu hunain ac y caniatâ iddi hi ei hun archwilio, drwy'i chreadigrwydd, rychau rhesymeg fewnol yn hytrach na bodloni ar amodau dinonsens y tirlun allanol. Yn *Stryd y Glep* (1949) y cychwynnir yr ymchwil honno ond yn *Tywyll Heno* (1962) y gwelir ei phenllanw, nofel a ymddangosodd flwyddyn ar ôl cyhoeddi *Un Nos Ola Leuad* a agorodd y llifddorau creadigol led y pen. Fel y sylwodd John Gwilym Jones, yn y nofel hon y daw agosaf at fwrw'i swildod nodweddiadol wrth drafod rhyw.[94] Hynny yw, dyw hi ddim yn malio cymaint am y *mores* cymdeithasol ac am delerau'r byd bellach a gall Bet golli urddas a chracio dan straen y disgwyliadau a'r ymagweddiad cyhoeddus. Mewn gair, fe ganiateir i'w chymeriadau fethu.

Mae hyn ar un olwg yn gydnabyddiaeth fod y pwysau afresymol a roddwyd ar ysgwyddau rhai o'i chymeriadau yn y gorffennol yn annynol. Mae'n *critique* ar y cyfyngiadau afresymol a nodweddai'r ymarweddiad derbyniol a fynnid yn ôl gofynion y werin. Un modd o dorri rheolau anysgrifenedig y gymdeithas fyddai torri streic a throi'n 'fradwr'. 'Methu dal'[95] yw geiriau dynol Ernest Roberts am weithred tad Caradog Prichard yn torri Streic y Penrhyn; does dim syndod mai 'Hunangofiant Methiant' yw is-deitl bywgraffiad Caradog Prichard. Gwarthnodwyd teulu Caradoc Evans hefyd: dioddefodd ei dad waradwydd y ceffyl pren a thorrwyd ei fam o'r capel,[96] achlysur sy'n atgoffa dyn am hanes cyffelyb Bob Lewis ac am y modd y gwrthodwyd y cymun i Gres Elin. Dyma achlysuron pwerus pan weinyddid cyfiawnder cymdeithasol yn erbyn pechaduriaid, eu halltudio a'u dieithrio. Does dim dwywaith fod alltudiaeth a dieithrwch o'r fath – cymdeithasol, crefyddol, daearyddol ac emosiynol – wedi bod yn gaffaeliad creadigol i'r ddau Garadog. Mae'n ddiddorol yn hanes Kate Roberts mai'r agosaf y daw at feddiannu gwrthrychedd o'r fath yw pan yw'n cyfaddef fod cyflwr Anghydffurfiaeth Gymreig yn druenus. Ddechrau'r chwedegau mae'n cydnabod ar goedd fod un o'r pethau y rhoes hi ei hun ran helaeth o'i hoes i'w amddiffyn mewn dyfroedd dyfnion:

> . . . darlun go ddrwg yw'r darlun o'r capel yn gyffredinol [yn *Tywyll Heno*]. Ond fel yna y gwelaf fi bethau heddiw . . . nid ydym yn fodlon dioddef dros grefydd . . . Mae'r gwahaniaeth rhwng byd ac eglwys wedi mynd yn fychan iawn erbyn heddiw.[97]

Go brin mai ar ddamwain y ceir yn gyfamserol ganddi yn *Tywyll Heno* ddarlun o gymhlethdod cymeriadol; oni welir yn y nofel honno lacio'r hualau moesol a dymchwel yr amddiffynfeydd diwylliannol?

Teimlir mai Kate Roberts ei hun yw Bet, wedi colli – dros dro – ei ffydd mewn cenedlaetholdeb ac yn sgrifennu â'i thraed yn rhydd o'r rhwyd driphlyg honno.[98] Gall ddal ar y cyflwr diangor hwn i ddweud ei dweud yn gwbl ddiedifar. Yn ystod y catharsis hwn daw sawl buwch sanctaidd dan ei llach ac ailfynegir rhai canonau beirniadol pur gyfarwydd:

> Mae'n rhaid i ddyn frwydro cyn y medar o sgwennu. Rhaid i rywbeth i gynhyrfu fo.

'Does yna neb yn cael i gynhyrfu i weiddi heddiw. 'Rydan ni wedi
mynd yn bobol rhy oer i weiddi, rhy heddychlon i frwydro yn
erbyn dim.

Mi ddarllenais i rywbeth ddwedodd nofelydd o Babydd, mai
braint nofelydd yw cael bod yn annheyrngar i'r gymdeithas y mae
o'n perthyn iddi – y Pabyddion yn i achos o – a bod yn rhaid iddo
fo gael sgwennu o safbwynt y drwg yn ogystal â'r da.

Eisiau dweud oedd arnaf wrthych am sgrifennu am fywyd fel yr
ydych chwi yn i weld o ac nid i geisio diddori neb.[99]

Mewn cyfnod o argyfwng cenedlaethol yr hawliodd Kate
Roberts iddi hi'i hun ryddid creadigol newydd a rhoi cip
anghysurus i ni'r un pryd y tu ôl i lenni ein byw cyhoeddus lle
mae'r cyfan yn ddiganllaw a'n hymdrechion yn ddim ond
'hercian i gam o gam/ Rhwng pechod ac angau heb wybod
paham'. 'Gwisg o gnawd' am 'swp o esgyrn', mytholeg yw'n
holl ymdrechion i ystyrloni'n bodolaeth mewn byd felly, ond o
weld ei dirlun hunllefus mae dyn yn sylweddoli'n gliriach
angenrheidrwydd 'credu' yn nannedd difodiant.

Nodiadau

1 Gw. y drafodaeth ar rôl yr Academi Gymreig a'i dwy adran, 'Looking
  at Plato's Garden', *Planet*, 99 (June/July 1993), 6: '. . . what can be
  charged against both the Welsh Academy and Yr Academi Gymreig is
  their mutual suspicion . . . They occupy two rooms next door to each
  other. Yet they might as well be located on separate continents for all
  the co-operation they are able to provide in organising joint events.'
2 Rhamant Gymreig a welodd olau dydd gyntaf ar ffurf cyfres yn *Ideas*,
  wythnosolyn poblogaidd a olygid o Stryd y Fflyd gan Caradoc Evans
  rhwng 1915 ac 1917. Gw. John Harris, 'Caradoc Evans and "Ideas" ',
  Planet, 53 (Oct./Nov. 1985), 61–2.
3 'Parodi ar Gymru', *Llên Cyni a Rhyfel a Thrafodion Eraill* (Llandysul,
  1987), 193. Astudiaeth arall gan yr un awdur sy'n dra pherthnasol i'r
  drafodaeth bresennol yw *Drych o Genedl* (Abertawe, 1987).
4 *Is There an Anglo-Welsh Literature?* (Cardiff, 1939), 13. Gw. ymhellach
  sylw Tecwyn Lloyd i'r union fater hwn yn *John Saunders Lewis: Y
  Gyfrol Gyntaf* (Dinbych, 1988), 100–4. Nid yn annisgwyl, arall yw
  ymateb Gwyn Jones yn *The First Forty Years: Some Notes on Anglo-
  Welsh Literature* (Cardiff, 1957) ac ymatebir i rai o'i sylwadau yntau
  gan Bobi Jones yn 'Anglo-Welsh: More Definition', *Planet*, 16
  (February/March 1973), 11–23.

[5] D. Tecwyn Lloyd, llythyr yn *Y Cymro* (6 Mehefin 1992). Gw. ymhellach a chan yr un awdur 'Nid "Peasant" yw Tyddynnwr', *Barn*, 1 (Tachwedd 1962), 20–1.

[6] 'Y Llenor a'i Gyfrwng', yn Aneirin Talfan Davies, . . . *Astudio Byd* (Llandybïe, 1967), 16. Ymddangosodd y sylwadau hyn gyntaf yn *Barn*, 4 (Chwefror 1963), 100–1, ar ffurf ymateb i gyfres o hanner dwsin o erthyglau ar lenyddiaeth Eingl-Gymreig gan Tecwyn Lloyd yn yr un cylchgrawn rhwng Tachwedd 1961 ac Ebrill 1963. Gyda *bête noire* y ganrif ddiwethaf, Brutus, y cyplysir Caradoc Evans ganddo yn 'Cynddaredd rhai Gwenyn', *Barn*, 3 (Ionawr 1963), 78–9.

[7] Gw., er enghraifft, Glyn Jones, *The Dragon Has Two Tongues* (London, 1968), 55: 'For anyone to have spoken about the Anglo-Welsh short story before 1915, when *My People* appeared, would have been almost an impossibility.' Wrth drafod *The First Forty Years* (Cardiff, 1957), myn Gwyn Jones mai man cychwyn y llenyddiaeth yw 1915 pan gyhoeddwyd *My People*. Cyfeirir at Caradoc Evans yn Meic Stephens (gol.), *Cydymaith i Lenyddiaeth Cymru* (Caerdydd, 1986), 196, fel 'sylfaenydd llenyddiaeth Eingl-Gymreig'. Ond dechreuwyd ailgloriannu'r maes yn ddiweddar gyda M. Wynn Thomas yn 'All Change: the new Welsh drama before the Great War', yn ei *Internal Difference* (Cardiff, 1992), 1, yn codi'r cwestiwn: 'How different . . . would the course of "Anglo-Welsh Literature" have been . . . had writers taken their cue not from the fiction of Caradoc Evans, but from the drama of J. O. Francis?' A chyflwyna John Harris, o bersbectif amgen, achos Allen Raine yn 'Queen of the Rushes', *Planet*, 97 (February/March 1993), 64: 'Whatever the judgement of literary historians, for the book trade Anglo-Welsh literature unquestionably began in 1897 with the publication of *A Welsh Singer*.'

[8] Dyfynnwyd gan T. L. Williams yn *Caradoc Evans* (Cardiff, 1970), 1–2.

[9] Yn ôl John Harris, yr un sydd wedi gweithio galetaf i adfer a hyrwyddo enw da Caradoc Evans, roedd amcan gwleidyddol penodol i'w ffuglen – tanseilio Rhyddfrydiaeth a gorseddu sosialaeth yn ei lle. Gw. ei ragarweiniad i *My People* (edn. Bridgend, 1987), 37–42; o'r argraffiad hwn y dyfynnir yng nghorff yr erthygl hon.

[10] Methiant fu'r ymgais i sensro *My People* yn swyddogol. Gw. John Harris, 'The Devil in Eden: Caradoc Evans and his Wales', *The New Welsh Review*, 19 (Winter 1992–3), 17, lle'r awgrymir bod gan Lloyd George ran yn yr ymdrech aflwyddiannus i'w wahardd.

[11] W. J. Rees, 'Inequalities: Caradoc Evans and D. J. Williams', *Planet*, 81 (June/July 1990), 69. Gw. hefyd Harri Pritchard Jones, adolygiad ar *The Old Farmhouse* a *My People*, yn *Book News from Wales* (Spring 1981), 9–10.

[12] Gw. rhagymadrodd John Harris i *Fury Never Leaves Us* (Bridgend, 1985), 14–21. Ar John Crowther, gw. ymhellach *Y Bywgraffiadur Cymreig hyd 1940* (Llundain, 1953), 80.

[13] Ynglŷn â'r Welsh Not, gw. E. G. Millward, '"Yr Hen Gyfundrefn Felltigedig"', *Cenedl o Bobl Ddewrion* (Llandysul, 1991), 183–9.

---

[14] Llythyr Caradoc Evans i'r *Western Mail* (23 January 1917) a ddyfynnwyd yn John Harris, *Fury Never Leaves Us*, 147.

[15] Pennod sydd eto i'w sgrifennu'n llawn yw honno ynglŷn â pherthynas Caradoc Evans â'r Gymraeg. Gadawodd ysgol Rhydlewis yn 1893 pan oedd yn bedair ar ddeg a, rhwng 1893 a 1899, bu'n gweithio am gyfnodau fel dilledydd cynorthwyol mewn cyfres o siopau yng Nghaerfyrddin, Dociau'r Barri a Chaerdydd cyn ei throi hi ar droad y ganrif am Lundain. Ar ôl ymadael â'r ysgol yr aeth ati o ddifri i ymddiwyllio'n llenyddol. Anodd gwybod i ba raddau y dylanwadodd llenyddiaeth Gymraeg arno: ai arwydd ydoedd o'i hen gaethiwed a ddefnyddiwyd ganddo'n negyddol i adweithio yn ei herbyn? Gw. John Harris, *Fury Never Leaves Us*, 21–9, sy'n trafod prentisiaeth lenyddol Caradoc Evans. Gw. hefyd Trevor Williams, *Caradoc Evans*, 14, sy'n cyfeirio at y Parch. Thomas Cynfelin Benjamin, un yr oedd gan Caradoc Evans yn blentyn feddwl y byd ohono: dychanwr ydoedd a adroddai ei benillion chwerw ar aelwydydd a chaeau ŷd. Awgryma hyn synthesis diddorol. Ar y naill law, gwelir olion rhai o ddarluniau didrugaredd Maupassant o werin Normandi ar *ddeunydd* Caradoc Evans: cyhoeddwyd peth o'i waith ganddo yn *Ideas* ac mae'n ddiddorol fod Gwenda Gruffydd hithau wedi cyhoeddi trosiad o bump o storïau'r Ffrancwr yn *Y Marchog* (Abertawe, 1920), yn eu plith stori ddychrynllyd 'Y Diafol', a hynny heb nemor ddim protest yn y wasg Gymreig; ailgyhoeddwyd y cyfieithiad hwnnw yn Geraint Wyn Jones, *Y Stori Fer a'r Stori Fer Hir* (Llandysul, 1988), 68–74. Ar y llaw arall, *rhythmau* iaith ddyrchafedig y capel a'r cyfarwydd llafar a glywir yn ei straeon.

[16] 'Daniel Owen a'r "Gwir"', *Codi'r Hen Wlad yn ei Hôl 1850–1914* (Llandysul, 1989), 63.

[17] Gw., er enghraifft, John Gwilym Jones, *Daniel Owen* (Dinbych, 1970), 10: 'Dyna f'argraff innau o Ddaniel Owen – i'r Calfin ynddo orymyrryd â'r llenor ynddo a'i rwystro i fod yn nofelydd gwir fawr.'

[18] Ioan Williams, *Capel a Chomin* (Caerdydd, 1989), xiii–xiv: 'Prif nodwedd gwaith Daniel Owen, ar wahân efallai i'w hiwmor, yw'r ysbryd beirniadol a'i hydreiddia. Nid ei fod yn dangos diffyg parch tuag at sefydliadau crefyddol ei ddydd, ond bod y parch yn cyd-fyw yn ei feddwl ag agwedd feirniadol iawn . . . Y mae'n awdur sydd yn ennill parch ac edmygedd cynyddol wrth i'w waith dderbyn mwy a mwy o sylw. Dyma ddyn a ymdrechai i fod yn onest yn anad dim.' John Rowlands, 'Daniel Owen', yn ei *Ysgrifau ar y Nofel* (Caerdydd, 1992), 51: 'Perygl parod beirniadaeth ar nofelau Daniel Owen yw cychwyn gyda'r dyn ei hun, ac yn arbennig gyda'r syniad amdano fel Methodist digyfaddawd, heb sylweddoli bod y nofelau eu hunain yn llawn beirniadaeth ar Fethodistiaeth ac ar grefydd gyfundrefnol yn gyffredinol.'

[19] *Rhys Lewis* (Wrecsam, 1885), 129.

[20] *Enoc Huws* (Wrecsam, 1891), 14.

[21] *My People*, 108–12.

[22] E. G. Millward, 'Tylwyth Llenyddol Daniel Owen', *Cenedl o Bobl Ddewrion*, 126.

[23] *Drych o Genedl*, 14.

[24] Gw. Prys Morgan (gol.), *Brad y Llyfrau Gleision* (Llandysul, 1991), am ymdriniaeth ag amryfal agweddau adroddiad Comisiynwyr Addysg 1847.

[25] *Y Dreflan* (Wrecsam, 1881), v–vi.

[26] Gw. 'Tylwyth Llenyddol Daniel Owen', *Cenedl o Bobl Ddewrion*, 120–36.

[27] Saunders Lewis, 'Y Cofiant Cymraeg', yn R. Geraint Gruffydd (gol.), *Meistri'r Canrifoedd* (Caerdydd, 1973), 341.

[28] *Gwlad y Gan a Chaniadau Eraill* (Caernarfon, 1902), 26.

[29] Am drafodaeth ar yr agwedd hon ar farddoniaeth T. Gwynn Jones, gw. Gerwyn Wiliams, *Y Rhwyg* (Llandysul, 1993), 195–210.

[30] T. Gwynn Jones at E. Morgan Humphreys, Casgliad E. Morgan Humphreys, Coleg Prifysgol Gogledd Cymru (CPGC), 1 Gorffennaf 1918.

[31] T. Gwynn Jones at E. Morgan Humphreys, Casgliad E. Morgan Humphreys, CPGC, 30 Medi 1918.

[32] W. J. Gruffydd at T. Gwynn Jones, Casgliad T. Gwynn Jones, Llyfrgell Genedlaethol Cymru (LlGC), 21 Chwefror 1916, 1855.

[33] T. Gwynn Jones at E. Morgan Humphreys, Casgliad E. Morgan Humphreys, CPGC, 2 Rhagfyr 1916.

[34] 'Dau Lwybr T. Gwynn Jones', *Y Traethodydd* (Ebrill 1993), 86.

[35] 'Yn yr Hofel', *Cerddi Rhyddid* (Abertawe, 1914), 40, 43.

[36] Adolygydd dienw, *Seren Cymru* (31 Gorffennaf 1914).

[37] Adolygydd dienw, *Y Brython* (20 Awst 1914).

[38] 'Y Ddinas', *Cofnodion a Chyfansoddiadau Eisteddfod Genedlaethol 1915 (Bangor)*, 51. Mae'n ddiddorol nodi mai'r hyn a wna Parry-Williams yw dadansoddi a darlunio'n fwy penodol yr hyn a ddisgrifiwyd yn arwynebol gan Eifion Wyn ei hun yn awdl 'Y Bugail':

> Y ddinas ddiddaioni, — anhawdded
> Byw'n rhinweddol ynddi;
> Mae twymyn yn ei hynni,
> A thwymyn waeth o'i mewn hi.

Dyfynnwyd yr englyn hwn yn y bennod ar 'Hen Werin y Graith' yng nghyfrol Alun Llywelyn-Williams, *Y Nos, y Niwl, a'r Ynys* (Caerdydd, 1960), 148, lle dywedir am Eifion Wyn ei fod yn 'clodfori delfryd o fywyd gwledig na bu erioed, yn ei gyfnod ef ei hun yn sicr, lawer o gysylltiad rhyngddo a'r gwirionedd'.

[39] 'Rhagymadrodd', *Pryddestau Eisteddfodol Detholedig 1911–1953* (Lerpwl, 1973), 16. Gw. hefyd E. G. Millward, 'Anfarwol Nwyd', yn J. E. Caerwyn Williams (gol.), *Ysgrifau Beirniadol VIII* (Dinbych, 1974), 250–60.

[40] 'Y Ddinas', 53.

[41] 'Mab y Bwthyn', *Cofnodion a Chyfansoddiadau Eisteddfod Genedlaethol 1921 (Caernarfon)*, 80.

[42] *Y Nos, Y Niwl, a'r Ynys: Agweddau ar y Profiad Rhamantaidd yng Nghymru 1890–1914*, 170: '. . . yr oedd rhyfel 1914–18 mewn gwirionedd yn derfyn gweladwy a phendant ar gyfnod . . . i'r beirdd yr oedd y rhyfel ei hun yn drobwynt sydyn a thrychinebus . . . Gruffydd yn unig efallai a ddaliodd i ymladd yr hen frwydr, ond yr oedd ef, fel ei gymrodyr o'r un genhedlaeth ag ef, yn mynegi modd o feddwl ac o deimlo a luniwyd ar droad y ganrif ac yn byw ar gynhyrfiad creadigol y cyfnod cyn y rhyfel'.

[43] Alun Llywelyn-Williams yn *Y Nos, Y Niwl, a'r Ynys*, 141, sy'n dweud wrth drafod 'Gwerin Cymru' Crwys: 'Wedi oesoedd maith o oddef caledi a thrais, daethai'r werin o'r diwedd i'w hetifeddiaeth. Hyhi bellach oedd y genedl.' Ac meddai hefyd am O. M. Edwards, y lluniodd W. J. Gruffydd gofiant iddo ac y cyfatebai Llanuwchllyn ddelfrydol y naill i Fethel ddelfrydol y llall: 'Ef a roes gyfeiriad a phwrpas i ddyheadau'r bobl gyffredin, yn enwedig yn yr ardaloedd gwledig, trwy gyfystyru gweriniaeth a gwladgarwch' (142). Yn ei feirniadaeth ar bryddestau Caerfyrddin, dywed J. J. Williams yn ddadlennol yn *Cofnodion a Chyfansoddiadau Eisteddfod Genedlaethol 1911 (Caerfyrddin)*, 33–4: 'Wrth osod "Gwerin Cymru" yn destun, credwn y disgwyliai'r Pwyllgor i'r beirdd ganu i'r Werin, ac nid i'r Genedl Gymreig fel cyfangorff . . . Ychydig sydd wedi llwyddo i wneud hyn, ac y mae rhai o'r goreuon wedi methu. Defnyddiant y gair "gwerin" yn fynych ddigon, ond bron yn ddieithriad gwnai'r gair "cenedl" y tro.'

[44] Caradoc Evans, dyfynnwyd yn John Harris, 'A dissident among the dissenters', *Book News from Wales* (Spring, 1985), 4.

[45] 'Nodiadau'r Golygydd', *Y Llenor*, X (Gwanwyn 1931), 2. Cedwir part Caradoc Evans gan W. J. Gruffydd, golygydd *Y Llenor*, fwy nag unwaith: gw. *Y Llenor*, II (Gwanwyn 1923), 55; V (Haf 1926), 106; VIII (Hydref 1929), 188; XI (Haf 1932), 65. Wrth fynd heibio, cyfeiria R. T. Jenkins yntau'n ffafriol ato yn 'Ffrainc a'i Phobl', *Y Llenor*, VII (Haf 1928), 75–6.

[46] Gw. W. J. Gruffydd, 'Is Caradoc Evans Right?', *T. P.'s Weekly* (17 October 1925), 815: 'It is highly dangerous for a Welshman to speak of Mr. Caradoc Evans except in terms of execration, and it is doubly dangerous for me, who have always been represented by some of my critics as a traducer of my native land . . . I have always been in profound disagreement with those good Welshmen who execrated Mr. Evans because his works constituted an attack upon the Welsh people.' Gw. ymhellach W. J. Gruffydd, 'My literary indiscretions', *T. P.'s Weekly* (19 March 1927), 706 a 718.

[47] Dylid nodi fod gan Saunders Lewis yntau dipyn o feddwl o waith Caradoc Evans. Yn *Y Faner* (30 Mehefin 1943), adolygodd *Morgan Bible* yn hael gan gymharu'r hyn a wnâi Caradoc Evans â'r iaith Saesneg yn ei ryddiaith ag eiddo Joyce a Wodehouse: 'Y mae Mr. Evans yn grefftwr llenyddol medrus ac yn aml yn grefftwr o athrylith . . . Mae

arno arswyd rhag darlunio cymeriadau normal, canys ei duedd naturiol yw bod yn dyner a dagreuol. Brwydr yn erbyn hynny yw ei nofelau. Myn fod yn galed, yn wrol, yn llym . . . Nid oes dim diddordeb dynol yn "Morgan Bible". Ond y mae'r diddordeb technegol yn sylweddol.' Oddeutu'r un cyfnod, barnodd Kate Roberts yn wahanol: 'I mi, cartwnydd yw Caradoc Evans; mae pob bai wedi ei chwyddo filwaith ganddo, a rhaid i mi gydnabod nad yw gwaith cartwnydd o werth celfyddydol mawr'; codwyd o 'Ysgrifennu am Gymry ac am Gymru yn Saesneg', *Y Faner* (24 Medi 1947) a gynhwyswyd yn David Jenkins (gol.), *Erthyglau ac Ysgrifau Llenyddol Kate Roberts* (Abertawe, 1978), 279.

[48] 'Llythyr ynghylch Catholigiaeth', *Y Llenor*, VI (1927), 74. Gw. hefyd John Emyr, *Dadl Saunders Lewis ac W. J. Gruffydd* (Pen-y-bont ar Ogwr, 1986). Meddai Kate Roberts yn gytûn flwyddyn yn ddiweddarach: 'Mae rhyw ofn arnom ddatguddio ein meddyliau a bwriadau ein calon i'r byd. Dysgwyd inni erioed siarad yn ddistaw bach am yr hyn a elwir yn bechod; o ganlyniad ni cheir darlun gonest o ddyn. Mae'r farn gyhoeddus yn erbyn darlun gonest o ddyn'; codwyd o 'Y Nofel Gymraeg', *Y Llenor* (1928) a ailgyhoeddwyd yn *Erthyglau ac Ysgrifau Llenyddol Kate Roberts*, 233.

[49] *Yr Eurgrawn Wesleaidd* (Mawrth 1931), 151.

[50] Portreedir y Siorydd yn ei holl liwiau adweithiol yn Manon Wyn Roberts, *Barddoniaeth Iorwerth C. Peate* (Llandybïe, 1986). Gw. hefyd Alan Llwyd, *Barddoniaeth y Chwedegau* (Caernarfon, 1986). Llysenwyd Peate yn 'Mac/Macwy'r Mawn' yn Dafydd Ifans (gol.), *Annwyl Kate, Annwyl Saunders* (Aberystwyth, 1992), a'i drin a'i drafod â mwy o ddirmyg na Tegla hyd yn oed.

[51] *Y Tyst* (12 Chwefror 1931), 9.

[52] Gw. y bennod 'Caerdydd' yn hunangofiant Peate, *Rhwng Dau Fyd* (Dinbych, 1976), 84–99, lle sonnir am Gymry cynnar Rhiwbeina. Gw. ymhellach Kate Roberts, 'Byw yn Rhiwbeina', yn *Erthyglau ac Ysgrifau Llenyddol Kate Roberts*, 41–3.

[53] *Y Llenor*, X (1931), 62. Achubodd W.J. Gruffydd ei hun gam y nofel yn 'Nodiadau'r Golygydd' yr un rhifyn.

[54] Thomas Parry, 'Llenyddiaeth Newydd Cymru, 1930', *Yr Efrydydd*, VII (1931), 162–3.

[55] Gw. M. Wynn Thomas, 'Iaith newid y byd', *Golwg* (12 Mawrth 1992), 19–21 *passim:* 'Fe hoffen i'n fawr petai llai o'r ysfa i ddysgu gwers, moeswers, moesoli – bod llai o hynny yn ymddangos yn ei Gymraeg. Rwy'n credu fod dylanwad Anghydffurfiaeth wedi bod yn drwm, a hwyrach yn anffodus, ar lên Cymru yn y ffyrdd hynny . . . rwy'n amau weithie . . . yng Nghymru – oherwydd ein hanes – bod ofn y dychymyg arnon ni . . . Rwy'n credu . . . bod rhai o'n hawduron ni yng Nghymru wedi bod yn rhy barod i barchu barn y werin, fod ofn wedi bod arnyn nhw i arbrofi yn eu dulliau mynegiant mewn ffyrdd fydde'n eu pellhau nhw oddi wrth y werin ac felly bod yna rhyw geidwadaeth wedi deillio o'r sefyllfa yna . . .'

56 Grace Wynne Griffith, *Creigiau Milgwyn* (Y Bala, 1935), 294. Am hanes cystadleuaeth y nofel yn Eisteddfod Genedlaethol Castell-nedd, darllener Islwyn Ffowc Elis, 'Nofelau Eisteddfod Castell-Nedd', yn *Ysgrifau Beirniadol XVI* (Dinbych, 1990), 158–83. Gwraig i un o weinidogion y Methodistiaid Calfinaidd oedd yr awdures: roedd G. Wynne Griffith yn ddiwinydd yn ogystal ag yn awdur nofelau plant. Doniol o ddamweiniol yw sylw ategol a phreifat Kate Roberts am nofel Saunders Lewis yn *Annwyl Kate, Annwyl Saunders*, 75: 'Fe fydd yn llyfr a ddarllenir gan lawer ond a brynir gan ychydig.'
57 Saunders Lewis, *An Introduction to Contemporary Welsh Literature* (Wrexham, 1926), 12–13.
58 Saunders Lewis, adolygiad ar *William Jones*, *Y Faner* (7 Chwefror 1945).
59 Dafydd Glyn Jones, 'Caradog Prichard', yn D. Ben Rees (gol.), *Dyrnaid o Awduron Cyfoes* (Pontypridd a Lerpwl, 1975), 191.
60 Bobi Jones, 'Pum Pwdin Nadolig', *Llenyddiaeth Gymraeg 1936–1972* (Abertawe, 1975), 235: '. . . methodd T. Rowland Hughes, yn ei ddydd, â gadael yr argraff ei fod yn camu ymlaen yr un llathen . . . Camu'n ôl a wnaeth ef at oes Fictoria i lenwi'r bwlch â rhamantau eglur a gloyw.' John Rowlands, 'T. Rowland Hughes', *Ysgrifau ar y Nofel*, 111: 'Dyna'r syndod: fod nofelydd o gyfnod yr Ail Ryfel Byd yn gallu bod mor draddodiadol ei agwedd a'i ddull . . . [roedd] ein syniad o realiti wedi'i weddnewid yn llwyr ymhell cyn y pedwardegau . . . a'r ffaith eu bod yn sylfaenedig ar yr hen syniad am realiti sy'n peri bod nofelau T. Rowland Hughes braidd yn naïf.'
61 Gw. 'Agweddau Gwleidyddol ar y Nofel Gymraeg 1950–1969' (Traethawd MA Prifysgol Cymru heb ei gyhoeddi, 1988). Wrth drafod safbwynt Kate Roberts ar y pen hwn, mae'r erthyglau hyn a gyhoeddwyd yn *Erthyglau ac Ysgrifau Llenyddol Kate Roberts* oll yn berthnasol a dylid eu hystyried yng ngoleuni ei gilydd: 'Y Nofel Gymraeg', 230–4; 'Problemau Llenorion Cymraeg', 253–9; 'Llenyddiaeth a Gwleidyddiaeth', 265–7; 'Llenyddiaeth a Gwladgarwch', 268–71.
62 'Traed Mewn Cyffion', Bobi Jones (gol.), *Kate Roberts: Cyfrol Deyrnged* (Dinbych, 1969), 53.
63 *Annwyl Kate, Annwyl Saunders*, 115.
64 *Traed Mewn Cyffion* (Llandysul, 1936), 191.
65 *Y Lôn Wen* (Dinbych, 1960), 117. Cymharer hyn â geiriau herfeiddiol Caradoc Evans yn 1924 wrth amddiffyn *Taffy* yn y wasg, geiriau a ddyfynnir yn *Fury Never Leaves Us*, 162: 'I do not hate my people. I like them well enough to criticise them.'
66 *Hen Dŷ Ffarm* (Llandysul, 1953), 110–11. Gw. ymhellach David Jenkins, *The Agricultural Community in South-West Wales at the turn of the Twentieth Century* (Cardiff, 1971), astudiaeth sy'n canolbwyntio ar ardal amaethyddol Rhydlewis, cynefin Caradoc Evans. Teflir goleuni hanesyddol ar yr arferiad o 'garu yn/ar y gwely', 125–6. Gw. ymhellach Catrin Stevens, *Welsh Courting Traditions* (Llandysul, 1993), 82–94, 97–112.

[67] 'Mewn Dau Gae', *Dail Pren* (Aberystwyth, 1956), 27.

[68] 'Preseli', *Dail Pren*, 30.

[69] *My People*, 81. Ar y cydweithrediad hwn rhwng trigolion y fro adeg cynhaeaf gwair, gw. *The Agricultural Community in South-West Wales*, 101–4.

[70] T. L. Williams, *Caradoc Evans*, 10.

[71] Gw. rhagarweiniad John Harris i *My People* (1987), 12–17.

[72] 'Inside the "House of the Mad": the social context of mental illness, suicide and the pressure of rural life in South West Wales c.1860–1920', *Llafur*, 4, No.2 (1985), 20. Gw. yn ychwanegol gan yr un awdur: '"In a Broken Dream": some aspects of the sexual behaviour and the dilemmas of the unmarried mother in South West Wales, 1887–1914', *Llafur*, 3, No.4 (1983), 24–33; 'Voices from the Void: social crisis, social problems and the individual in South-West Wales, c.1876–1920', yn Geraint H. Jenkins a J. Beverley Smith (eds.), *Politics and Society in Wales, 1840–1922* (Cardiff, 1988), 81–92; '"Hen Wlad y Menyg Gwynion": profiad Sir Gaerfyrddin', yn Geraint H. Jenkins (gol.), *Cof Cenedl VI* (Llandysul, 1991), 135–59.

[73] Rhagarweiniad John Harris i *My People* (1987), 35. Gw. hefyd yr adran 'Polemics' yn John Harris (ed.), *Fury Never Leaves Us*, 139–59, sy'n cynnwys enghreifftiau o'r modd yr amddiffynnodd Caradoc Evans ei waith mewn llythyrau i'r *Western Mail*.

[74] Am y berthynas rhwng y cyhoeddwr a'i awdur, darllener John Harris, 'From his Presbyterian Pinnacle', *Planet*, 90 (December/January 1992/93), 31–7.

[75] Dyfynnwyd yn rhagarweiniad John Harris i *My People*, 33.

[76] Gw. M. Wynn Thomas, 'My People and the Revenge of the Novel', *The New Welsh Review* (Summer 1988), 22, lle dywed am yr argraffiad diweddar o *My People*: 'Dare one hope . . . that its influence as myth will hereafter wane, and its power both as historical document and as circumscribed work of fiction be recognised? . . . Anglo-Welsh Literature remained for far too long under the seductive spell of this myth, or variants of it, and only rarely was it able to turn it into substantial fiction, as Caradoc had succeeded in doing.'

[77] Gw. Gerwyn Wiliams, 'Caradoc y Colbiwr', *Barn*, 301 (Chwefror, 1988), 31: '. . . mae'r sylw parhaus i'r gwyrdroëdig a'r grotésg a geir yn y straeon ynghyd â'r sgwennu alegorïaidd a chyfeiriadol yn lled fodernaidd'; M. Wynn Thomas, 'My People and the Revenge of the Novel', 20: '[*My People*] can now perhaps best be seen as the first modernist work to have been produced by a Welshman'. Yn ôl John Harris yntau yn ei ragymadrodd i *Caradoc Evans: Selected Stories* (Manchester, 1993), 13: 'The label "realist" . . . is rarely comfortable when applied to Caradoc Evans . . . if realism implies a breadth and balance of treatment he was never a realist.' Ganol y dauddegau, mentrodd W. J. Gruffydd fynd yn groes i'r lli drwy fynnu yn *T. P.'s Weekly* (17 Hydref 1925), 815: 'I have always refused to regard "Capel Sion", "Taffy" and the others as an attempt at realistic literature, and

have in my time been reduced to a foaming inarticulateness at the evident glee with which some of the English reviews welcomed his works as a "social document" . . .'

[78] Kate Roberts, 'Yr Eingl-Gymry', *Y Faner* (6 Chwefror 1969), adolygiad ar Glyn Jones, *The Dragon Has Two Tongues* a ailgyhoeddwyd yn *Erthyglau ac Ysgrifau Llenyddol Kate Roberts*, 281. A bod yn deg â hi, mae Gwyn Jones yn mynegi'r un farn yn *The First Forty Years*, 27: '. . . he was blinkered. What is worst in man he wrote about with power and fidelity. Of what is best he has nothing, or almost nothing, to say.' Etyb John Harris y feirniadaeth hon ynglŷn â chulni ei weledigaeth yn *Caradoc Evans: Selected Stories*, 17: 'What matters is not the nature of the vision but his power to express it.' Mae Caradoc Evans ei hun yn cyfaddef ei fod wedi hepgor rhai agweddau o'i storïau a deillia undod artistig ei waith o gysondeb du a llethol ei weledigaeth: yn 'Self-portrait', *Fury Never Leaves Us*, 106, cyfeiria at ei brofiad yn clywed y ddiddanwraig neuaddau cerdd, Marie Lloyd, ddechrau'r ganrif yn Hammersmith Palace: '"Jiw-jiw", I said to me, "she tells a story not by what she says but by what she does not." I kept up Genesis and Marie Lloyd.' Swm a sylwedd hyn oll yw'n hatgoffa pa mor rhannol a dethol yw'r darluniau a dynnir gan unrhyw lenor yn eu hanfod. Cyflwyno darlun cadarnhaol ond tra dethol fu'r traddodiad ymhlith hyrwyddwyr chwedloniaeth y werin Gymraeg. Yn ddiau mae gormodiaith ddu Caradoc Evans yn cynnig gwrthbwynt dramatig i ormodiaith wen 'Gwerin Cymru', *How Green was my Valley* (1939) a nofelau T. Rowland Hughes.

[79] Gw. adolygiad Dafydd Jenkins ar Islwyn Ffowc Elis, *Yn ôl i Leifior* (1956) yn *Y Faner* (14 Mawrth 1957): 'Ni bu erioed dŷ fel Trem y Gorwel uwchben tref Caerwenlli, a phetai yno dŷ o'r fath, ni allai helyntion "Ffenestri Tua'r Gwyll" ddigwydd yno am na allai Ceridwen Morgan ddigwydd.' Atebodd Islwyn Ffowc Elis ei feirniaid yn 'Fy Nofel Aflwyddiannus', *Lleufer* (Haf 1957), 59: 'Gwir na welais i eto yng Nghymru gymdeithas fel cymdeithas artistig Caerwenlli; ond y mae'r unigolion yn bod, ac ni wneuthum i ddim ond dod â hwy at ei gilydd. Ac am 'wn i nad oes gan nofelydd hawl i hynny o ddychymyg o leiaf.' Mae tebygrwydd trawiadol rhwng *Monica* a *Ffenestri Tua'r Gwyll* (Llandysul, 1955): dychan ar foderniaeth yw nofel Islwyn Ffowc Elis, moderniaeth a ymgorfforir gan Ceridwen Morgan, Trem-y-Gorwel, a thrigolion Caerwenlli. Styrbir Ceridwen yn ddoniol pan awgryma Sirian wrthi ei bod mor bechadurus â neb: '. . . ei gweinidog, hyd yn oed, wedi meiddio'i chyplysu hi mewn unrhyw fodd â'r myrddiwn, ac wedi haeru bod ynddi hi beth mor ddi-chwaeth a di-ddychymyg â phechod . . . Yr oedd gan nofelydd hawl i ddyfeisio pechod ar gyfer ei gymeriadau os oedd hynny'n grymuso'i stori. Ond yr oedd i weinidog wneud hynny yn mynd yn rhy bersonol . . .' (52)

[80] Gw. Harri Pritchard Jones, 'Un Nos Ola Leuad', *Taliesin*, 63 (Gorffennaf 1988), 9–14, sy'n dwyn cymhariaeth rhwng *Un Nos Ola Leuad* ac *Ulysses* (1922), James Joyce.

[81] Gwaetha'r modd, fe hepgorwyd 'Nodyn yr Awdur' o argraffiad newydd Gwasg Gwalia o'r nofel a gyhoeddwyd gyntaf yn 1988.

[82] *Un Nos Ola Leuad* (Dinbych, 1961), 6.

[83] *Afal Drwg Adda* (Dinbych, 1973), 16.

[84] Yn ogystal â'i ddarlleniad 'strêt' yn *Dyrnaid o Awduron Cyfoes*, 191–222, mae gan Dafydd Glyn Jones bennod sy'n tynnu sylw at y patrymau chwedlonol neu gynddelwaidd sy'n eu hamlygu'u hunain yn *Un Nos Ola Leuad*. Dywed am gyfarfyddiad ola'r Bachgen â Jini Bach Pen Cae yn 'Rhai storïau am blentyndod', *Ysgrifau Beirniadol IX* (Dinbych, 1976), 267–8: 'Trychineb alaethus o beth, yn ôl safonau cymdeithas. Gwyliwn y bachgen druan yn cerdded ar ei ben i'r trap, fel dyn yn ei gwsg, a neb wrth law i weiddi "Paid" mewn pryd i'w achub. Ond yn ôl amodau cyfrin yr ymchwil y mae ef wedi ymgymryd â hi, y mae hyn hefyd yn gam angenrheidiol yn ei dyfiant, yn un o'r pethau y mae'n rhaid iddo'u gwneud cyn y daw i'w deyrnas. Ar un trawiad, y mae'n cyflawni dwy o'r amodau sy'n digwydd yn gyffredin ym mhroses graddio bachgen yn ŵr. Ennill rhyw goncwest rywiol yw un. Cymryd bywyd ei gyd-ddyn yw'r llall.' Un darlleniad posib ohoni fyddai astudio'r modd y mae'n chwarae – yn parodïo ac yn gwyrdroi – confensiynau straeon tylwyth teg mewn modd tebyg i Angela Carter yn y ffilm *The Company of Wolves* (1985). Anodd credu nad oes dylanwad chwedlau llafar i'w glywed mewn ymadrodd adleisiol fformiwläig fel 'Un nos ola leuad . . .'; 'Once upon a time . . .'; 'Pwyll Pendefig Dyfed oedd yn arglwydd saith cantref a threiglwaith yr oedd yn ei fryd a'i feddwl fyned i hela . . .'

[85] Dyfynnir yn Menna Baines, 'Ffaith a Dychymyg yng Ngwaith Caradog Prichard' (Traethawd M.Phil. Prifysgol Cymru heb ei gyhoeddi, 1992), 155.

[86] 'Caradog Prichard', *Dyrnaid o Awduron Cyfoes*, 193.

[87] Dyfynnir gan Menna Baines yn 'Ffaith a Dychymyg yng Ngwaith Caradog Pritchard', 179. Mae'n ddiddorol fod Saunders Lewis yn cyfeirio at Caradoc Evans yntau fel sentimentalydd yn yr adolygiad ar *Morgan Bible* y cyfeiriwyd ato yn nodyn 47 uchod.

[88] Dyfynnir yn Alun Llywelyn-Williams, *Y Nos, Y Niwl, a'r Ynys*, 133.

[89] Gw. 'Dwy Lenyddiaeth Cymru yn y Tridegau', yn John Rowlands (gol.), *Sglefrio ar Eiriau* (Llandysul, 1992), 42–62.

[90] Gw. y llyfryn a baratowyd i gyd-fynd â chyfres deledu C4, *The Triple Net* (London, 1988).

[91] James Joyce, *A Portrait of the Artist as a Young Man* (1916, Jonathan Cape edn., London, 1968), 207. Dyfynnir y cyfeiriad at y rhwyd driphlyg gan Saunders Lewis yn *Daniel Owen* (Aberystwyth, 1936), 14.

[92] 'Pa beth yw Dyn?', *Dail Pren*, 67.

[93] Saunders Lewis (gol.), *Crefft y Stori Fer* (Llandysul, 1949), 16–17.

[94] 'Beth yw Nofel', *Swyddogaeth Beirniadaeth* (Dinbych, 1976), 236: 'Y gwir yw fod Kate Roberts yn osgoi cymhlethdod rhyw fel gŵr â chleddyf ym mhob un o'i nofelau bron – Bet yn dawnsio efo'r gweinidog yn *Tywyll Heno* yw'r darn mwyaf mentrus ganddi i gyd.'

95 *Afal Drwg Adda*, 38.
96 Gw. rhagymadrodd John Harris i *Fury Never Leaves Us*, 11–14, lle mynegir amheuaeth ynghylch diarddeliad mam Caradoc Evans o Gapel Hawen.
97 Kate Roberts yn cael ei holi gan Lewis Valentine, 'Rhwng Dau', *Seren Gomer* (Gaeaf 1963), 104.
98 Pan holwyd hi gan Lewis Valentine yn 'Rhwng Dau' (105) faint ohoni hi'i hun oedd yn Bet, atebodd Kate Roberts: 'Tafliad (*projection*) ohonoch chwi eich hun yn aml yw eich prif gymeriad: rhowch eich meddyliau chwi eich hun yn ei enau. Yr wyf yn chwannog i golli fy limpyn hefyd, ond nid yn rhy aml. Wedi'r cwbl os gwelwch chi rywbeth yn digwydd sy'n groes i'ch syniadau chi eich hun am yr hyn sy'n iawn ac yn deg, peth naturiol yw i chwi wylltio.'
99 *Tywyll Heno* (Dinbych, 1962), 30, 31, 33–4, 50.

Gorchfygwyr a Chwiorydd: storïau byrion Dorothy Edwards a Kate Roberts yn y dauddegau

KATIE GRAMICH

Ar y cipolwg cyntaf, mae storïau byrion Dorothy Edwards a Kate Roberts yn edrych mor wahanol nes peri i rywun ddatgan nad oes pwynt mewn cymharu gwaith y ddwy o gwbl. Er hynny, dwy awdures Gymreig oeddynt, y ddwy yn ffafrio ffurf y stori fer, a'r ddwy yn dechrau cyhoeddi eu gwaith yn ystod y dauddegau. Ond beth arall sydd i'w ddweud? Mae'r gwahaniaethau yn amlwg. Roedd Kate Roberts yn ysgrifennu yn Gymraeg, yn hanu o gymdeithas y chwareli yn Arfon, darn o Gymru sy'n cael ei ail-greu yn fanwl iawn yn ei storïau cynnar; roedd hi'n athrawes ac yn ddiweddarach yn gyhoeddwr, ymgorfforiad o ethig gwaith y dosbarth gweithiol, ac yn ym-gyrchydd brwd dros Blaid Cymru trwy gydol ei hoes. Ar y llaw arall, roedd Dorothy Edwards yn ysgrifennu yn Saesneg; nid yw lleoliad ei storïau hi yn adlewyrchu ei chefndir fel merch athro yn Nyffryn Ogwr; nid oedd ganddi swydd bendant, er ei bod wedi astudio'r Clasuron yng Nghaerdydd a cherddoriaeth yn amryw o ddinasoedd Ewrop. Bu Kate Roberts fyw hyd at 94 oed, yn 'frenhines ein llên', wedi cyhoeddi nifer helaeth o storïau byrion, nofelau, erthyglau ac adolygiadau; bu farw Dorothy Edwards yn 1934, yn 31 oed, wedi cyhoeddi dim ond dwy gyfrol.

Ond, fel y dywedais, fe ddechreuodd y ddwy gyhoeddi yn y dauddegau: ymddangosodd *O Gors y Bryniau* Kate Roberts yn 1925, a'i *Rhigolau Bywyd* bedair blynedd yn ddiweddarach; daeth *Rhapsody*, unig gyfrol Dorothy Edwards o storïau byrion, o'r wasg yn 1927. Wrth ganolbwyntio ar yr adeg hon, gallwn weld y ddwy awdures yn agosáu at ei gilydd o'u bydoedd gwahanol hyd nes, yn 1929, gallwn eu darganfod yn byw yn yr un gymdogaeth, sef Rhiwbeina, 'gardd-bentref' newydd Caerdydd. Nid ydwyf wedi llwyddo i ddod o hyd i unrhyw dystiolaeth eu bod wedi cyfarfod â'i gilydd, ond yn sicr yr oeddynt yn gwybod *am* ei gilydd trwy eu ffrindiau, megis W. J. Gruffydd a Saunders Lewis.[1] Roedd y ddwy fenyw yn genedlaetholwyr brwd. Mae gwaith Kate Roberts dros y 'Blydi Blaid' eisoes yn hysbys. Ond nid yw efallai mor hawdd rhagweld brwdfrydedd Dorothy Edwards dros y Blaid. Cafodd hi ei magu mewn awyrgylch sosialaidd iawn, ond erbyn y dauddegau diweddar roedd yr ymrwymiad hwnnw wedi troi'n ffyddlondeb tuag at y mudiad cenedlaethol. Ysgrifennodd at Saunders Lewis yn 1931:

> May I repeat my congratulations on your speech last night. I was brought up on the Red Flag in the days when it was very red, and I never permit myself to be carried away at a political meeting by anything less than a promise of the kingdom of heaven on earth, so I am saying something that I mean very deeply when I say that I was completely carried away by the sincerity the genuine imaginative depth and the courageous and firm grasp of the exact, present state of life in Wales in its very fullest sense, which you showed last night. Whether you get in or not - and I hope from my heart that you do - you have already shown the point from which action and enthusiasm must take off, and from this something is bound to come.[2]

Mae'r fath lythyr yn cadarnhau'r argraff a gawn o Dorothy Edwards fel person angerddol ac eithafol yn ei theimladau. Dywed un beirniad a oedd yn ei hadnabod yn bersonol fod ganddi gymeriad 'volcanic: all through her life she was an avowed political revolutionary'.[3] Yn anffodus, dangosodd ei ffydd mewn datrysiadau eithafol yn ei hunanladdiad dair blynedd yn ddiweddarach.

Nid ydym erbyn heddiw yn ddarllenwyr diniwed: o'r herwydd, efallai na ddylem synnu'n ormodol nad yw 'volcanic political revolutionariness' Dorothy Edwards yn rhy amlwg yn ei ffuglen; yn wir, i'r gwrthwyneb – mae'r rhan fwyaf o'r storïau yn dangos byd tawel, cyfforddus, dosbarth-uwch. Wedi'r cwbl, nid yw ffuglen Kate Roberts chwaith yn adlewyrchu'n uniongyrchol ei daliadau gwleidyddol – fe gadwodd hi ei datganiadau politicaidd ar gyfer ei herthyglau yn *Y Ddraig Goch.*

Wrth gwrs, nid yw ei storïau'n wag o ideoleg: does dim byd yn niwtral, ond yn sicr nid yw ei ffuglen yn bropaganda.

Mae ideoleg gwaith Dorothy Edwards yn hynod o ddiddorol. Un ffordd o ddechrau ystyried ei gwaith yw meddwl amdano yn nhermau Pierre Macherey, hynny yw fod y bylchau yn y testun lawn mor bwysig â'r testun ei hun.[4] Casgliad o ddeg stori fer yw *Rhapsody*; cafodd ei gyhoeddi gyntaf yn Llundain. Lleolir naw allan o ddeg o'r storïau mewn ardaloedd gwledig, dienw, yn Lloegr a'r Alban, gydag un stori yn digwydd ar y ffin rhwng Cymru a Lloegr. Y *locus* canolog yn y storïau yma yw'r tŷ mawr, anghysbell; tymor y storïau yw'r haf, ac mae bron pob un o'r cymeriadau ar eu gwyliau. I rengoedd uchaf y dosbarth canol Saesneg neu i'r boneddigion tiriog y mae'r cymeriadau hyn yn perthyn: nid ydynt yn gorfod meddwl llawer am rywbeth mor ddaearol â *gwaith*. A all y byd estron hwn fod yn rhan o draddodiad y stori fer Eingl-Gymreig? Wedi'r cwbl, nid oedd ond deuddeng mlynedd er pan osodwyd y rheolau i'r Eingl-Gymry gan Caradoc Evans: y capel, y werin, iaith llyfr Genesis yn gymysg â jôcs Marie Lloyd. Does dim byd ymhellach o fyd ac iaith Caradoc Evans na mursendod cain Dorothy Edwards. Ond mae byd Kate Roberts, 'realiti' llwm, caled tyddynwyr a chwarelwyr Arfon, lawn mor estron i Dorothy Edwards a Caradoc Evans fel ei gilydd.

Cafodd Dorothy Edwards ei chanmol yn uchel iawn gan feirniaid y sefydliad llenyddol Saesneg, fel Arnold Bennett a glodforodd ei 'subtle and intriguing talent'.[5] Gwelodd y beirniaid Saesneg hi yng nghyd-destun awduron Saesneg benywaidd fel Virginia Woolf, Dorothy Richardson, a Vita Sackville-West. Dyna'r 'byd', byd Bloomsbury, byd y teimladau bonheddig, y mae ei gwaith yn ei greu. Mae'n amlwg, ynteu, fod Dorothy Edwards wedi perfformio gweithred o daflu llais llenyddol hynod o lwyddiannus, gan efelychu teimladrwydd coeth Saesnes y dosbarth uwch fel yr oedd honno'n cael ei phortreadu mewn ffuglen, beth bynnag. Mae'n debyg ei bod yn efelychu'r ddelwedd hon yn ei bywyd hefyd:

> Gwyn Jones recalls his first sight of her when he arrived at college, a seventeen-year-old inexperienced undergraduate. She stood in the corridor, centre of a group, wearing a long green dress of some flowing material, her inevitable long cigarette holder held at an

imposing angle. 'She seemed to me to be the last word in sophistication, a superior being emanating from a different world.' It is difficult to reconcile this apparently experienced and assured person with the shy and awkward woman described by some newspapers at the time of her death.[6]

Ble felly mae'r bylchau yn y testun? Gallwn ddechrau gyda'r dyddiad: ymddangosodd un o'r storïau, 'A Country House', eisoes mewn cyfrol o'r storïau gorau yn Saesneg yn y flwyddyn 1926. 'Do you remember 1926?' gofynnodd Idris Davies. Wel, mae'n amlwg nad oedd ar Dorothy Edwards eisiau cofnodi'r flwyddyn dyngedfennol honno yn ei gwaith. Does dim byd i'w glywed o effaith y dirwasgiad ar bobl de Cymru, er ei bod yn byw yno ac yn gallu gweld y tlodi a'r dioddefaint o'i chwmpas. Ar lefel bersonol, mae'n amlwg, nid oedd yn anwybyddu'r ffeithiau hyn, ond ni chafodd y byd real Cymreig ei drosi i'w gwaith creadigol.

Yn y cyd-destun hwn, mae'n ddiddorol cyfeirio at rywbeth a ddywedodd Kate Roberts am ei phrofiad o ddarllen gwaith Chekhov a Katherine Mansfield. Dywedodd ei bod wedi'i hysbrydoli gan y ddau awdur, nid i geisio efelychu eu dull o ysgrifennu, ond i sylweddoli y gallai'r byd yr ⸺ oedd hi'n gyfarwydd ag ef, yng Nghymru, fod yn ddefnydd llenyddiaeth lawn cystal â Rwsia Chekhov neu Seland Newydd Katherine Mansfield. Rwy'n credu fod Dorothy Edwards wedi marw heb ddarganfod hyn, cyn iddi fod yn barod i ymgnawdoli ei byd Cymreig yn ei gwaith. Mae sylwadau ffrind iddi yn cefnogi'r syniad hwn:

> Dorothy Edwards herself was anxious to go beyond the technique of these early stories where she realized she was working, however successfully, under a limitation. 'You must be a realist' she said in another letter, 'or you must invent a personal isolated odd universe composed exclusively of your own experience.'[7]

Mae byd ei storïau yn hynod: mae'n debyg i ddarlun o un haen o ddosbarth penodol yn Lloegr, ac eto nid hwnnw ydyw ond rhyw weledigaeth bersonol, ryfedd.

Wrth edrych am reswm am y bylchau anesmwyth sydd yn ei gwaith, mae'n well troi at sefyllfa gyhoeddi'r Eingl-Gymry yn y cyfnod. Gallwn weld yn eithaf eglur nad oedd llawer o ddewis i'r awduron hyn ar wahân i anelu eu gwaith at y farchnad lyfrau yn Lloegr. Llundain oedd man cyhoeddi dwy gyfrol Dorothy Edwards, yn ogystal â llyfrau fel *Dew on the Grass* gan Eiluned Lewis a *Country Dance* gan 'Margiad Evans'. Mil naw tri saith oedd y trobwynt, mae'n debyg, gyda sefydlu'r cylchgrawn *Wales*, a alluogodd awduron di-Gymraeg Cymru i anelu eu gwaith yn uniongyrchol at ddarllenwyr Cymreig. Wrth gwrs, roedd Caradoc Evans eisoes wedi elwa'n llon ar y farchnad Saesneg, gan gytuno i borthi ei chwant am bortreadau dychanol o'r werin Gymreig. Gallwn weld y tueddiad hwn hyd yn oed yn *Dew on the Grass*, portread delfrydol o fywyd gwledig Cymreig, sy'n apelio at ddarllenwyr hiraethus am eu plentyndod. Cymru *yw* gwlad plentyndod yng ngwaith Eiluned Lewis, fel gynt ym marddoniaeth Edward Thomas. Ac eto mae'r manylion Cymreig yn y nofel yn swnio'n wir, y geiriau Cymraeg yn gywir. Gweledigaeth geidwadol sydd i'r nofel: er enghraifft, daw crwydryn bygythiol i amharu ar yr Eden, ac mae'n cwyno: 'Aven't I walked all the way from Cardiff? And the bloody Unions taking it out of a chap till you might as well be dead, I tell you, dead and rotted and shovelled away in there.'[8] Er mai cefndir boneddigaidd sydd i'r nofel, mae'n debyg iawn o ran ei hideoleg i'r *bestseller* arall yna, *How Green Was My Valley*, a ymddangosodd saith mlynedd yn ddiweddarach. Yn wir, efallai bod llwyddiant Eiluned Lewis wedi symbylu Richard Llewellyn i ecsbloetio'r un tir. Mae'n demtasiwn awgrymu fod gweled-igaeth geidwadol gyffelyb yng ngwaith Dorothy Edwards, ond wrth edrych yn fanylach, nid yw hynny'n wir.

I ddychwelyd at ddatganiad Edwards ei hunan, fod yn rhaid i ffuglen fod yn realaidd neu ddibynnu ar brofiad personol, gallwn awgrymu mai addysg gerddorol yr awdures yw un o'r agweddau personol sy'n treiddio i'w gwaith. Fel y mae'r teitl ei hun yn awgrymu, mae *Rhapsody* yn llawn symbolaeth gerddorol. Mae bron pob un o'r cymeriadau pwysig yn canu, neu'n cyfansoddi, neu'n chwarae offeryn, neu o leiaf yn gwrando ar fiwsig ac yn cael ei swyno ganddo. Daw un gymhariaeth annisgwyl i'r golwg yma, gan fod miwsig hefyd yn chwarae rhan eithaf pwysig yn y byd diwylliannol y mae Kate Roberts yn ei greu; yn arwyddocaol, canu corawl yw'r gerddoriaeth yma, maes y mae'r chwarelwyr yn rhagori ynddo. Mynegiant ydyw o hunaniaeth ddiwylliannol y gymuned, tra bo'r gerddoriaeth yng ngwaith Dorothy Edwards yn adlewyrchu naill ai brofiad unigol, unig, neu fwynhad dau neu dri pherson a hwnnw'n dod i ben yn gyflym: fel mae'r *rhapsody* yn gorfod gorffen, felly mae'r bobl yn gorfod ymadael â'i gilydd.

Yn ddiddorol, mae'r syniad hwn o dristwch ac unigrwydd hanfodol yr unigolyn yn rhywbeth sy'n cael ei rannu gan y ddwy awdures. Er bod Kate Roberts yn pwysleisio undod diwylliannol y gymuned, ar lefel yr unigolyn mae'n arfer ganddi ddangos teimlad dwys o siom a rhwystredigaeth. Mewn cyfweliadau, dywedodd Kate Roberts dro ar ôl tro mai'r hyn yr oedd yn ei fynegi yn ei storïau oedd y teimlad o 'siom'. Yn aml, mae'r siom hwn yn cael ei gyflwyno trwy ddiffyg cyflawniad ym mherthynas gwraig a gŵr (fel yn y stori adnabyddus 'Y Golled' yn *Rhigolau Bywyd*) ac mae'r un math o siom i'w weld yn aml iawn yng ngwaith Dorothy Edwards (er enghraifft, yn 'A Country House', 'Rhapsody', 'Treachery in a Forest', 'Days', ac yn y blaen). Er y bydd gŵr a gwraig yn mynegi siom, mae'r ddwy awdures yn dangos mai'r wraig fydd yr un sy'n dioddef y siom a'r teimlad o golled fwyaf.

Yng nghyd-destun hanesyddol y cyfnod, gallwn weld bod menywod y dauddegau wedi cael profiad sylweddol o 'golled' mewn un ystyr: colli annibyniaeth a bri yn y gymdeithas. Fel y mae'r hanesydd Deirdre Beddoe wedi disgrifio,[9] yn ystod y Rhyfel Byd Cyntaf roedd menywod Cymru wedi gweithio ym mron pob rhan o'r gymdeithas, megis gwaith ffatri, gwaith clerigol, gwaith mewn siop, a gwaith y swyddfa bost. Hwynt-hwy oedd 'ein merched dewr ni', yn cynnal y gymdeithas tra oedd y gwrywod i ffwrdd yn ymladd, ond ar ddiwedd y rhyfel, fe drawsnewidiwyd delweddau poblogaidd y merched hyn: yn awr roeddent yn hunanol ac ariangar, yn dwyn swyddi oddi ar 'ein bechgyn dewr ni'. Roedd yn rhaid i'r llywodraeth ddechrau ymgyrch go eithafol i ddarbwyllo menywod i ddychwelyd i'w 'llefydd priodol', hynny yw, i'r cartref. Gwasanaeth yn y cartref oedd yr unig waith ac arno sêl bendith y llywodraeth i fenywod Cymru o'r dosbarth gweithiol ar ôl y rhyfel. Mae'r sefyllfa druenus hon yn cael ei dangos yn anuniongyrchol gan Edwards a Roberts fel ei gilydd. Yn y stori 'Days', er enghraifft, mae'r cymeriad Bessie, merch fferm, yn datgan ei gobaith am deithio i Ffrainc ryw ddydd, ond pan ofynnir iddi beth y byddai'n ei wneud yno, yr ateb yw 'Go into service.'[10] Nid yw Bessie yn gallu dychmygu unrhyw beth amgenach; yn ei thyb hi, dim ond un dewis sydd ganddi.

Mae'r 'dewis' hwn yn dod i'r amlwg ym mywyd Kate Roberts hefyd: yn 1941, adeg anodd iawn i Wasg Gee, ysgrifennodd at Saunders Lewis: 'Byddaf yn dweud yn aml wrth Morus, "Os â pethau i'r pen, fe af allan i weini, buasai rhywun yn falch o'm cael yn forwyn a gallem dalu i bawb rywdro".'[11] Ond roedd y cyfyngu ar ddewis merch eisoes wedi effeithio ar ei bywyd: yn 1928, pan briododd hi â Morris Williams, roedd yn rhaid iddi roi'r gorau i ddysgu, gan fod gwaharddiad yn erbyn merched priod yn yr yrfa hon a llawer o rai eraill. Ac eto roedd 1928 yn flwyddyn fuddugoliaethus i ferched: o'r diwedd fe gafodd menywod dros un ar hugain oed yr hawl i bleidleisio.

Wrth ystyried y fath gefndir, sut y gallwn ddadansoddi portreadau'r ddwy awdures o'r profiad o fod yn ferch? Un o nodweddion mwyaf trawiadol storïau byrion Dorothy Edwards yw fod bron pob un ohonynt yn cael ei hadrodd gan gymeriad *gwrywaidd*. Enghraifft bellach o'i dawn fel taflwr llais, efallai? Ond nid hynny yw hi yn gymwys: mae'n amlwg fod yr adroddwr gwrywaidd ei hun yn cael ei watwar gan eironi'r awdures yn aml (er enghraifft, 'A Country House'). Unwaith eto, gallwn amgyffred yr eironi hwn trwy'r bylchau yn y testun. Mae'r rhan fwyaf o gymeriadau gwrywaidd Edwards naill ai braidd yn chwerthinllyd neu'n hollol ormesol; ochr yn ochr â hwy, creaduriaid unig yw'r cymeriadau benywaidd, sy'n ymgorffori rhyw fath o ddyhead, hiraeth, neu alar. Caiff hyn ei fynegi yn aml iawn trwy fiwsig, fel yr wyf eisoes wedi awgrymu.

Yng nghyfrol gyntaf Kate Roberts, *O Gors y Bryniau*, yr arfer yw i'r cymeriad benywaidd fod yn fam sy'n hiraethu am ei phlentyn colledig. Un eithriad yw stori olaf y gyfrol, sef 'Henaint', lle mae'r hen fenyw fethedig wedi anghofio'n llwyr am fodolaeth ei mab, ac mae hyn yn dod fel sioc fwriadol ar ddiwedd y fath gasgliad.[12] Yn wir, gallwn honni mai'r hen wreigan yw'r cymeriad hapusaf yn y llyfr cyfan: mae ei henaint a'i phrinder cof wedi cyflwyno iddi ryw fath o ryddid, rhyddid na all y cymeriadau eraill, yn enwedig y merched, ond cenfigennu wrtho. Wrth gwrs, mae'r adroddwr gwrywaidd wedi ei frawychu gan yr hyn a awgrymir gan y ffaith fod y fam wedi ymwadu â'i dyletswyddau mamol: bygythiad cryf i gymdeithas sydd yn y bôn yn batriarchaidd. Rwy'n ymwybodol fod rhai (er enghraifft, Derec Llwyd Morgan[13]) wedi haeru'r gwrthwyneb, sef mai byd matriarchaidd yw byd Kate Roberts. Ond, yn fy nhyb i, cymdeithas fatriarchaidd yw un lle mae gan fenywod rym economaidd a pholiticaidd *tu allan* i'r cartref, yn ogystal â'r tu mewn iddo: nid yw menywod Kate Roberts yn berchen ar y fath rym, er bod rhai yn dangos y gallent gael blas arno petasent yn cael gafael arno!

Oherwydd fod byd llenyddol Dorothy Edwards mor artiffisial, ni chawn synnwyr o gymdeithas ehangach nac o wrthdaro rhwng dosbarthiadau tu allan i *locus* y tŷ mawr gwledig. Ac eto mae'r bwlch – y gwagle – ynddo'i hun yn arwyddocaol. Nid yw cyfyngiadau materol fel petaent yn bod ym myd Dorothy Edwards, sy'n bell i ffwrdd oddi wrth dde Cymru go iawn y cyfnod, gyda'i geginau cawl: ymddengys nad oes ar gymeriadau Edwards angen peth mor fydol â *bwyd*, eu bod yn hytrach yn byw ar y manna ysbrydol a ddarperir gan y *grand piano*.

Ond mae Kate Roberts yn canolbwyntio ar sylfeini materol realiti. Dywedodd mewn cyfweliad yn 1976: 'Mae rhywun wedi deud amdana i mod i'n sôn gormod am arian yn y storïau yma. Nid dyna yn hollol ydy o, ond mae'n rhaid i chi gael arian i fyw, ac mi roedd o'n boen mawr iddyn nhw.'[14] Eto, yn ei llythyrau at Saunders Lewis, mae'n sôn am y rheidrwydd materol i gyhoeddi cyfrol arall o'i storïau byrion: 'bydd yn rhaid imi gael llyfr arall allan yn o fuan er mwyn cael arian i gael bara a chaws'.[15] Diddorol yw cofio fod pwyslais tebyg yn cael ei roi ar sylfeini materol gwaith llenyddol gan awdures arall yn yr un cyfnod, awdures annisgwyl o ystyried ei chefndir breintiedig, sef Virginia Woolf yn *A Room of One's Own* (1929).

Nid oes amheuaeth nad yw Kate Roberts yn edmygu gwaith caled, corfforol nid yn unig oherwydd ei botensial economaidd ond hefyd am resymau moesol. Mae hyn yn dod i'r golwg mewn sylw doniol ar Simone de Beauvoir a wneir gan Kate Roberts mewn llythyr at Saunders Lewis. Ar ôl canmol y ddwy gyfrol o hunangofiant gan de Beauvoir y mae newydd eu darllen, â ymlaen i ddweud: 'Ond y gwahaniaeth rhwng merched yn sgrifennu yn Lloegr neu Ffrainc, a Chymru ydyw fod yn rhaid i ferch o Gymraes wneud gwaith arall. Mae'n gwestiwn a ydyw'r "Beaver" wedi sgwrio llawr na phobi torth erioed yn ei bywyd.'[16] Daw Derec Llwyd Morgan i'r casgliad nad ydym yn magu de Beauvoirs yma,[17] ac eto mae'n haeru na fyddai eisiau Germaine

Greer ar y byd Seisnig petasai Kate Roberts wedi mynd i fyw yn Llundain.[18] Rhywsut, ni allaf ddychmygu na Simone de Beauvoir na Germaine Greer yn ysgrifennu erthyglau ar y ffordd orau i wneud menyn i golofn y merched mewn cylchgrawn, peth a wnaeth Kate Roberts sawl tro i'r *Faner* ac i'r *Ddraig Goch*. Os oedd Kate Roberts yn ffeminydd, nid oedd yn un radical: mae'n dangos ac yn egluro llawer o'r anawsterau y mae menywod yn gorfod eu hwynebu, ond nid yw'n crybwyll datrysiad i'r anawsterau hynny. Ei hanhawster hi yw ei bod yn ei hystyried ei hun ormod fel rhan hanfodol o'r gymdeithas Gymreig batriarchaidd y mae'n ceisio'i diogelu i allu, neu hyd yn oed i ddymuno, sefyll y tu allan i'r gymdeithas er mwyn ei dad-ansoddi a'i datgymalu. Fel y dywedodd, yn annhebyg i Joyce, ni bu arni erioed angen dianc oddi wrth y rhwyd driphlyg o genedl, iaith, a chrefydd.[19] Gallwn ddehongli'r gair *cenedl* yma mewn dwy ffordd: fel *nation* a *gender* – i Kate Roberts nid oedd modd datrys ar y ddeubeth.

Mae'n anodd penderfynu a yw'r ddwy awdures yn cynnig inni olwg hanfodolaidd (*essentialist*) ar y genedl fenywaidd neu a ydynt yn adlewyrchu syniad de Beauvoir nad ydym yn cael ein geni'n fenywaidd, ond yn cael ein *gwneud* yn ferched gan y gymdeithas batriarchaidd sydd ohoni.[20] Yn sicr mae'r ddwy'n crybwyll fod dynion a menywod wedi eu gwahanu oddi wrth ei gilydd ac yn byw mewn unigrwydd; mae'r naill yn cynrychioli 'aralledd' i'r llall. I gymeriadau benywaidd Edwards daw hunanddiffiniad trwy fynegiant diflanedig miwsig neu gân: yn ei byd hi y dynion sydd yn cyfansoddi'r miwsig. Credaf fod merched Dorothy Edwards yn ymgorffori diffiniad digalon de Beauvoir, sef yn ein byd rhagfarnllyd ni, mai dim ond *immanence* yw'r ferch, tra bo'r dyn (y cyfansoddwr, er enghraifft) yn gallu cyrraedd *transcendence*. Yn yr un ffordd mae merch-ed Kate Roberts wedi'u caethiwo mewn rôl fenywaidd a ddiffiniwyd gan gymdeithas batriarchaidd, cymdeithas y maent hwy eu hunain yn ei chynnal. Yn aml iawn, rhan y Fam Gymreig yw rhan y ferch, y fam sy'n sgwrio ac yn sgrwbio cymaint fel nad oes amser ar ôl i feithrin meddyliau chwyldroadol. Pan ddaw'r meddyliau i ymyrryd yn y llafur caled, fel sy'n digwydd yn y stori 'Rhigolau Bywyd', maent yn dod yn rhy hwyr i weithredu arnynt.

Mae'n ddiddorol cymharu fersiynau Kate Roberts a Dorothy

Edwards o fywydau menywod mewn byd patriarchaidd â'r darlun y mae Saunders Lewis yn ei dynnu yn ei nofel *Monica* (1930). Fel y nodir gan Delyth George, gwrth-arwres yw Monica, sy'n cael ei chondemnio, oherwydd rhagfarnau gwrywaidd yr awdur, am iddi beidio â chytuno i fod yn angel mamol, cartrefol, diryw.

> Gwrywod sy'n ffurfio norm i Saunders Lewis; merched yw'r eithriadau arbennig sy'n cynrychioli 'aralledd' bywyd, sef yr hyn y mynn dyn ei goncro. Cwyd yr awydd yma i goncro o ofn. Felly gorwedd y tu ôl i greadigaeth Monica holl ragdybiau ceidwadol ofnus dyn o ddirgelwch y rhyw fenywaidd. Nid darlun teg mohono o'r cychwyn . . . Mae Monica'n ymgorfforiad o'r hyn sy'n bygwth ffiniau gwâr y gymdeithas batriarchaidd sy'n disgwyl i bob merch ddeisyfu mamolaeth er parhad yr hil.[21]

Propaganda yw'r nofel, sy'n ceisio pwysleisio hawl, yn wir dyletswydd, dynion i reoli'r byd sydd ohoni, ac yn ogystal yn gwrthwynebu'r gymdeithas fodern, seciwlar, sydd wedi anghofio am bechod neu'n ceisio ei anwybyddu. Unwaith eto, fel yn achos gwaith Dorothy Edwards, gallwn haeru mai ym mylchau'r testun y gall y darllenydd ddod o hyd i ideoleg yr awdur. Yr hyn y mae Saunders Lewis yn ei wneud yma yw mabwysiadu arddull y nofelydd naturiolaidd na fydd yn condemnio'n uniongyrchol ond yn cadw draw, yn ffugio agwedd ddifater. Hyn wrth gwrs oedd asgwrn y gynnen rhwng y beirniaid crefyddol a'r awdur yn y lle cyntaf. Ac eto mae yna dyndra yn y nofel, nid yn unig rhwng y neges foesol sydd ymhlyg ynddi a chydymdeimlad yr awdur â Monica, ond hefyd rhwng canolbwynt gwrywaidd yr awdur a'i gasineb tuag at greulondeb y 'clwb' gwrywaidd sy'n cynnal grym dynion. Er mor ansawrus yw Monica, mae agwedd anwaraidd, ffroenuchel y meddygon ar ddiwedd y nofel yn cyfleu'r teimlad nad yw Saunders Lewis yn esmwyth iawn ynghylch rhai agweddau ar y byd patriarchaidd.

Yn ddiddorol, mae Kate Roberts yn canmol *Monica* yn frwdfrydig iawn mewn llythyr at yr awdur:

> Po fwyaf y meddyliaf i am *Fonica*, mwyaf yn y byd y gwelaf eich athrylith. Dim ond dau gymeriad (i bob pwrpas) sydd gennych, ac yr ydych wedi troi eneidiau'r rhai hynny tu wyneb allan. Tipyn o gamp, a thipyn o wroldeb. Ac wrth 'dipyn' golygaf yn y fan hon

'dipyn' yr Apostol Pedr wrth ateb y dyn a ofynnodd a fyddai efe'n hir yn Uffern. 'Byddi, dipyn' ebr Pedr. Nid oes gennyf fi na'r medr na'r gwroldeb i fynd tu mewn i enaid dyn, dangos dipyn ar ei du allan y byddaf i a gwibio fel pry ffenest at y cymeriad nesaf.[22]

Yma, mae Kate Roberts yn cymryd arni agwedd hunanddifrïol ac yn canmol Saunders Lewis mewn termau sy'n awgrymu eu gwahaniaeth rhyw: *gwroldeb* Saunders sy'n cael ei ganmol – ni allaf beidio â meddwl fod y gair yma yn awgrymu *virility* yn ogystal â dewrder. Ac eto yn y llythyr blaenorol, a ysgrifennwyd ddau ddiwrnod yn gynt, mae Kate Roberts yn clodfori gwaith merched, megis Isadora Duncan, Ethel Smythe a Marie Bashkirtseff.[23] Ond yn y paragraff nesaf mae'n sôn am y ffordd orau i wneud cyflaith!

Ar ddiwedd y nofel, nid oes buddugoliaeth i Monica, dim hyd yn oed buddugoliaeth ysbrydol, dros dro; mae'n aros yn ei chnawd cywilyddus, budr, enghraifft o'r ferch mewn byd patriarchaidd. *Immanence* yw'r ferch, *transcendence* yw'r gŵr, yng ngeiriau Simone de Beauvoir eto, ac ym mhortread Saunders Lewis.

Rwyf am droi yn awr i edrych ar ddwy stori gan Dorothy Edwards a Kate Roberts yn fanylach. Nid yw'r storïau yr wyf wedi eu dewis yn hollol nodweddiadol o'r ddwy awdures. 'The Conquered'[24] yw'r unig stori yng nghyfrol Dorothy Edwards sydd â chefndir Cymreig, tra bo 'Chwiorydd'[25] Kate Roberts yn cyflwyno'r ddelwedd berffaith o'r 'angel yn y cartref', dim ond er mwyn sathru ar y ddelwedd honno a'i dinistrio.

Cymeriad gwrywaidd sy'n adrodd 'The Conquered'. Frederick Trenier yw ei enw, ac mae'n berson diwylliedig, boneddigaidd a hunanol. 'I have been nearly everywhere,'[26] ebr ef yn y paragraff agoriadol. Mae'n mynd i dreulio rhan o'i wyliau haf gyda'i fodryb a'i gyfnitheroedd sydd yn byw ar y ffin rhwng Cymru a Lloegr. Tra bo yno, mae'n cwrdd â Gwyneth, 'a very charming Welsh lady',[27] perchennog balch tŷ mawr crand yn y wlad. Fel yn llawer o'r storïau eraill yn *Rhapsody* mae carwriaeth yn datblygu trwy gyfrwng miwsig: Gwyneth sy'n canu a Frederick sy'n gwrando ac yn gwerthfawrogi.

Ond nid symbol o 'wlad y gân' mo Gwyneth. Mae'n gyfoethog iawn ac yn falch o hanes ei theulu; clywn fod ei thad-cu wedi bod yn ffrindiau mawr â'r Tywysog Albert. Mae hen heol Rufeinig yn rhedeg trwy dir Gwyneth ac mae hi'n traethu'n huawdl ar ei hedmygedd tuag at y gorchfygwyr Rhufeinig. Saif ei thŷ yng nghysgod 'a hill where the ancient Britons made a last stand against the Romans and were defeated'.[28] Mae teyrngarwch imperialaidd Gwyneth yn dod yn eglurach byth pan yw'n gwrthod canu'r gân 'Polens Grabgesang' gan Chopin, cân am orchfygiad y Pwyliaid ond sy'n mynegi eu cenedlaetholdeb herfeiddiol. Dywed Gwyneth fod y gân yn rhy drist iddi, ac yn mynd yn groes i'w natur lon, ond mae Frederick Trenier yn cael gweledigaeth sydyn o wir natur Gwyneth: 'No, of course she could not sing that song. She would have been on the side of the conquerors.'[29] Mae'r sylweddoliad hwn yn dod â'i hoffter o Gwyneth i ben, ac mae'n dianc o'r lle yn fuan wedyn.

Yn y stori hon mae Dorothy Edwards yn defnyddio dwy enghraifft hanesyddol i gyfeirio at sefyllfa 'orchfygedig' Cymru. Yr enghraifft gyntaf yw'r rhyfel rhwng y Rhufeiniaid a'r Brythoniaid, ac mae hyn yn awgrymu hefyd pa mor hir yw hanes brwydr y Cymry. Mae'r ail enghraifft efallai'n nes at gyfnod y dauddegau: y frwydr rhwng Gwlad Pwyl a'i chymydog mawr, Rwsia. Yr un fath â'r Cymry yn y ganrif ddiwethaf, roedd y Pwyliaid wedi cael eu rhwystro rhag defnyddio'u hiaith eu hunain gan amryw o bŵerau imperialaidd. Yn 1920 fe gododd y Pwyliaid unwaith eto yn erbyn eu gormeswyr, y Rwsiaid, yn union fel y gwnaethant yng nghyfnod y cyfansoddwr Chopin. Mae neges y stori i'r Cymry, felly, yn eglur; yma, os yn unman, y gallwn ddod o hyd i ysbryd gwrthryfelgar Dorothy Edwards. Ac eto, nid yw'r stori'n cloi'n hyderus.

Mae modryb a chyfnitheroedd Trenier yn addoli Gwyneth; yn wir mae'r berthynas rhyngddynt bron yn ffiwdalaidd. Ar ddiwedd y stori mae Ruthie, cyfnither Frederick, yn ei berswadio i'w helpu i blannu coeden almon ar gyrion lawnt Gwyneth, fel anrheg ben-blwydd annisgwyl. Eglurhad Ruthie ar y weithred yw: 'Gwyneth is so rich it is hard to think of something to give her.'[30] Os yw Gwyneth yn cynrychioli manteision y gellid eu disgwyl wrth gydweithio efo'r gorchfygwyr (e.e., ei thad-cu a'r tywysog), mae Ruthie yn dangos yr agwedd wasaidd sy'n perthyn i'r gorchfygedig. Does dim rhyfedd felly fod Dorothy Edwards wedi'i hysbrydoli gymaint gan Saunders Lewis rai blynyddoedd yn ddiweddarach: yma, yng ngeiriau Saunders, roedd neges chwyldroadol o'r diwedd i Gymru.

Ar ôl ystyried 'The Conquered' yn y ffordd yma, mae'n bosibl darllen storïau eraill Dorothy Edwards gydag agwedd hollol wahanol. Mae'r efelychiad yn troi'n watwar. Mae tôn 'fwy Seisnigaidd na chwi'r Saeson' yn perthyn i'w gwaith yn gyffredinol, er enghraifft yn ei harfer o leddfu bron pob enw â'r ansoddair *rather*. Mae'r dôn yn atgoffa rhywun o briod-ddull Saesneg y dosbarth uwch, fel yn arfer Virginia Woolf o ddefnyddio'r rhagenw *one*. Ond yng ngwaith Dorothy Edwards, mae dullwedd o'r fath yn barodi, yn dychanu diflastod diffrwyth y dosbarth uwch.

'A clean marble monument to sisterly love':[31] dyna sut y mae Derec Llwyd Morgan yn disgrifio 'Chwiorydd' gan Kate Roberts. Mae Kate Roberts wedi datgan mai yn ei theulu ei hun yr oedd ffynhonnell y stori. Modryb yr awdures oedd sail Meri Ifans yn y stori, a'i mam oedd gwreiddyn cymeriad y chwaer, Sara. Efallai ei bod yn heresi dweud hyn, ond i mi mae rhywbeth yn debyg i waith Caradoc Evans yn y stori: y pwyslais ar fryntni, y corff musgrell, y gŵr creulon. Ar ddechrau'r stori, ymgorfforiad o'r 'angel yn y cartref' yw Meri Ifans, ond mae'r ddelwedd yn cael ei sarnu pan yw'n dioddef strôc. Wedi hyn, mae ei theulu'n ei hesgeuluso, ac mae hithau a'r tŷ yn dirywio i gyflwr truenus o aflendid. Ei chwaer, Sara, sy'n dod i'w hachub rhag y bryntni: byddai bryntni yn waeth na marwolaeth i Meri Ifans cyn i'r strôc ei tharo. (Dyna pam y mae disgrifiad Derec Llwyd Morgan o'r stori fel 'a *clean* marble monument' mor addas.) Er gwaethaf dyletswyddau ei chartref ei hun, mae Sara yn dod yn rheolaidd i edrych ar ôl Meri, yn ei glanhau a'i bwydo, yn creu cylch bach o lendid o'i chwmpas mewn tŷ a theulu sy'n malurio. Cyn iddi farw, mae Meri yn llwyddo i ddweud yn dawel ac yn boenus: 'Chwaer wedi bod yn ffeind.'[32]

Mae'r disgrifiad agoriadol o Meri Ifans fel y Fam Gymreig *par excellence* yn taro'r darllenydd fel parodi. Er enghraifft, er bod Meri'n rhoi genedigaeth i naw o blant, mae'r tŷ cyn laned ar ôl genedigaeth y nawfed plentyn ag yr oedd ar ôl y cyntaf. Gwyrth arall y mae Meri'n ei chyflawni yw fod ei hymenyn(!) hi'n aros yn solet hyd yn oed yng nghanol mis Awst a'i fod yn cadw'n ffres fis ar ôl ei gorddi. 'Yn wir,' meddai'r adroddwraig wrth orffen ei mawlgan iddi, 'dynes ddibleten oedd Meri Ifans.'[33]

Yn hyn oll, mae Kate Roberts yn sicrhau fod pob darllenydd yn sylweddoli fod balchder crefft cadw tŷ Meri yn ormodol: mae hi'n esgeuluso dangos cariad tuag at ei phlant er mwyn gweini ar ei duw, Glendid. Yma, rwy'n credu fod Kate Roberts yn dangos ei bod yn gallu gwatwar rhai o'r rhinweddau 'benywaidd' yr oedd hi ei hunan yn credu ynddynt o ddifrif. Roedd hithau'n addoli ei mam ac, efallai o'r herwydd, fe ddefnyddiodd ei gwaith i roi clod i lafur cartref menywod a oedd yn cael ei ddibrisio gan y gymdeithas batriarchaidd. Ac eto gwelodd fod y fath lafur yn gallu bod yn fagl ac yn weithred ddiddefnydd o ferthyrdod. Mae Sara, chwaer Meri, felly, yn bodloni ar ennill brwydr gyfyngedig yn erbyn amgylchiadau: mae'n creu cylch o olau o gwmpas ei chwaer fethedig, er mwyn ei galluogi i farw fel yr oedd yn byw – yn lân. Mae ystyr symbolaidd i'r weithred o greu glendid: wrth wneud hynny mae'r chwiorydd yn gorchfygu realiti economaidd llym, sef eu tlodi. Gan fod cylch merched yn un cyfyngedig, mae creu glendid yn golygu buddugoliaeth bersonol, yr unig un, efallai, y gallant ei mwynhau yn absenoldeb y chwyldro ffeminyddol.

Mae Dorothy Edwards a Kate Roberts fel ei gilydd yn defnyddio symbolau pwysig yn eu gwaith: cerddoriaeth a chyfeiriadau hanesyddol yn y naill a llafur cartref yn y llall. Hunanfynegiant dros dro yw'r hyn y mae miwsig a llafur cartref yn ei gynnig i'r cymeriadau benywaidd. Mae'r ddwy awdures yn gallu ymosod yn ddychanol ar nerth patriarchaidd, fel y gwelwn ym mhortread Kate Roberts o'r tad a'r adroddwr yn y stori 'Y Gwynt'[34] ac yn y gŵr/adroddwr yn y stori 'A Country House'[35] gan Dorothy Edwards. Er gwaethaf hyn, fe gafodd y ddwy eu clodfori gan y sefydliad llenyddol a lywodraethid gan ddynion. Un enghraifft o hyn yw fod H. E. Bates yn sôn yn ei lyfr *The Modern Short Story* (1941) am Kate Roberts a Dorothy Edwards fel awduron a oedd yn rhagori yn arbennig ar ffurf y stori fer. Mae Bates yn falch fod pethau'n argoeli'n dda ar gyfer y stori fer, ac eto mae wedi'i syfrdanu fod y storïwyr newydd yn dod o Gymru:

> Meanwhile, the short story, defying the premature notices of its death, has been given distinguished expression in a hitherto much-despised region . . . Twenty years ago it would have seemed impossible that Wales, popularly considered a country of sour stone, hideous defamation, and colourless mountains, should have yielded literature for which perhaps a close precedent is the Impressionist period of painting. Towards Wales, then, the English short story may perhaps begin to look for a new influence.[36]

Yn y darn hwn gwelir H. E. Bates yn arddangos ei Seisnigrwydd mor ddigywilydd ag y gwnaethai Matthew Arnold wrth draethu ar 'Lenyddiaeth Geltaidd' bedwar ugain mlynedd yn gynharach. Pa beth bynnag oedd dylanwad y ddwy awdures ar y stori fer Saesneg, nid oes amheuaeth eu bod wedi cyfrannu'n sylweddol tuag at greu ffurf newydd ar gyfer llenyddiaeth Gymreig yn y dauddegau.

Mae ffurf y stori fer wedi bod yn boblogaidd iawn ymysg awduron 'from a small country, prone to self-questioning' ys dywedodd John Davies.[37] Ond yn rhy aml mae'r stori fer Eingl-Gymreig, beth bynnag, yn cael ei hystyried yn ffenomen wrywaidd, wy a gafodd ei ddodwy gan Caradoc Evans a'i ori gan awduron fel Dylan Thomas, Glyn Jones a Rhys Davies. Ar yr un pryd, mae her ac amwysedd gwaith Kate Roberts yn cael eu cuddio o dan enwau neis fel 'brenhines ein llên': y gwir yw fod Kate Roberts yn cael bod yn frenhines am fod y stori fer yn dal i fod yn ffurf ddibrisiedig mewn llenyddiaeth Gymraeg, o'i chymharu â thra-arglwyddiaeth lwyr barddoniaeth y mesurau caeth. Ai damwain ydyw fod y fath farddoniaeth yn ei thro yn cael ei dominyddu gan ddynion?

Credaf ei bod yn hen bryd inni ailystyried gwaith awduron fel Kate Roberts a Dorothy Edwards, a'u perthynas â'r traddodiadau canonaidd yng Nghymru, yr un fath ag y gwnaeth beirniaid ffeminyddol y saithdegau â gwaith awduron benywaidd Saesneg.

Nodiadau

[1] Mewn llythyr a ysgrifennwyd gan Kate Roberts at Saunders Lewis, sonia am y ffaith fod *Monica* yn nofel fer ond mae'n ceisio codi calon ei chyfaill fel hyn: 'Ond, *fe* sgrifennir rhai nofelau o'r maint yna hyd yn oed yn Lloegr heddiw, er mai'r nofelau eraill a geir yno amlaf. Ni fedraf gofio am rai rwan chwaith ond gwaith Dorothy Edwards.' (Dafydd Ifans (gol.), *Annwyl Kate, Annwyl Saunders: Gohebiaeth 1923–1983* (Aberystwyth, 1992), 82.)
   Mae'n ddiddorol nodi fod Kate Roberts yn amlwg yn ystyried gwaith Dorothy Edwards fel rhan o lenyddiaeth *Lloegr*.

[2] Llythyr yn llaw Dorothy Edwards gyda'r dyddiad Hydref 22, 1931, yng nghasgliad gohebiaeth Saunders Lewis yn y Llyfrgell Genedlaethol, Aberystwyth.

[3] S. Beryl Jones, 'Dorothy Edwards as a Writer of Short Stories', *The Welsh Review* 7, No. 3 (Autumn, 1948), 184.

[4] Pierre Macherey, tr. Geoffrey Wall, *A Theory of Literary Production* (London, 1978).

⁵ Dyfynnir yn Roland Mathias, *Anglo-Welsh Literature: An Illustrated History* (Bridgend, 1986), 79.

⁶ Luned Meredith, 'Dorothy Edwards', *Planet*, 55 (February/March, 1986), 56.

⁷ S. Beryl Jones, op. cit., 187.

⁸ Eiluned Lewis, *Dew on the Grass* (London, 1934), 209.

⁹ Deirdre Beddoe, 'Munitionettes, Maids and Mams: Women in Wales, 1914–1939', yn Angela V. John (ed.), *Our Mothers' Land: Chapters in Welsh Women's History 1830–1939* (Cardiff, 1991).

¹⁰ Dorothy Edwards, 'Days', *Rhapsody* (London, 1927), 222.

¹¹ Dafydd Ifans (gol.), op. cit., 128.

¹² Kate Roberts, *O Gors y Bryniau* (Caerdydd, 1992: argraffiad cyntaf, Mai 1925).

¹³ Derec Llwyd Morgan, *Kate Roberts* (Cardiff, 1974).

¹⁴ Cyfweliad gyda Kate Roberts gan Gwyn Erfyl (1976) yn Rhydwen Williams (gol.), *Kate Roberts: Ei Meddwl a'i Gwaith* (Llandybïe, 1983), 32.

¹⁵ Dafydd Ifans (gol.), op. cit., 100.

¹⁶ Ibid., 200.

¹⁷ Derec Llwyd Morgan, op. cit., 32.

¹⁸ Ibid., 63.

¹⁹ Emyr Humphreys, *The Triple Net* (London, 1989), 3.

²⁰ Simone de Beauvoir, *The Second Sex*, tr. H. M. Parshley (London, 1988; argraffiad cyntaf, 1949).

²¹ Delyth George, 'Monica', *Y Traethodydd* (Gorffennaf 1986), 169.

²² Dafydd Ifans (gol.), op. cit., 75.

²³ Ibid, 72–3.

²⁴ Dorothy Edwards, 'The Conquered', *Rhapsody* (London, 1927), 53–71. Mae'r stori hefyd yn ymddangos yn y casgliad *The Green Bridge: Stories from Wales*, ed. John Davies (Bridgend, 1988).

²⁵ Kate Roberts, *Rhigolau Bywyd* (Aberystwyth, 1929), 50–9.

²⁶ Dorothy Edwards, op. cit., 53.

²⁷ Ibid., 54.

²⁸ Ibid., 62.

²⁹ Ibid., 67.

³⁰ Ibid., 69.

³¹ Derec Llwyd Morgan, op. cit., 50.

³² Kate Roberts, op. cit., 52.

³³ Ibid., 54.

³⁴ Kate Roberts, *Rhigolau Bywyd*, 40–8.

³⁵ Dorothy Edwards, *Rhapsody*, 32–52.

³⁶ H. E. Bates, *The Modern Short Story* (London, 1941), 211.

³⁷ John Davies (ed.), op. cit., 7.

Idris Davies a'r Gymraeg

DAFYDD JOHNSTON

Y mae dau gamsyniad ynghylch Idris Davies o Rymni yn gyffredin ymhlith Cymry Cymraeg. I lawer ohonynt, bardd cymoedd diwydiannol y de-ddwyrain Seisnigedig ydyw, lladmerydd sosialaeth i'w gyferbynnu'n daclus â chenedlaetholwyr Cymraeg eu hiaith fel Gwenallt a Kitchener Davies. Ond mae rhai, ar y llaw arall, yn gwybod ei fod yn Gymro Cymraeg, ac yn rhyw dybio iddo ysgrifennu cryn nifer o gerddi Cymraeg sydd heb eu cyhoeddi. Dim ond hanner y gwir sydd yn y naill gred a'r llall, a diffyg gwybodaeth bendant sydd wrth wraidd y dryswch. Cynhwyswyd dwy gerdd Gymraeg yn *The Collected Poems of Idris Davies* a olygwyd gan ei gefnder Islwyn Jenkins.[1] Yn ei gofiant iddo mae Islwyn Jenkins yn pwysleisio fod Idris yn medru'r Gymraeg, ond ni thrafodir lle'r iaith yn ei fywyd yn foddhaol.[2] Cafodd cefndir Cymraeg Idris gryn sylw adeg Eisteddfod Genedlaethol Cwm Rhymni yn 1990, pan gyhoeddwyd cyfrol deyrnged ddwyieithog yn cynnwys pump o'i gerddi Cymraeg.[3] Mae ymgais y gyfrol honno i adfer enw Idris Davies fel bardd Cymraeg yn glodwiw iawn, ond efallai iddi greu camargraff trwy orbwysleisio. Fy amcan yn yr ysgrif hon fydd dangos hyd a lled ei ddefnydd o'r iaith, gan edrych yn fanwl ar y naw cerdd Gymraeg ganddo sydd wedi goroesi, a hefyd archwilio rhai cyferbyniadau ac ambell elfen o debygrwydd rhyngddo ef a'i gyfoeswyr Cymraeg.[4]

Yn gyntaf oll, rhaid egluro cefndir ieithyddol Idris Davies yn ei deulu a'i gymuned. Roedd ei fam a'i dad yn Gymry Cymraeg, ei dad o deulu o dyddynwyr lleol, a'i fam o deulu a ddaethai i

Rymni o Daliesin yng ngogledd Ceredigion ym mhumdegau'r ganrif ddiwethaf. Cymraeg oedd iaith yr aelwyd y ganed Idris iddi yn 1905, a Chymraeg a siaradai ef â'i rieni ar hyd ei fywyd. Bu ewythr mam Idris yn byw gyda'r teulu tan 1924, hen löwr duwiol o'r enw Edward Williams a aned yn Nhaliesin, a digon prin oedd ei Saesneg ef. Ac nid oedd y teulu'n eithriadol o gwbl yn nhref Rhymni yn y cyfnod hwnnw. Dengys Cyfrifiad 1901 fod 69 y cant o drigolion Ardal Drefol Rhymni yn medru'r Gymraeg, ac o fewn y dref ei hun byddai'r ganran yn uwch byth, yn enwedig yn y rhan uchaf, Twyncarno.[5] Ond magwyd Idris yn Field Street yn rhan ganol y dref, ac mae'n debyg i bresenoldeb cymuned o Wyddelod gerllaw effeithio ar iaith ei blentyndod ar y stryd. Perthynai Idris a'i chwaer Dorothy i'r genhedlaeth gyntaf o blant y dref a oedd yn ddwyieithog, ac mae'n amlwg oddi wrth ffigurau'r cyfrifiad nesaf yn 1911 fod y Gymraeg ar drai. Un o'r rhesymau pennaf am hynny oedd y gyfundrefn addysg Saesneg. Fe wnaeth Idris ddatganiad pendant iawn ar y pwnc hwnnw yn ei gerdd hunangofiannol 'I Was Born in Rhymney':

> I lost my native language
> For the one the Saxon spake
> By going to school by order
> For education's sake.

Fe fu'r pennill hwn yn gyfrifol am dipyn o gamddealltwriaeth ynghylch meistrolaeth Idris Davies ar y Gymraeg.[6] Gor-ddweud yw'r ferf 'lost'; ni fu iddo golli'r iaith fel y cyfryw. Am ei ddiffyg addysg ffurfiol yn y Gymraeg y sonnir yma, diffyg a olygai na fu'n gwbl hyderus fyth wrth drin yr iaith lenyddol, fel y cawn weld. Gwnaed iawn i ryw raddau am Seisnigrwydd yr ysgol ddyddiol gan ddylanwad crefydd yn ei fywyd. Roedd teulu Idris wedi'i rannu rhwng tri enwad, ei dad yn perthyn i'r Bedyddwyr, ei fam i'r Eglwys Anglicanaidd (a oedd yn ddwyieithog yn Rhymni, sydd yn arwydd ynddo'i hun o gryfder y Gymraeg yn y dref), a'i hen-ewythr i'r Methodistiaid Calfinaidd. Bu Idris yn mynd gyda'r tri o bryd i'w gilydd, ond gyda'r Bedyddwyr yng Nghapel Penuel y daeth yn aelod. Er gwaethaf ei wrthryfel yn erbyn culni piwritanaidd crefydd ei ieuenctid, mae'n amlwg fod y Beibl a'r emynau wedi dylanwadu'n drwm ar arddull a meddylfryd ei farddoniaeth.

Cymysg, felly, yw'r darlun o safle'r Gymraeg ym mywyd cynnar Idris, ond serch hynny mae'n gwbl eglur ei bod yn fyw iawn iddo fel iaith lafar o leiaf. Wrth droi at y diwylliant a etifeddodd trwy gyfrwng yr iaith, ar y llaw arall, gwelir bod y traddodiad yn wannach o lawer. Nid oes tystiolaeth fod teulu agos Idris yn llengar o gwbl, ar wahân i ddeunydd darllen defosiynol. Disgrifiodd Idris y llyfrau yn ei gartref fel hyn: 'all Welsh and theological: sermons and commentaries – they had more to do with Death than Life.' Yn aml iawn byddai cyswllt teuluol â chefn gwlad yn gyfrwng i drosglwyddo etifeddiaeth ddiwylliannol i bobl yn y de diwydiannol, ond nid yn achos Idris Davies. Aethai dwy genhedlaeth heibio er yr ymfudo o Daliesin bell, ac roedd teulu'i fam wedi llwyr ymsefydlu yn Rhymni erbyn amser Idris, a'i dad wrth gwrs yn frodor o'r ardal. Hyn, mi gredaf, sy'n egluro pam mai delwedd annelwig iawn o gefn gwlad Cymru a welir yng ngwaith Idris Davies.

Roedd bywyd diwylliannol Rhymni ei hun wedi dirywio'n enbyd er y bedwaredd ganrif ar bymtheg. Cafwyd digon o fwrlwm llenyddol yn y dref yn oes Fictoria, gyda'r capeli a chymdeithasau cyfeillgar yn cynnal eisteddfodau, a chylchoedd o feirdd yn cwrdd yn rheolaidd. Daethai llawer o'r beirdd hyn o rannau eraill o Gymru gyda thwf y gweithfeydd haearn a glo, beirdd megis Dewi Idloes (David Davies) o Lanidloes ac Ossian Gwent (John Davies) o Aberteifi, ac wrth gwrs tueddent i ganu llawer iawn am eu gwreiddiau gwledig. Siomedig at ei gilydd yw'r sylw a roddir i'r byd diwydiannol newydd. Fe fu'r Gymraeg yn iaith gwleidyddiaeth radicalaidd yn hanner cyntaf y bedwaredd ganrif ar bymtheg, a gwelir olion o'r traddodiad hwnnw yn maled rymus Dewi Idloes, 'Y Stop', a gyhoeddwyd yn y gyfrol *Blwch Llawenydd* yn 1846, cerdd sy'n lladd ar y defnydd o 'blacklegs' i dorri streic gan y glowyr.[7] Yn nes ymlaen ceir ambell gerdd o fawl i'r glowyr am eu dewrder, megis 'Y Glowr' gan Ossian Gwent yn ei gyfrol *Caniadau* (1873). Ond erbyn diwedd y ganrif mae pob arlliw o radicaliaeth wedi diflannu, ac yn ei lle ceir cydymffurfiaeth Anghydffurfiol a llawer o gerddi moeswersol. Un o gynrychiolwyr olaf hen fywyd llenyddol Rhymni oedd y bardd T. Twynog Jeffries a gyhoeddodd y casgliad *Tannau Twynog* yn 1904. Mae ei gerdd 'Gweithwyr ein Gwlad' yn perthyn i draddodiad hir o lenyddiaeth Gristnogol geidwadol sy'n canmol y gweithwyr am eu cyfraniad i'r gymdeithas ac yn eu hannog i ddisgwyl eu gwobr yn y nefoedd.[8] Dyma ddetholiad ohoni, yn cynnwys y pennill am y glowyr:

> Gweithwyr ein gwlad! mor hapus a llon
> Y gauaf a'r haf, ar dir ac ar don;
> Foreu a hwyr, o fynydd i draeth,
> Gwrol a dewr, deheuig mewn gwaith;
> Grymus eu breichiau i weithio mewn trefn
> I gario y byd i gyd ar eu cefn. . . .
>
> Glowr sy'n cychwyn yn foreu i'r gwaith,
> Dychwel yr hwyr yn flin ar ei daith;
> Caled y gwaith, a'r perygl yn fawr,
> Llawen yw'r glowr, er hyny, bob awr. . . .
>
> Gweithwyr ein gwlad, dan leni yr hwyr,
> A'nt tua'r capel, ac yno yn llwyr
> Collant eu hunain mewn nefol fwynhad, –
> Duw sydd yn hoffi mawl gweithwyr ein gwlad.

Dyma dawelyddiaeth gapelgar Mabon ar gân, ac afraid dweud y buasai'n wrthun i lowyr ifainc o genhedlaeth Idris Davies a brofodd wrthdaro diwydiannol yr ugeinfed ganrif. Beth bynnag am hynny, fe ymddengys fod traddodiad llenyddol Rhymni wedi darfod mwy neu lai yn fuan ar ôl troad y ganrif, ac nid oes modd gweld cyswllt rhwng yr hen weithgarwch a chyfnod Idris Davies ar ôl y Rhyfel Mawr. Yn hyn o beth roedd Cwm Rhymni'n wahanol iawn i ran orllewinol y maes glo, er enghraifft Dyffryn Aman, lle parhâi'r traddodiad barddol yn fywiog i mewn i'r ugeinfed ganrif, wedi'i atgyfnerthu'n gyson gan yr ardaloedd gwledig Cymraeg cyfagos.[9]

Ni fu bywyd llenyddol Rhymni farw dros nos, wrth gwrs. Roedd ambell lenor Cymraeg ar ôl yn amser Idris, megis y bardd a'r hanesydd lleol Timothy Davies ('Tim Patch') a fu fyw yn Nhwyncarno o tua 1870 tan 1954, flwyddyn yn ddiweddarach nag Idris ei hun. Rhaid cofio hefyd fod gweinidogion llengar yn Rhymni, megis Fred Jones, yr hynaf o feibion y Cilie, a J. J. Williams, awdur y gerdd dafodiaith enwog 'Dai'. Ond roedd y Gymraeg wedi'i chlymu'n rhy agos wrth y capeli, ac roedd y diffyg diwylliant seciwlar yn yr iaith yn wendid dybryd. Wrth i Idris Davies a llawer o'i gyfoedion gefnu ar y capeli, collasant gyswllt â hynny a oedd ar ôl o'r diwylliant Cymraeg.

Mae cwrs bywyd Idris Davies yn broses o ddieithrio pellach oddi wrth ei ddiwylliant lleol trwy gyfrwng addysg. Ar y cychwyn, fodd bynnag, fe wrthsafodd y broses honno trwy wrthod cynnig am le yn yr ysgol ramadeg, a gadawodd yr ysgol yn bedair ar ddeg oed, er nad oedd unrhyw reidrwydd economaidd arno i ddechrau ennill cyflog ar y pryd. Bu'n gweithio dan ddaear am saith mlynedd, ac roedd y profiad o waith ac o undod rhwng y gweithwyr yn gwbl sylfaenol i'w farddoniaeth orau. Ond fe chwalwyd yr undod hwnnw i Idris gan streic fawr 1926. Roedd eisoes wedi ailgydio yn ei addysg mewn dosbarthiadau nos (gan gynnwys gramadeg Cymraeg), a bu segurdod y streic yn gyfle iddo ymgydnabod â barddoniaeth Ramantaidd Saesneg. Gorfoledd personol darganfod byd newydd oedd prif brofiad Idris o'r streic honno, ac nid chwerwder y frwydr dorfol. Yn y blynyddoedd o ddiweithdra a ddilynodd y streic ymroddodd i ennill cymwysterau addysgol, a chael lle i'w hyfforddi fel athro yng Ngholeg Loughborough yn 1930. Ar ôl dwy flynedd yn y coleg cafodd swydd mewn ysgol yn Llundain (wedi methu cael dim yn ne Cymru), ac yno y bu'n gweithio tan ddechrau'r rhyfel. Bu gydag *evacuees* mewn amryw o lefydd yn Lloegr a Chymru yn ystod y rhyfel (chwe mis ger Llandysul oedd ei unig brofiad o fyw mewn ardal wledig Gymraeg). Llwyddodd i gael swydd mewn ysgol yng Nghwm Rhymni ar ôl y rhyfel, ond bu farw o gancr yn 1953.

Profiad ysgytwol i Idris oedd darllen gwaith y Rhamantwyr Saesneg yn 1926, a bu Shelley a Wordsworth yn enwedig yn ddylanwad trwm arno trwy gydol ei yrfa. Nid yw'n syndod, felly, mai Saesneg oedd ei ddewis iaith ar gyfer ei farddoniaeth ei hun, gan mai honno oedd yr iaith a gipiodd ei galon a'i ddychymyg, ys dywedodd Glyn Jones.[10] Ond eto i gyd, y mae'n syndod mawr mai Cymraeg oedd iaith y gerdd gynharaf a gyhoeddodd Idris Davies, yn y *Merthyr Express* ym Mai 1927. Dylai'r ffaith honno ein hatal rhag gweld ffurfiant yr awdur Eingl-Gymreig fel rhywbeth wedi'i benderfynu o'r cychwyn gan bwysau cymdeithasol, a pheri inni sylweddoli'r elfen o ddewis personol, a hyd yn oed hap a damwain, a oedd yn weithredol yn achos rhywun dwyieithog fel Idris Davies.

Un ffactor pwysig yn ei benderfyniad i gyhoeddi cerdd yn Gymraeg oedd bodolaeth colofn farddol Gymraeg yn y *Merthyr Express*, 'Y Golofn Gymreig' dan olygyddiaeth y bardd Sarnicol o

Sir Aberteifi (a oedd yn brifathro ysgol Mynwent y Crynwyr). Cyhoeddid cerddi gan feirdd lleol bob wythnos, gyda beirniadaeth anogol gan y golygydd, a dyna brawf fod diddordeb mewn barddoniaeth Gymraeg yn fyw yn yr ardal o hyd, er gwaethaf y dihoeni ym mywyd llenyddol Rhymni. Cerddi teyrnged yn gysylltiedig â'r capeli oedd llawer o eitemau'r golofn, a phrin y buasent wedi ysbrydoli Idris, ond mae'n hawdd deall pam yr oedd y golofn yn apelio ato. Byddai'n llawer haws i fardd ifanc ansicr anfon ei gerdd i'w chyhoeddi mewn colofn a oedd â chynulleidfa gydymdeimladol barod na gadael iddi sefyll ar ei phen ei hun, fel y byddai'r ychydig o gerddi Saesneg a gyhoeddid yn y papur.

Mae cynnwys y gerdd hon yn dadlennu cryn dipyn am ansicrwydd Idris Davies ar ddechrau ei yrfa fel bardd. Sôn y mae am yr anhawster a gâi i'w fynegi'i hun yn Gymraeg, a'r eironi fod rhaid iddo fynd i ddosbarth nos i feistroli'i famiaith. Awgryma'r teitl fod hwn yn brofiad cyffredin i lawer o bobl yng Nghymru, ac felly mae'r bardd yn gwthio'i gynefin diwydiannol o'r neilltu ac yn datgan ei fod yn Gymro er gwaethaf ei afael ansicr ar yr iaith:

Rhywle yng Nghymru

Crwt o gartref Cymreig oedd
A lliw hen Gymru arno,
Ond eto aeth i'r ysgol nos
I ddysgu iaith y Cymro!

Sut y bydd yn dysgu hon,
Ond amser a ddywedai,
Gadewch e'n llonydd yr awrhon –
Mae'r ferf yn methu chwarae.

Fe ymddengys fod Sarnicol wedi gwella ar y fersiwn a anfonodd Idris ato, oherwydd ei gyngor i Idris oedd 'sylwch ar y cyfnewidiadau' – ategiad eironig i'r hyn a ddywedir yn y gerdd (diddorol fyddai gweld fersiwn gwreiddiol y bardd). Gellid ystyried y gerdd hon fel rhyw fath o ffarwél i'r Gymraeg cyn cychwyn ar ei rawd fel bardd Saesneg, er mwyn lleddfu'i gydwybod efallai. Cerddi Saesneg oedd y tair ar ddeg a gyhoeddodd yn y *Merthyr Express* dros y tair blynedd nesaf. Ond fe gyhoeddodd gerdd Gymraeg arall yn 'Y Golofn Gymreig' yn

1930, ychydig fisoedd cyn iddo fynd i ffwrdd i'r coleg. Ac yn ddiddorol iawn, mae'r ail gerdd hon hefyd yn ymwneud ag anhawster hunanfynegiant. Y tro hwn y mae gwedd lenyddol i'r thema, sef y cyferbyniad rhwng miwsig byd natur a methiant dyn i fynegi'i deimladau dyfnaf. Er nad yw'r iaith yn bwysig yn y cyferbyniad hwn, eto mae'r teitl a'r disgrifiad ohono'i hun fel 'hen Gymro bach' fel petai'n awgrymu fod a wnelo'i Gymreictod â'r anhawster.

Cân Cymro Bach

Mae miwsig, miwsig ymhob man,
    Ond nid oes cân i mi;
Mae si y môr yn dod i'r lan –
    Ple mae fy nghân fach i?

Mae miwsig yn yr heulog ardd
    O flaen yr hen dŷ gwyn,
A llawn o gân yw'r afonig lân
    Sy'n gwyro tua'r llyn.

O goed y plas daw melys gân –
    Hwyr gân y deryn du;
A daw murmuron mwyn y dail,
    Hen gân y gangen fry.

A dyma fi, hen Gymro bach,
    Er ar fy ngorau sbon,
Yn methu'n llwyr a chipio'r gân, –
    Cân lwys fy nghalon lon.

Gwelwn y tyndra rhwng y ddwy iaith yn ei ddyddiadur ar Ddydd Gŵyl Ddewi 1930: 'Treuliais y prynhawn, fel ddoe, ar y mynydd. Yr oedd llyfr O. M. Edwards gennyf yn fy mhoced, ond methais yn deg i'w agor oherwydd yr oeddwn yn wyllt i ysgrifennu darn Seisneg ar Ebrill.' Mae'n nodweddiadol o agwedd sentimental Idris at y Gymraeg ei fod yn ei defnyddio yn ei ddyddiadur ar Ŵyl Ddewi, ond roedd ef ei hun yn effro iawn i'r eironi yn y ffaith ei fod yn ei defnyddio i gofnodi goruchafiaeth y Saesneg yn ei fywyd. Mae rhywbeth ymwybodol iawn yn ei ddefnydd o'r Gymraeg, fel y gwelir yn ei ddyddiadur bum niwrnod yn nes ymlaen: 'Bob tro yr wy'n darllen O. M. Edwards y mae awydd arnaf i ysgrifenu Cymraeg, a dyma fi yn ceisio ei chadw hi yn y dyddiadur yma heno eto. Glwawog [sic] heddyw.' Heblaw'r sylw cwta am y tywydd, dim ond sylwi arno'i hun yn ysgrifennu'r iaith a wna.

Mae'n siŵr fod Cymreictod Idris yn flaenllaw iawn yn ei feddwl wrth iddo baratoi i fynd i'r coleg yn Lloegr, ac felly mae'n ddealladwy ei fod wedi cyfansoddi dwy gerdd Gymraeg (anghyhoeddedig) yn union cyn ymadael â Rhymni ym Medi 1930. Mae'r gyntaf yn amlwg yn edrych ymlaen at ddychwelyd adref ar ddiwedd ei dymor cyntaf:

Y Gaeaf

Er i'r mwyrif i dy gablu
    Fel y cablwn bopeth bron,
Erys eto gan o ddiolch
    Yn y galon ufydd lon,

Wrth fyfyrio ar y tymor
    Sydd a 'Dolig yn ei law
Pan ddaw'n ol i'r aelwyd annwyl
    Plant ar wasgar yma thraw;

Deuant adref i gydganu
    Ar ol crwydro mannau'r byd,
'Nid oes gwres gan haul un haf-ddydd
    Megys gwres y cartref clyd.'[11]

Mae'r ail gerdd yr un mor sentimental. Emyn gwladgarol ydyw sy'n llawn ystrydebau ac yn drwm dan ddylanwad O. M. Edwards. Ac eto mae'r ymadrodd 'yn y dyddiau enbyd' yn ddiddorol. Mae sôn am flinderau'r byd yn dopos yn yr emynau, ond tybed a yw hyn yn cyfeirio'n benodol at y dirwasgiad economaidd a oedd ar ei anterth yn ne Cymru yr adeg honno? Os felly, hwn yw'r cyfeiriad cynharaf at broblemau cymdeithasol yng ngwaith Idris Davies, gan fod ei gerddi'n delynegion personol Sioraidd tan ganol y tridegau. Mae'n eironig fod y cyfeiriad yn digwydd mewn emyn Cymraeg, ond prif gymhelliad y gerdd yw'r awydd i gadw darlun delfrydol o Gymru wrth ei gadael mewn cyflwr mor druenus. Roedd Idris eisoes wedi ymbaratoi'n feddyliol i fod yn un o Gymry Llundain ddwy flynedd cyn cyrraedd y brifddinas.

Iesu a Chymru

Iesu, Iesu, cadw Gymru
    Yn dy lwybrau sanctaidd di,
Gwlad y delyn, gwlad y Bibl,
    Dal hi'n agos atat ti.
Dal hi yn y dyddiau enbyd,
    'N dawel yn y dwndwr mawr,
Llawn o obaith, llawn o ganu,
    Am yr hyfryd, hyfryd awr.

Arwain Gymru fach y dewrion,
    Pen-tywysog, arwain hi,
Arwain Gymru Pantycelyn
    Ganodd gymaint am Dydi.
Arwain Iesu, annwyl Iesu,
    Awn ymlaen o ddydd i ddydd,
Yn cydganu mawl ein tadau
    A gobeithion Cymru Fydd.

Cymro parchus dros ben a gyfansoddodd yr emyn hwn. Mwy cydnaws â'i wrthryfel yn erbyn piwritaniaeth yw'r gerdd fach feiddgar ganlynol, sy'n enghraifft hyfryd o ddawn Idris i lunio gwawd bachog. Nid oes dyddiad wrthi yn y llawysgrif, ond fe dybiwn i iddi gael ei chyfansoddi tua 1932, a'i bod yn rhan o duedd Idris i wawdio pethau cysegredig ei ieuenctid wrth iddo ymbellhau oddi wrth Rymni. Mae'r defnydd o'r Gymraeg yn addas gan mai'r Gymraeg oedd iaith crefydd iddo.[12] Rhaid cofio na cheisiodd Idris gyhoeddi'r gerdd hon erioed, am ei bod yn rhy gableddus efallai.

Merch y Rheithor

Mi gerais ferch y rheithor
    Er iddo gashau myfi,
Am i mi amau'n wawdlyd
    Y Pren Afalau fu.

Ond yn y noson dyner
    Yn yr ardd tu ôl i'w dŷ,
Mi gerais ferch y rheithor
    Dan yr afalau fry.

Mae yna elfen fechan o wrthryfel yn y ddwy gerdd Gymraeg a gyfrannodd Idris i'r 'Golofn Gymreig' yn y *Merthyr Express* ym Mai 1938, ond maent yn fwy dof o lawer. Mae'r ddwy'n dangos hoffter Idris o addasu cân neu *genre* poblogaidd at ei bwrpas ei hun. Seiliwyd 'Hen Fenyw Fach' ar y rhigwm plant 'Hen Fenyw Fach Cydweli',[13] ac mae'n delfrydu ffigwr y sipsi, un o arwyr barddoniaeth Sioraidd. Cerdd goffa yw'r llall, un o hoff fathau beirdd y capeli, ond mae'n torri confensiwn y *genre* trwy ddatgan ymlyniad y gwrthrych wrth bethau'r byd hwn (fel y gwnaeth Williams Parry mewn ffordd fwy cyfrwys yn ei farwnad i Hedd Wyn):

Er Cof

Ar lan ei fedd ni soniais
    Am angel nac am nef,
Ond am ei egni ieuanc
    A'i hapus, hapus lef.

Nid oedd e'n hoff o ganu
    Am fyd tu draw i'r llen;
Ei grefydd ef oedd caru
    Y prydferth is y nen.

Ei galon ef a ganodd
    Am bopeth ieuanc, iach;
Ei nefoedd ef oedd heddwch
    Yng ngerddi'r pentre bach.

A weithiau, yn yr hwyrddydd,
    Mi gredaf fod ei lais
Nid un o gôr angylion,
    Ond un o leisiau'r maes.

Unwaith eto, mae'n bosibl fod dyddiad y ddwy gerdd hyn yn arwyddocaol. Fe'u cyhoeddwyd pan oedd cyfrol gyntaf Idris, *Gwalia Deserta*, ar fin dod o'r wasg yn Llundain, ac efallai fod Idris yn awyddus i gadarnhau ei enw fel bardd Cymraeg yn ôl yn ei gynefin. Mae'n amlwg fod y Gymraeg ynghlwm wrth brofiad Idris o alltudiaeth yn Llundain. Ni ddigwydd y gair *hiraeth* yn ei gerddi Cymraeg, ond mae'r emosiwn yno, yn enwedig mewn dwy sy'n ffurfio pâr gwrthgyferbyniol yn dangos datblygiad yn agwedd Idris tuag at ei gynefin.[14] Mae'r gyntaf yn gerdd anghyhoeddedig a gyfansoddwyd, fel y dengys y teitl, yn 1936. Yr adeg honno roedd Idris yn dal i deimlo ymlyniad wrth Sir Frycheiniog, yr ardal wledig i'r gogledd o Rymni oedd wedi'i ddenu gymaint pan oedd yn byw gartref yn ei gwm diwydiannol, ac felly gallai gymathu'i brofiad o alltudiaeth i batrwm traddodiadol y cyferbyniad syml rhwng dinas a gwlad (fel y gwelir, er enghraifft, yn un o hoff gerddi Idris, 'The Lake Isle of Innisfree' gan Yeats).

Diwedd Awst 1936

Mae'r haf yn cilio, cilio,
    A 'madael rhaid i mi,
O diroedd teg Frycheiniog
    Ple gân fy nghalon i.

A bydd fy nghalon yno
    Fel 'deryn yn y ddôl
A minnau heb un galon
    Ymhlith y miloedd ffôl.

O bydd ger Afon Llundain
    Rhyw grwydryn ffôl, digwsg,
Yn sibrwd am ei galon
    A ganai ger y Wysg.

Nid oes gair o sôn yma am gynefin diwydiannol y bardd. Cam pwysig yn y broses o greu'r dilyniant *Gwalia Deserta* yn 1936–8 oedd cydnabod mai Rhymni ddiwydiannol oedd ei gynefin, a throi'i olygon tuag at y tirlun 'anfarddonol' hwnnw. Mae'i gerdd Gymraeg olaf yn ymgorffori'r newid yng ngolwg yr alltud. Ni chyhoeddwyd hon chwaith, ond fe'i darlledwyd ar y rhaglen radio *Cornel y Llenor* yn Chwefror 1946, ac mae'n debyg i Idris ei chyfansoddi yn Awst 1945 yn arbennig ar gyfer ei ddarlledu. Dyma enghraifft arall o gyfrwng parod yn ysgogi gwaith Cymraeg gan y bardd. Mae cyferbyniad syml y gerdd gynharach wedi troi'n sefyllfa drionglog bellach, wrth i gof yr alltud (a oedd wedi crwydro gryn dipyn yn ystod y rhyfel) gwmpasu dyhead ei ieuenctid am ddihangfa o'i fyd diwydiannol. Y breuddwyd-iwr yn ei gynefin sy'n bwysig bellach, nid y freuddwyd ansylweddol.

Cwm Rhymni

Ar lannau Afon Rhymni
    Mi grwydrais lawer tro
Pan nad oedd hwyl i ganu
    Ym mwg y pyllau glo.

Ar lethrau llwyd Cwm Rhymni,
    Yn oriau'r gwynt a'r glaw,
Trist oeddwn yn breuddwydio
    Am ryw binaclau draw.

Pinaclau'r oesoedd euraidd
    Tu hwnt i'r dydd a'r nos,
Breuddwydion ffôl y galon
    A'u gwreiddiau yn y rhos.

Ond 'nawr, ple bynnag crwydraf,
    Mae miwsig yn fy ngho'
Am fachgen yn breuddwydio
    Ym mwg y pyllau glo.

Mae yna rywbeth priodol iawn yn y ffaith fod ei linell olaf o farddoniaeth Gymraeg yn sôn am fwg y pyllau glo, fel petai wedi dod adref yn y diwedd. Mae'n debyg ei bod yn anos i Idris drin y byd diwydiannol yn Gymraeg nag yn Saesneg, oherwydd diffyg cynseiliau. Iaith profiadau personol oedd y Gymraeg iddo ef i raddau helaeth, iaith gartrefol nad oedd a wnelai ryw lawer â'r byd mawr. Fe welir hynny yn y ffaith na fu iddo geisio cyhoeddi pedair o'r naw cerdd Gymraeg a gyfansoddodd,[15] a hefyd mai cynulleidfa leol iawn oedd i'r pedair a gyhoeddodd yn y *Merthyr Express*. Gair allweddol sy'n digwydd mewn chwech o'r naw cerdd hyn yw *calon*, gair sy'n cynrychioli'r elfen o deimlad personol yn y cerddi, yn enwedig yn llinell olaf 'Cân Cymro Bach'. Ac mae'n ddiddorol nodi fod *cân* neu *canu* yn digwydd gyda *calon* mewn pedair o'r chwe enghraifft, yn awgrymu fod Idris yn cysylltu'r weithred o farddoni yn Gymraeg â theimladau'r galon yn arbennig. Dyna paham y bu iddo ddefnyddio teitl Cymraeg, sef 'Cân Idris', ar gyfer cerdd Saesneg yn mynegi'i ddadrithiad â chyflwr cymdeithas ar ôl yr Ail Ryfel Byd a'i benderfyniad i gael dihangfa yn ei freuddwydion ei hun.

Cyfran fechan iawn o holl waith Idris Davies yw'r naw cerdd

Gymraeg hyn, ac nid ychwanegant ryw lawer at ei statws fel bardd. Ond y maent yn ddigon i ddangos fod o leiaf y gallu ganddo i ddatblygu'n fardd Cymraeg. Fel y gwelwyd eisoes, mae rhai pethau ansafonol yn iaith y cerddi anghyhoeddedig, ac ni wyddys faint o gywiro a wnaeth golygydd 'Y Golofn Gymreig' ar y pedair a gyhoeddwyd. Serch hynny, prin y gellid dweud fod tystiolaeth yn y cerddi hyn fod gafael Idris ar yr iaith lenyddol yn ansicr iawn. Mae arlliw tafodieithol i'w weld ar yr iaith weithiau, megis 'ar fy ngorau sbon', a'r gair cynnes 'crwt' (hyfryd o addas yn ei gyd-destun), ond at ei gilydd mae'r iaith yn safonol a rhwydd, ac mae'r cerddi'n ddigon tebyg i waith nifer o feirdd telynegol chwarter cyntaf yr ugeinfed ganrif, fel Eifion Wyn, Crwys, a'r Williams Parry cynnar. Os bu i Idris Davies droi at y Saesneg am fod ei Gymraeg yn annigonol, yna gellir awgrymu ar sail y cerddi hyn mai problem seicolegol oedd honno, diffyg hyder yn hytrach na diffyg adnoddau ieithyddol.

Problem arall oedd ei ddiffyg gwybodaeth am farddoniaeth Gymraeg gyfoes yn y cyfnod allweddol pan oedd yn dechrau datblygu fel bardd. Gwelwyd eisoes fod y capel yn ddominyddol ym mywyd llenyddol Rhymni. Mae'n siŵr fod Idris wedi teimlo fod yr un peth yn wir am Gymru gyfan. Yn un o'i ddarnau o ffuglen hunangofiannol (a ysgrifennwyd pan oedd yn byw yn Llundain) mae'r arwr yn datgan yn ei ddyddiadur:

> No good fiddling about with Welsh. The parsons have got hold of Welsh literature and choked it up for ever. So here's luck to Shelley and to English literature.

Rhaid bod yn ofalus wrth gymryd darnau fel hyn yn dystiolaeth am fywyd Idris ei hun. Prin ei fod ef wedi gwrthod y Gymraeg mewn modd mor ysgubol. Eto, y mae'r dyfyniad yn cyfleu mor negyddol oedd delwedd yr iaith iddo pan oedd yn ddyn ifanc. Y beirdd-bregethwyr poblogaidd fel Elfed, Crwys, a Cynan oedd ganddo mewn golwg. Y tristwch yw na wyddai Idris am y gwrthryfel yn erbyn piwritaniaeth y capeli a oedd wedi digwydd mewn barddoniaeth Gymraeg genhedlaeth yn gynharach yng ngwaith beirdd fel T. Gwynn Jones, W. J. Gruffydd, ac R. Williams Parry. Pe gwyddai Idris am y rhain yn 1926 byddai eu cerddi wedi gallu bod yn fodelau iddo farddoni yn Gymraeg, ond ni ddaeth i wybod amdanynt tan ganol y tridegau, a hynny trwy Gymry llengar yn Llundain. Erbyn hynny roedd wedi hen ymsefydlu fel bardd Saesneg. Roedd Idris yn hoff o ddarllen Cymraeg, a diau fod ei ddarllen yn adlewyrchu chwaeth boblogaidd y dydd, megis cerddi Ceiriog ac ysgrifau O. M. Edwards, ond yr oedd bob amser ryw gam neu ddau y tu ôl i'r datblygiadau mwyaf blaengar. Hyd yn oed pan ddaeth yn edmygydd brwd o farddoniaeth Williams Parry, y cerddi rhamantaidd cynnar a apeliai ato, ac nid ymddengys ei fod yn gwybod am y sonedau radicalaidd a gyhoeddwyd mewn cylchgronau adeg helynt yr Ysgol Fomio.[16] Edmygai farddoniaeth Gymraeg am ei choethder telynegol (fel y gwelir yn ei gyfieithiad o gerdd John Morris-Jones, 'Y Ddinas Ledrith', a gyhoeddodd yng nghylchgrawn Prifysgol Nottingham yn 1932), ac nid yn ei chyd-destun cymdeithasol nac unrhyw ymrwymiad gwleidyddol ynddi.

Mae'r agwedd sentimental hon at y Gymraeg fel crair prydferth mewn byd gelyniaethus i'w gweld yn glir yn y datganiad mwyaf cadarnhaol a wnaeth Idris ynghylch yr iaith, yn ei ddyddiadur ar Ŵyl Steffan 1939, wedi'i ysgrifennu ar ôl treulio'r bore yn darllen Cymraeg. Digon clodwiw yw ei benderfyniad i lynu'n styfnig wrth iaith yr oedd ei thranc yn anochel, a phrin y gellid disgwyl dim arall ganddo o ystyried cwrs ei fywyd hyd at yr adeg honno, ond fe ymddengys yn hen-ffasiwn iawn o'i gymharu â pholisïau gweithredol cenedlaetholwyr y cyfnod a'u gweledigaeth fod tynged iaith yn dibynnu ar ewyllys ei siaradwyr.

> Welsh is a very beautiful language, despite its very ignorant detractors, and the prose of "O.M." is like ambrosia. But I know that Welsh will always be on the defensive against modern influences. The English language is going to conquer the world, I believe, but that is no reason why the "Anglo-Welsh" should neglect their first language. I shall cling to it as long as I live – the language of Dafydd ap Gwilym and Pantycelyn and "O. M." and Williams-Parry.

Un ffordd o ddod i amgyffred ansicrwydd Idris Davies ynglŷn â'r Gymraeg yw ei gymharu â rhai o feirdd Cymraeg y cyfnod. Y gyffelybiaeth amlycaf o ran syniadau gwleidyddol yw honno â T. E. Nicholas. Er ei fod yn perthyn i genhedlaeth gynharach nag Idris (roedd yn 27 oed pan aned Idris), roedd ffydd Nicholas yn y chwyldro sosialaidd yn gadarnach o lawer nag eiddo Idris. Y gwahaniaeth allweddol rhwng y ddau oedd fod gwleidyddiaeth a chrefydd yn cyd-fynd â'i gilydd yn llwyr i Nicholas, ac na fu angen iddo ymwrthod â diwylliant y capel a fuasai'n feithrinfa i'w ddoniau barddol. Er iddo orfod ymadael â'r weinidogaeth oherwydd ei wrthwynebiad i'r Rhyfel Mawr, roedd delfrydau ei farddoniaeth yn dal i fod yn gyfuniad o sosialaeth a Christnogaeth, a chrefydd yn cynnig iaith bwrpasol iddo fynegi'i weledigaeth o gyfiawnder cymdeithasol. Roedd yr efengyl gymdeithasol yn elfen yng ngwleidyddiaeth Idris hefyd, ond oherwydd ei wrthryfel yn erbyn y capel ni chafodd y Gymraeg yn iaith addas i'w mynegi.

Bardd arall a gydymdeimlai'n ddwfn â dioddefaint y werin ddiwydiannol oedd Gwenallt. Mae cefndir Gwenallt yn esiampl dda o'r math o gyswllt bywiol rhwng yr ardaloedd diwydiannol a chefn gwlad a fu'n absennol yng nghefndir Idris Davies. Perthynai Gwenallt i'r genhedlaeth gyntaf yn ei deulu a fagwyd yng Nghwm Tawe. Daethai ei dad a'i fam o ardal Rhydcymerau yn Sir Gaerfyrddin, a chadwent gysylltiad clòs â'u tylwyth yno. Roedd Gwenallt y bardd yn gynnyrch bywyd llenyddol llewyrchus Cwm Tawe (oedd ag elfen seciwlar ddigon cryf, fel na fu ymwrthod â'r capel dros dro yn fodd i'w ddieithrio oddi wrth y Gymraeg), ond yr oedd hefyd yn gyfarwydd â thraddodiad hŷn y bardd gwlad yn Sir Gaerfyrddin, a chyda hwnnw y dewisodd ymuniaethu. Yn wahanol i Idris Davies, roedd gan Gwenallt brofiad personol o fywyd mewn cymuned wledig i'w gyferbynnu â'i fyd diwydiannol, a magodd y profiad hwnnw arwyddocâd dwfn yng ngoleuni delfryd Plaid Cymru o'r gymuned wledig yn uned gymdeithasol hunangyflawn, fel y gwelir yn ei gerdd 'Rhydcymerau'.

Gellir gweld tebygrwydd strwythurol rhwng bywydau Gwenallt ac Idris Davies o ran y berthynas drionglog rhwng cwm diwydiannol, cefn gwlad a byd addysg. Cyfetyb cymoedd Tawe a Rhymni i'w gilydd, a Sir Gaerfyrddin i Sir Frycheiniog, ac mae safle Gwenallt fel darlithydd prifysgol yn Aberystwyth yn debyg i safle Idris fel athro ysgol yn Llundain, yn yr ystyr fod y ddau wedi'u galluogi i sefyll yn ôl oddi wrth y ddeuoliaeth rhwng y gymdeithas ddiwydiannol a'r bywyd gwledig ac asesu eu lle o'i mewn. Ansylweddol iawn oedd delfryd gwledig Idris, heb unrhyw sail gymdeithasol iddo, ac yn anorfod y daeth i ganolbwyntio ar ei gynefin diwydiannol yn ei waith aeddfed.

Roedd gan ddelfryd gwledig Gwenallt fodolaeth sylweddol a hefyd arwyddocâd gwleidyddol, ac felly cedwir cydbwysedd rhwng y ddau fyd yn ei waith (gweler yn enwedig 'Sir Forgannwg a Sir Gaerfyrddin'), ond hyd yn oed yn ei achos ef gellir canfod tuedd i dderbyn ei gynefin diwydiannol fwyfwy wrth iddo heneiddio.

Nid oes sail amlwg i gymharu Waldo Williams ag Idris Davies, gan na fu i Waldo sôn odid ddim am ddiwydiant yn ei farddoniaeth, ond mewn gwirionedd y mae cyferbyniad diddorol o ran cefndir teuluol y ddau. Yn eironig ddigon, cafodd Idris fagwraeth fwy Cymraeg na Waldo, gan fod mam Waldo yn ddi-Gymraeg. Saesneg oedd iaith gyntaf Waldo yn blentyn yn ne Sir Benfro, ond pan symudodd ei deulu i ogledd y sir roedd cryfder yr iaith yn y gymuned yn ddigon i wneud bardd Cymraeg ohono. A'r un mor bwysig i farddoniaeth Waldo yn y pen draw oedd y diwylliant eithriadol gyfoethog a etifeddodd trwy ei deulu a'i gymuned.[17] Perthynai tadau'r ddau fardd i enwad y Bedyddwyr, ond roedd traddodiad radicalaidd Bedyddwyr Sir Benfro yn etifeddiaeth fwy cyffrous o lawer na chrefydd dawelyddol tad Idris, ac mae'n amlwg i'r etifeddiaeth honno gyfrannu dyfnder gweledigaeth i farddoniaeth Waldo yn ysbrydol ac yn gymdeithasol.

Llenor Cymraeg amlycaf Cwm Rhondda yn y cyfnod hwn oedd Kitchener Davies.[18] Ar un wedd ailadroddodd bywyd Kitchener batrwm y symudiadau poblogaeth cynharach o'r wlad i'r gweithfeydd, gan iddo gael ei fagu ar ddyddyn yn ardal Tregaron a mynd i weithio fel athro yn y Rhondda, lle y bu'n weithgar iawn dros Blaid Cymru. Ei dynnu tuag at yr ardal ddiwydiannol a wnaeth ei addysg, nid ei arwain i ffwrdd oddi wrthi fel y digwyddodd yn achos Idris Davies a Gwenallt. Ond fel Gwenallt, cynigiai polisi cymdeithasol Plaid Cymru fodd iddo yntau ddehongli'i brofiad ei hun, ac yn ei waith mwyaf, y gerdd hir 'Sŵn y Gwynt sy'n Chwythu', mae'r delfryd gwledig yn egluro argyfwng Cwm Rhondda. Ac y mae haen arall yn y gerdd gyfoethog honno, gan mai hunanymchwiliad ysbrydol ydyw yn y bôn. Fel gyda Waldo, cafodd gwaith Kitchener Davies ddyfnder ysbrydol o'r traddodiad Anghydffurfiol, sef yn yr achos hwn y seiat Fethodistaidd.[19] Ymddengys yr elfen ysbrydol yng ngwaith Idris Davies yn denau ac arwynebol o gymharu. Er iddo ymwrthod â chrefydd sefydliadol ei ieuenctid, ni lwyddodd i ymryddhau oddi wrth yr olygwedd ysbrydol, a diwedd y daith iddo ef oedd cyfriniaeth annelwig 'Beyond the Black Tips'.[20]

Sefydliad pwysig dros ben yn natblygiad cynnar y pedwar bardd Cymraeg hyn oedd yr eisteddfod, yn lleol ac yn genedlaethol. Nid mater o ennill hyder trwy lwyddiant yn unig oedd hyn, eithr yn bwysicach, mater o ymdeimlo â chynulleidfa. Mewn eisteddfod leol byddai'r bardd yn adnabod ei gynulleidfa'n bersonol yn aml iawn, a rhoddai'r Eisteddfod Genedlaethol gyfle iddo gyfarch y genedl gyfan, neu o leiaf i deimlo ei fod yn gwneud hynny. Gellir cyferbynnu hyn ag amodau cyhoeddi gwaith cynnar Idris Davies mewn papurau newydd, a oedd yn llawer mwy amhersonol, yn enwedig y cerddi Saesneg a gyhoeddwyd y tu allan i'r golofn farddol Gymraeg yn y *Merthyr Express*. Mae'n debyg fod Cymru fel gwlad gyfan wedi aros yn gysyniad annelwig iawn iddo ar hyd ei fywyd (mae'r enw *Gwalia* yn symptomatig), ac ni cheir yr argraff ei fod yn ymdeimlo â phobl Cymru fel ei gynulleidfa. Ansicrwydd ynghylch cynulleidfa, o ran dosbarth a chenedl, oedd un o broblemau mwyaf llenorion Saesneg Cymru, ac roedd sefydliad yr eisteddfod yn un o'r ffactorau a leddfai'r broblem honno i lenorion Cymraeg.[21]

Gwelwyd rhai cyferbyniadau trawiadol yn y cymariaethau uchod, gan fod y pedwar bardd Cymraeg i gyd yn nodedig am gryfder eu daliadau gwleidyddol a chrefyddol, a thri ohonynt yn glynu wrth y traddodiad Cymraeg o ran egwyddor. Rhoddai hynny argyhoeddiad a phwrpas pendant i'w gwaith, ac wrth eu hochr hwy y mae ansicrwydd Idris Davies ynghylch pwrpas ei waith yn amlwg iawn. Bu Idris yn barddoni am yn agos i ddeng mlynedd cyn iddo fynd i'r afael â'i gynefin diwydiannol, a hyd yn oed wedyn câi'i rwygo rhwng ymrwymiad cymdeithasol ac enciliad unigolyddol. Ond nid yw'r ansicrwydd hwnnw o reidrwydd yn wendid ar ei ran. Byddai ei weld felly'n esiampl o'r math o gyferbyniad camarweiniol o absoliwt rhwng y ddwy lenyddiaeth a all godi o gymharu dethol. Gellir ennill am-gyffrediad mwy cadarnhaol trwy chwilio am debygrwydd rhwng llenorion y ddwy iaith. Fe ymddengys i mi fod y gymhariaeth rhwng Idris Davies ac R. Williams Parry yn fuddiol, er nad yw'n amlwg oherwydd y gwahaniaeth o ran oedran (roedd Idris yn bum mlwydd oed pan enillodd Williams Parry gadair Eisteddfod Genedlaethol yn 1910).

Elfen sylfaenol y tebygrwydd rhwng y ddau yw eu cefndir diwydiannol. Magwyd Williams Parry yng nghanol prysurdeb y diwydiant llechi yn Nyffryn Nantlle ac, fel Idris, ei reddf oedd dianc oddi wrth hagrwch ei amgylchiadau trwy droi at lonyddwch y wlad gyfagos, fel y gwelir yn 'Eifionydd' (1924):

> O olwg hagrwch Cynnydd
>> Ar wyneb trist y Gwaith
> Mae bro rhwng môr a mynydd
>> Heb arni staen na chraith
> Ond lle bu'r arad' ar y ffridd
>> Yn rhwygo'r gwanwyn pêr o'r pridd.
>>> . . .
> O! mwyn yw cyrraedd canol
>> Y tawel gwmwd hwn,
> O'm dyffryn diwydiannol
>> A dull y byd a wn;
> A rhodio'i heddwch wrthyf f'hun
>> Neu gydag enaid hoff, cytûn.

Nodwedd gyffredin ar Eifionydd Williams Parry a Sir Frycheiniog Idris Davies yw'r argraff o ddiffyg poblogaeth (yr arad' sy'n rhwygo'r pridd, nid y gŵr wrth ei chyrn). Mae'r argraff honno'n ddigon dealladwy fel adwaith yn erbyn eu cymunedau poblog, ond mae'n wahanol iawn i'r darlun o gymuned wledig brysur a geir yn 'Rhydcymerau' Gwenallt.

Ffactor canolog yng ngwaith y ddau fardd oedd eu gwrthryfel yn erbyn piwritaniaeth y capel a arweiniodd at synwyrusrwydd hedonistaidd yn eu cerddi cynnar. Arddelai'r ddau egwyddorion llenyddol y wedd honno ar Ramantiaeth a oedd yn ymwrthod yn llwyr ag unrhyw fath o bropaganda, boed yn foesol neu'n wleidyddol, gan ddal mai priod swydd y bardd oedd creu harddwch a mynegi teimladau arbennig yr unigolyn hydeiml, y pethau diamser yn hytrach na materion byrhoedlog y dydd. Fel hyn y disgrifiodd Idris farddoniaeth Williams Parry mewn sgwrs anghyhoeddedig:

There is some poetry which is difficult to put in pigeon holes, poetry which has no morals to preach, or propaganda to 'put across'. You will find it in some of the great Elizabethan dramas, in S. T. Coleridge's three great poems, in Shelley's 'Witch of Atlas', in the best poems of Keats, and among the moderns in W. B. Yeats, and Walter de la Mare, and Dylan Thomas. Poetry which is pure. The poetry which is just poetry, magic and undefinable. And that is what you will find in much of Williams Parry's work.

Mae'r agwedd honno at farddoniaeth yn nodweddiadol o'r cyfnod Sioraidd yn nau ddegawd cyntaf yr ugeinfed ganrif, a John Morris-Jones oedd ei phrif ladmerydd Cymraeg. Erbyn y tridegau roedd yn hen-ffasiwn yn Saesneg ac yn Gymraeg, ac ni ofidiai'r un o'r pedwar bardd Cymraeg a drafodwyd uchod ei fod yn defnyddio'i gerddi i gyfleu neges wleidyddol neu foesol. Nid oedd Idris Davies a Williams Parry heb ymdeimlo â'r hinsawdd lenyddol newydd yng nghanol y tridegau, wrth reswm, ac effaith hynny oedd creu tyndra yn eu gwaith rhwng y cymhelliad i ddatgan safbwynt tuag at faterion cyfoes a'r awydd i osgoi pregethu. Fe welir y tyndra hwnnw yn ymateb hynod anuniongyrchol Williams Parry i helynt yr Ysgol Fomio yn 'Cymru 1937', lle mae'r rhethreg Ramantaidd a'r gyfeiriadaeth lenyddol yn fodd i gyffredinoli'r argyfwng penodol. Fe fu Idris Davies yn fwy anwadal yn ei ymateb i'r tyndra, yn mynd o un eithaf i'r llall, ac yn hyn o beth roedd ffurf y dilyniant yn addas iawn iddo, fel y gwelir yn y cyfuniad o brotest gymdeithasol ac atgofion personol a geir yn *Gwalia Deserta*. Un ffordd effeithiol o ddatrys y tyndra oedd canolbwyntio ar ddiriaeth y tirlun diwydiannol, fel y gwna yn 'Marx and Heine and Dowlais'.

Y gyfatebiaeth fwyaf diddorol rhwng Idris Davies a Williams Parry yw'r un sydd fwyaf anodd ei diffinio'n bendant. Mae'n fater o fod yn agored iawn i ddylanwadau, nid o ran dynwared gwaith beirdd eraill yn slafaidd, ond yn hytrach dderbyn ysgogiad neu ysbrydoliaeth ganddynt, gydag adleisiau eironig yn aml iawn. Mae llawer o feirniaid wedi sylwi ar y nodwedd hon yng ngwaith Idris Davies, ond yn fy marn i maent wedi tueddu i ddibrisio'i gyfrwystra, a'i weld fel efelychwr syml.[22] Mae rhychwant yr arddulliau o fewn ei waith yn drawiadol iawn,[23] ac fe ymddengys i mi ei fod yn defnyddio gwahanol fodelau (gan gynnwys caneuon poblogaidd) at ei bwrpas ei hun mewn modd cwbl ymwybodol. Unwaith eto, fe fu ffurf y dilyniant yn werthfawr iddo er mwyn ynysu a fframio'r gwahanol ddulliau, gyda chyfle i gyferbynnu'n eironig rhyngddynt.[24] Wrth gwrs, fe fu Williams Parry yn tynnu'n helaethach ar feirdd Cymraeg megis Dafydd ap Gwilym, ond mae'n ddiddorol nodi fod yr un beirdd Saesneg yn ddylanwadau ar y ddau, yn enwedig Wordsworth, Keats, Shelley, y beirdd Sioraidd ac A. E. Housman.[25] Er gwaethaf ei wrthwynebiad i bropaganda, fe gafodd beirdd y tridegau megis Auden a Spender ddylanwad ar Williams Parry, ac fe'i hysgogwyd gan gerddi radicalaidd y bardd ifanc Gwenallt hyd yn oed.

Fy amcan wrth bwysleisio helaethrwydd y dylanwadau ar y ddau fardd yw awgrymu nad oedd ansicrwydd Idris Davies ynghylch diben ei waith yn broblem neilltuol i lenyddiaeth Saesneg Cymru, fel y tybir yn gyffredin. Fe ddelir yn aml iawn fod cryfder y traddodiad barddol Cymraeg yn wahaniaeth allweddol rhwng barddoniaeth Gymraeg a barddoniaeth Eingl-Gymreig. Diau fod yna lawer o wirionedd yn hynny, o ystyried cyfoeth y canrifoedd y tu cefn i feirdd Cymraeg diweddar, ond rwyf i braidd yn anesmwyth ynglŷn â'r honiad gan ei fod yn dibynnu'n drwm ar esiamplau beirdd sy'n ymlynu'n ym-wybodol wrth draddodiad, fel Gwenallt neu'r beirdd gwlad. Yn achos R. Williams Parry roedd arwyddocâd y traddodiad barddol yn fwy amwys. Nid oes amheuaeth nad oedd rhai elfennau yn ei grefft wedi'u hetifeddu trwy draddodiad, yn enwedig ei feistrolaeth ar y canu caeth a'i gynildeb celfydd a ddeilliai o hynny. Golygai swyddogaeth gymdeithasol y bardd gwlad gryn dipyn iddo, fel y gwelir yn ei englynion coffa i'r bechgyn a laddwyd yn y Rhyfel Mawr. Ond nid yw'r syniad o draddodiad fel grym llywodraethol a roddai gadernid a phwrpas i fardd yn berthnasol i holl waith Williams Parry mwy nag ydyw i waith Idris Davies.

Mewn gwirionedd, peth cwbl newydd yn y cyfnod rhwng y ddau Ryfel Byd oedd y syniad o'r traddodiad barddol Cymraeg (yn wahanol i draddodiadau lleol cyfyngedig) fel grym gwrthrychol y dylai beirdd fod yn ffyddlon iddo ac y gallent dynnu nerth ohono.[26] Saunders Lewis, yn anad neb, oedd yn gyfrifol am ailddiffinio, neu hyd yn oed ail-greu, y traddodiad fel un penodol Gristnogol a oedd rywsut yn ymgorffori hanfod y genedl Gymreig. Mater o ideoleg oedd traddodiad iddo ef, yn fwy na thechneg farddol. Roedd Gwenallt yn un o ddilynwyr cyntaf y draddodiadaeth newydd honno, ac y mae wedi bod yn ddylanwadol dros ben oddi ar hynny, ond ni chynhwysai Williams Parry na'i gefnder T. H. Parry-Williams, dau agnostig –

fel Idris Davies – a fethai ymrwymo i'r ffydd Gristnogol nac i achos gwleidyddol.

Effaith yr holl gymharu hwn fu hoelio sylw ar nodweddion a all ymddangos fel gwendidau yng ngwaith Idris Davies. Carwn gloi, felly, trwy nodi rhai o'i gryfderau sydd hefyd yn dod i'r amlwg mewn cyferbyniad â beirdd Cymraeg. Credai Idris ei hun mai prif rinwedd ei gerddi am Rymni oedd y ffaith eu bod yn seiliedig ar ei brofiad personol fel glöwr ac ar ei adnabyddiaeth o'i bobl. Trwy ddefnyddio technegau dogfennol a dramatig yn *Gwalia Deserta* a *The Angry Summer*, llwyddodd i greu darlun lled fanwl o'i gymuned, i gyfarch ei bobl gyda chydymdeimlad, a gadael iddynt siarad drostynt eu hunain. Yn hynny o beth y mae'n cymharu'n ffafriol â Williams Parry, Gwenallt a hyd yn oed T. E. Nicholas.

Esthetiaeth R. Williams Parry a'i rhwystrodd rhag ymdrin â'i amgylchfyd diwydiannol yn ei farddoniaeth (heblaw gresynu ynghylch hagrwch ei ddyffryn), fel y digwyddodd i Idris ar ddechrau ei yrfa. Diau mai cariad Idris at ei bobl a'i hysgogodd i ganu am Rymni, ond fe gafodd gymorth i wneud hynny gan esiampl T. S. Eliot a beirdd y tridegau a ddangosodd fod yna ddeunydd barddoniaeth yng nghyffredinedd bywyd neu hyd yn oed yn ei hagrwch. Ni ddaeth Williams Parry i dderbyn bywyd Dyffryn Nantlle yn bwnc ei farddoniaeth fyth, ac y mae hynny'n golled.

Gweithwyr Cymru oedd prif bwnc Niclas y Glais trwy gydol ei fywyd, ac ni allwn ond edmygu'i ddatganiad croyw o'u hawliau. Gwendid ei waith yw'r ffaith fod ei bobl yn aros yn ddosbarth haniaethol annelwig, y werin, heb fod wedi'u gwahaniaethu'n ddigonol fel unigolion sylweddol â phrofiadau penodol. Dyna yw gwendid propaganda mewn llenyddiaeth, am wn i, lle mae'r egwyddorion gwleidyddol yn blaenori ar y profiad sydd i fod yn sail iddynt. (Mater arall yw'r sonedau personol a ysgrifennodd Nicholas yn y carchar yn ystod yr Ail Ryfel Byd, a diau mai'r rheini â'u dynoliaeth urddasol yw ei waith gorau.)

Mae Gwenallt yn achos mwy cymhleth. Roedd ei amgylch-fyd diwydiannol yn un o brif bynciau ei waith, ac nid oes dim byd annelwig yn y modd y mae'n darlunio dioddefaint ei bobl. Fel cenedlaetholwr, fodd bynnag, gwrthwynebai Gwenallt ddiwydiant ar dir ideolegol, yn unol â pholisi Plaid Cymru fod yn rhaid dad-ddiwydiannu de Cymru 'er mwyn iechyd moesol Cymru ac er lles moesol a chorfforol ei phoblogaeth'.[27] Anodd iawn iddo, felly, oedd cyfleu darlun niwtral o weithwyr diwydiannol. Ei duedd yw eu portreadu fel bodau annynol cyhyd ag y bônt dan amodau eu gwaith. 'Mor wag dy lowyr yn eu dillad gwaith', meddai Gwenallt yn ei soned 'Sir Forgannwg'. Mae'r gweithwyr yno yn llythrennol ddiwyneb dan fwgwd y llwch, a dim ond crefydd sy'n troi 'gweithiwr yn berson byw' (fel y gwna'r Ysbryd Glân yn 'Colomennod'). Person byw yw'r gweithiwr bob amser yng ngwaith Idris Davies. Mae'r darlun o Dai wrth ei waith yn *Gwalia Deserta* VII yn cyferbynnu'n ddadlennol iawn â soned Gwenallt. Mae Dai'n unigolyn yn hytrach nag yn aelod o dorf ddiwahân, a chawn rannu'i ymwybyddiaeth ef yn hytrach nag edrych arno fel creadur i'w astudio. Mae'r gwahaniaeth i'w briodoli'n rhannol i'r ffaith fod gan Idris brofiad o weithio wrth y talcen glo, ond yn fwy, efallai, i'r ffaith nad oedd ei wleidyddiaeth yn wrthwynebus i ddiwydiant fel y cyfryw.

Nodwyd eisoes rai o gryfderau ffurf y dilyniant yng ngwaith Idris Davies, fel dull o reoli lleisiau amrywiol ac o gwmpasu tyndra mewn safbwyntiau gwahanol. Llwyddodd Idris yn hyn o beth i droi gwendid yn gryfder. Y gwendid yw'r diffyg llais barddol cyson, yn deillio o'i ansicrwydd diwylliannol a hefyd o'r cymysgedd o dafodieithoedd a fodolai o fewn ei ardal. Y cryfder yw fod ffurf doredig, wasgaredig y dilyniant yn fodd i adlewyrchu ansefydlogrwydd ei gymuned, cymuned a oedd wedi'i chreu'n enbyd o gyflym dan wasgfa'r Chwyldro Diwydiannol ac a oedd yr adeg honno yn y broses o chwalu eto oherwydd dirywiad cyfalafiaeth ddiwydiannol. Mae'r dilyniant hefyd yn fodd i gyfleu argyfwng yr awdur dosbarth gweithiol – yn un o'i bobl o ran ymroddiad ac eto ar wahân iddynt o ran addysg, yn rhanedig rhwng yr awydd i ddefnyddio'i waith i leisio eu cwyn a'r confensiwn fod llenyddiaeth yn mynegi safbwynt unigolyn arbennig.

Gellid dadlau fod yr ymwybyddiaeth hon o fyd ar chwâl yn neilltuol o gryf yn llenyddiaeth Saesneg Cymru oherwydd natur ddrylliedig ei chefndir, a bod llenyddiaeth Gymraeg yn fwy monolithig. Ond dylai esiampl Williams Parry ein cadw rhag cyffredinoli'n rhy ysgubol ynghylch y gwahaniaeth rhwng y ddwy lenyddiaeth. Ac mae cerddi Cymraeg Idris Davies yn ein hatgoffa na ddylem garfanu llenorion y ddwy iaith yn rhy derfynol.

Nodiadau

1 Llandysul, 1972.
2 *Idris Davies of Rhymney* (Llandysul, 1986).
3 *Fe'm Ganed i yn Rhymni/I Was Born in Rhymney* (Llandysul, 1990).
4 Mae'r ysgrif hon yn addasiad o bapur Saesneg a gyflwynwyd yng nghynhadledd flynyddol Cymdeithas Prifysgol Cymru er Astudio Llenyddiaeth Saesneg Cymru yng Ngregynog, Mawrth 1993. Carwn ddiolch am sylwadau buddiol nifer o'r cynadleddwyr, yn enwedig M. Wynn Thomas a Tony Conran. Defnyddiaf destunau o gerddi Idris a gasglwyd gennyf ar gyfer y golygiad cyflawn o'i waith, *The Complete Poems of Idris Davies* (Cardiff, 1994).
5 Daw'r wybodaeth hon o astudiaeth werthfawr Siân Rhiannon Williams, *Oes y Byd i'r Iaith Gymraeg* (Caerdydd, 1992), 123–4.
6 Gw., e.e., Ned Thomas, *The Welsh Extremist*, (London, 1971), 103.
7 Ceir testun o'r gerdd yn astudiaeth Islwyn a Jean Jenkins o draddodiad llenyddol Cwm Rhymni, *Beyond the Black Tips* (Aberystwyth, *s.d.*), 178–80. Ar y ddelwedd o'r glöwr yn llenyddiaeth y cyfnod gw. Hywel Teifi Edwards, *Arwr Glew Erwau'r Glo* (Llandysul, 1994).
8 Yr enghraifft fwyaf nodedig yn y Gymraeg yw cywydd Iolo Goch i'r Llafurwr, gw. fy nhrafodaeth yn 'Iolo Goch and the English: Welsh poetry and politics in the fourteenth century', *Cambridge Medieval Celtic Studies*, 12 (Winter 1986), 73–98.
9 Gw. astudiaeth gyfoethog Huw Walters, *Canu'r Pwll a'r Pulpud* (Cyhoeddiadau Barddas, 1987).
10 *The Dragon Has Two Tongues* (London, 1968), 25.
11 Argraffwyd y gerdd hon, a phob un arall a ddyfynnir, yn union fel y mae yn llawysgrif y bardd. Yn y gyfrol *Fe'm Ganed i yn Rhymni* cywirwyd y llinell gyntaf i 'Er i'r mwyafrif dy gablu'.
12 Fe geir fersiwn Saesneg mewn man arall yn ei bapurau, ac fe ymddengys i mi fod y Saesneg yn gyfieithiad o'r Gymraeg.
13 Fe wnaeth Idris rywbeth cyffelyb, gydag ergyd fwy radicalaidd, wrth addasu'r rhigwm adnabyddus 'Oranges and Lemons' yn *Gwalia Deserta* XV.
14 Y rhain yw'r ddwy gerdd Gymraeg sydd yn *The Collected Poems of Idris Davies*, 8 a 50. Gwnaeth Islwyn Jenkins gam â 'Cwm Rhymni' trwy ei disgrifio fel 'this simple, traditional Welsh lyric'.
15 Ond rhaid cofio fod yna lawer iawn o gerddi Saesneg anghyhoeddedig ymhlith ei bapurau hefyd.
16 Ni chyhoeddwyd *Cerddi'r Gaeaf* tan 1952, flwyddyn cyn i Idris farw.
17 Gw. astudiaeth Robert Rhys o gefndir cynnar Waldo yn *Chwilio Am Nodau'r Gân* (Llandysul, 1992).
18 Mae Ioan Williams wedi archwilio'r gymhariaeth hon yn ei ysgrif,

'Two Welsh poets: James Kitchener Davies (1902–52); Idris Davies (1905–53)', *Poetry Wales*, 16, No. 4 (1981), 104–11, ond teimlaf iddo wneud cam ag Idris trwy ganolbwyntio ar ei gerdd hunangofiannol, 'I was born in Rhymney'.

19 Yn ogystal â'i brofiad personol o'r seiat yn ddyn ifanc, bu Kitchener Davies yn astudio gweithiau rhyddiaith Williams Pantycelyn ar gyfer traethawd ymchwil arfaethedig, gw. Ioan Williams, *Kitchener Davies* (Caernarfon, 1984), 49.

20 Ceir detholion o'r ddrama fydryddol 'Beyond the Black Tips' (1946) yn *The Collected Poems of Idris Davies*, 173–5.

21 Difyr iawn yw hanes ymweliad cyntaf Idris â'r Eisteddfod Genedlaethol fel y'i hadroddir gan John Roberts Williams, 'Idris Davies visits the Eisteddfod', *Planet*, 82 (1990), 26–8 (ond sylwer mai yn 1943 y bu'r Genedlaethol ym Mangor, nid 1944).

22 Ystyrier, er enghraifft, ei adlais o Wordsworth yn *Gwalia Deserta* XIV, a danseilir gan sŵn ymyrrol y gwynt yn yr anialwch diwydiannol, neu'i ddefnydd eironig o'r fugeilgerdd Sioraidd yn *The Angry Summer*, adran 24.

23 Fe welir y wedd hon yn ddigon eglur yn y detholiad o'i gerddi a geir yn *The Collected Poems of Idris Davies*, ond y mae'n fwy amlwg byth yn D. R. Johnston, *The Complete Poems of Idris Davies* (1994), sy'n cynnwys nifer fawr o gerddi amrywiol iawn a gyhoeddwyd mewn papurau a chylchgronau.

24 Rhwng adrannau XXV a XXXVI yn *Gwalia Deserta* symudir o weledigaeth Ramantaidd ddelfrydol i ddarlun realistaidd llwm mewn cerdd ddychan grafog. Ceir cyferbyniad tebyg rhwng adrannau 47 a 48 o *The Angry Summer*.

25 Ar y dylanwadau ar Williams Parry gw. erthygl Alan Llwyd yn *Cyfres y Meistri*, I (gol. Alan Llwyd, Llandybïe, 1979), a'i fonograff yn y gyfres 'Llên y Llenor' (Caernarfon, 1984).

26 Gw. fy ysgrif 'Moderniaeth a Thraddodiad' yn *Taliesin*, 80 (1993), 13–24.

27 Rhif 8 yn 'Deg Pwynt Polisi' Plaid Cymru. Trafodais y pwynt hwn yn helaethach yn fy ysgrif, 'Dwy lenyddiaeth Cymru yn y tridegau', yn *Sglefrio ar Eiriau* (gol. John Rowlands, Llandysul, 1992), 42–62, gan ddyfynnu geiriau Saunders Lewis o'i ddarlith, *Is there an Anglo-Welsh literature?* (1939): 'Industrialism means the impoverishment of personality and the depression of all local characteristics to a grey sub-human uniformity.'

A Oes Golau yn y Gwyll?
Alun Llywelyn-Williams ac
Alun Lewis[1]

GREG HILL

Mae sawl un wedi awgrymu y dylid trafod gwaith Alun Llywelyn-Williams yng nghyd-destun llenyddiaeth Eingl-Gymreig, a buasai hyn wedi bod yn dra derbyniol, o bosibl, iddo ef. Dechreuodd M. Wynn Thomas ar y gwaith hwn wrth gymharu y bardd Cymraeg hwnnw ag Alun Lewis.[2] Awgryma fod y ddau fardd yn rhannu profiadau tebyg am y blynyddoedd a arweiniodd at yr Ail Ryfel Byd: 'Bwystfil rheibus yw hanes diweddar ym mhrofiad y ddau ohonynt fel ei gilydd.' Profiad eithaf cyffredin, mae'n debyg, o'r blynyddoedd hyn gan bawb y bu rhaid iddynt ddioddef byw trwyddynt. Ond mae'n wir fod mynegiant y ddau fardd o'r profiad hwn o 'personal despair . . . for Wales . . . for the whole of human civilisation'[3] – chwedl Alun Llywelyn-Williams – yn ddigon tebyg i awgrymu fod y ddau yn siarad ag un llais, er mewn dwy iaith, wrth iddynt leisio ysbryd yr oes dros eu cenhedlaeth. Gan dderbyn hynny, mae'n bwysig hefyd gwahaniaethu rhyngddynt. Awgryma Wynn Thomas nifer o wahaniaethau rhwng y ddau, rhai'n tarddu o wahaniaeth iaith, rhai o bersonoliaeth wahanol y naill a'r llall. Mae'n sylwi ar duedd Alun Lewis i 'archwilio seleri tywyll y meddwl', rhywbeth na all Alun Llywelyn-Williams ymollwng ddigon i'w wneud. Ond mae hunanfeddiant gan y bardd Cymraeg a amlygir yn ei agwedd wâr, yn ei ymroddiad i fywyd dinesig a'r arddull eironig yn ei ganu.

Dyma fy man cychwyn felly, ac rwyf am fanylu ar y sylwadau hyn wrth gymharu mynegiant y ddau fardd ac ymchwilio i seiliau unrhyw wahaniaethau rhyngddynt.

~

Cymharer hyn:

>   Gorweddian ar y bryn, a gad i'r haul,
>   lyfu â'i wres y cnawd croesawgar, llyfn;
>   heddiw ni ddaw yr awr ryfygus, frwd,
>   i gynnau'r hiraeth, aflonyddu'r ofn.
>
>   ('Gorweddian ar y Bryn')

â hyn:

>   From this high quarried ledge I see
>   The place for which the Quakers once
>   Collected clothes, my fathers' home,
>   Our stubborn bankrupt village sprawled
>   In jaded dusk beneath its nameless hills; . . .
>
>   ('The Mountain Over Aberdare')

Yn y dyfyniad cyntaf cawn fardd yn chwarae, yn ei linell
agoriadol, â chyfeiriad at *Canu Llywarch Hen* o'r nawfed ganrif
sydd yn rhoi ffrâm hanesyddol i'r profiad o gael seibiant, mae'n
debyg, o hyfforddiant ar gyfer rhyfel. Ond ni chyflawnir
disgwyliadau'r llinell gan oslef yr ail linell. Yma mae 'cnawd
croesawgar, llyfn' a lyfir gan haul yn tanseilio, braidd, yr
awyrgylch a achosir gan y tebygrwydd rhwng

>   Gorweddian ar y bryn, a gad i'r haul,

a

>   Goreiste ar fryn a erfyn fy mryd

lle mae cefndir y 'goreiste' i'r bardd o'r oes a fu yn brofiad hollol
ddieithr i'r bardd ifanc, modern, hyd yn oed ar drothwy'r Ail
Ryfel Byd. I'r bardd cynnar, diddiben yw symud o'r fan:

>   A hefyd ni'm cychwyn;
>   Byr fy nhaith, diffaith fy nhyddyn.

Diddiben mewn ystyr fwy arwynebol yw symud o'i guddfan i
Alun Llywelyn-Williams:

Ni'n gyrrir heddiw, am na wyddom pam,
o dyner fwlch ei dwyfron mwyth ar ffo, . . .

Ond oni chyflawnir y disgwyliadau dwys sy'n deillio o'r cyd-
destun, trwy ôl-gyfeiriad at y diwylliant y mae'r bardd yntau yn
ysgrifennu o'i fewn, cyfosodir profiad claf Abercuawg o henaint,
neu ddiwedd pethau, â golwg eironig ar y milwr modern yn aros
am y rhyfel.

Roedd Alun Lewis, hefyd, yn aros am ryfel pan ysgrifennodd
'The Mountain Over Aberdare'. Er nad oedd y traddodiad a
etifeddodd Alun Llywelyn-Williams ar gael i Alun Lewis, mae'r
gerdd hon yn dod yn agosach at brofiad y bardd cynnar o
ddiffeithwch nag un Alun Llywelyn-Williams. Mae'r diffeithio
yma wedi digwydd i gymdeithas y cymoedd yn rhannol
oherwydd dirwasgiad y tridegau. Ond mae diffeithwch personol
hefyd. Fel etifeddiaeth claf Abercuawg, mae etifeddiaeth Alun
Lewis wedi'i chwalu. Nid tlodi yn unig sy'n gormesu'r pentref.
Mae 'jaded dusk' a 'nameless hills' yn awgrymu colled fwy
parhaol nag un ariannol. Pam y mae'r bryniau yn ddienw? Ai
alltudiaeth y bardd yw'r achos? Nid oes hyd yn oed gof am y
gwcw i leddfu tristwch y profiad o edrych yn ôl, dim ond y
cyfnos i guddio realaeth fudr y dydd:

> But now the dusk, more charitable than Quakers,
> Veils the cracked cottages with drifting may
> And rubs the hard day off the slate.

Wrth orwedd ar ei fryn ef, chwarae'n gellweirus y mae Alun
Llywelyn-Williams. Ond mae'r agwedd wamal sy'n amlwg yn y
bardd Cymraeg yn hollol ddieithr i farddoniaeth Alun Lewis.

Gall y naill sôn am ei fryn fel 'dwyfron mwyth', sy'n guddfan
ddiogel, am y tro, beth bynnag:

> nid oes raid crwydro fel peiriannau trist
> rodfeydd di-sathr rhyw ddihenydd coll.

Ond ni allai Alun Lewis fyth deimlo mor fodlon ar ei gyflwr.
Iddo ef 'brittle tears of crystal peace' oedd yr unig ddihangfa:
rhyw fyd oer, digymuned, i'r bardd encilio iddo i wynebu
gwerthoedd oesol, oeraidd, annynol. Nid tŵr ifori yw'r encilfa

hon, ond ffordd i fynegi penbleth y bardd didraddodiad, wedi ei ddiystyru gan oes sydd o dan gysgod rhyfel. Nid oes gysur iddo nac yn y gorffennol, na'r dyfodol nac yn y byd sydd ohoni:

> I watch the clouded years
> Rune the rough foreheads of these moody hills,
> This wet evening, in a lost age.

Mae hyn hyd yn oed yn amlycach yn fersiwn cynnar y gerdd 'On The Welsh Mountains' a gyhoeddwyd gan Keidrych Rhys yn y gyfrol *Poems From The Forces* yn 1941,[4] sydd yn dechrau â'r llinell 'To note precisely all I know'. Ond yma y mae ei sylw yn symud o'r pentref o dan orfodaeth y glaw:

> I am forced to imagine
> A sea-surge in this bony valley,
> The wind-tide and the mermaid
> May-blossom nonchalantly swaying . . .

Digwydd dau beth yn y rhan hon o'r gerdd. Yn gyntaf mae'r ffocws yn symud o ddiflastod y pentref a ddiffinnir yn fanwl – 'all I know' – i fyd cynoesol (ôl-oesol?), annynol, gwlyb. Ar ôl troi blodau'r ddraenen wen i fod yn fôr-forwyn, 'nibbling the sweet tips of the catkin coral', daw'r byd hwn yn lleoliad i ffantasi dyn ifanc â theimladau rhywiol yn byrlymu o dan wyneb ei feddyliau. Ond mae'r teimladau hyn, fel y gellid disgwyl mewn dyn ifanc difrifol fel Alun Lewis, ynghlwm wrth deimladau dwys am y byd lle y mae'n byw, byd cymdeithasol y pentref yn ogystal ag amgylchfyd naturiol y bryniau. Cyfosodir delweddau o leithdra â delweddau o sychder er mwyn pwysleisio'r cyferbyniad hwn. Mae'n ei lusgo'i hun yn ôl o'r byd chwareus lle gallai ei fysedd

> Lambent in her maiden hair,
> Play simple strange
> Chromatic scales.

i'r fan lle,

> . . . on my dry scales
> The fountains of a little peace
> Splash heavy brittle tears.

Dyma, felly, y 'brittle tears of crystal peace' yn fersiwn diwygiedig y gerdd. Er bod y ddwy gerdd yn gorffen â'r un llinell, 'This

evening, in a lost age', colled bersonol ydyw yn y gerdd wreiddiol.
Yn 'The Mountain over Aberdare' mae'n amlwg fod y cyd-destun
wedi newid. Roedd y dyn a ysgrifennodd y gerdd honno yn filwr,
ac yn dechrau meddwl am ei gyflwr personol fel rhywbeth i'w
foddi, nid o dan ffantasi gynoesol, ond ym mhenllanw y rhyfel a
fyddai'n gorfodi dyletswyddau newydd arno. Mae'r 'lost age',
felly, yn awr yn cyfeirio at gyflwr dyn sydd yn gadael ei
etifeddiaeth ansicr y tu ôl iddo, fel petai am byth, oherwydd colled
lawer mwy cyffredin a rennir gan ddynolryw i gyd. A dyna,
efallai, y gwir wahaniaeth rhwng y ddau fardd dan sylw. I Alun
Llywelyn-Williams roedd y 'dihenydd' yn rhywbeth i fyw trwy-
ddo. Yn ei ystyr fel 'tynged', neu 'gyfrwng angau' (a ohiriwyd
dros dro yn unig) golyga ryw hunllef y gall dynolryw – onid pob
unigolyn – ddeffro ohoni. Eto mae'n anodd, yma, anwybyddu'r
ystyr ansoddeiriol hynafol a adferir gan y rhyfel. Dyma fardd
ifanc, cellweirus, yn chwarae o ddifrif ag ystyron hanesyddol i
fynegi ei ofnau am y dyfodol. Ond i Alun Lewis dim ond
dwysáu'r profiad o fod ar goll, a oedd yn treiddio ei einioes cyn
iddo ymuno â'r fyddin, a wnaeth hunllef y rhyfel. Os yw 'lost age'
y gerdd yn cyfeirio at y rhyfel yn y fersiwn diweddar, at gyflwr
dyn heb wreiddiau cadarn yn ei gynefin y cyfeiria'r ymadrodd
gwreiddiol.

Effeithiodd y rhyfel ar y ddau fardd mewn ffyrdd gwahanol,
felly, er bod teimlad o bethau ar chwâl yn gyffredin i'r ddau
ohonynt, fel y gellid disgwyl. Ond mae'n rhaid aros nes y bydd
Alun Llywelyn-Williams yn llawer hŷn cyn cael mynegiant
ganddo o'r syniad ei bod ar ben arnom. I Alun Lewis roedd
hwnnw'n rhan o'i brofiad o fywyd o'r dechrau. Dyma'i ymateb
barddonol i doriad y rhyfel:

> Old jaundiced knights jog listlessly to town
> To fight for love in some unreal war.
> ('Autumn 1939')

Ar yr wyneb mae hyn yn debyg iawn i ymateb Alun Llywelyn-
Williams:

> dywedir bod y rhyfel wedi torri,
> ond ni ddatguddiwyd pwy yw ein gelynion,
> Cawn wybod hynny gan y papur 'fory.
> ('Ar Drothwy Rhyfel')

Mae rhywbeth ysgafn yn hyn, fel pe na bai ef o ddifrif. Ond i Alun Lewis roedd y byd wedi newid am byth, a 'warped old casements' yr oes a fu yn cau ar dywyllwch a oedd yn trechu'r cariad y brwydrodd yr hen farchog drosto. Nid oes hen ystyr goll, hyd yn oed un ddigroeso, i helpu neb i gario baich yr oes. Dinistr y cariad hwn yw gwir ystyr y rhyfel i Alun Lewis,[5] ac mae'n drech, hefyd, nag unrhyw obaith a oedd ganddo mewn bywyd cymdeithasol a'i ffydd mewn diwylliant a phobl. Ond rhaid gwahaniaethu rhwng ei gerddi a'r straeon byrion yn hyn o beth, o leiaf o'r cyfnod cyn iddo gyrraedd yr India. Yn y storïau mae'r cyd-destun cymdeithasol yn amlycach. Mae tywyllwch yn rhywbeth i ymladd yn ei erbyn er mwyn creu ystyr i fywyd bob dydd. Dyma ymateb mewn un stori, 'Flick', gan gymeriad y gallwn ei gymryd fel llais yr awdur: 'Flick is dead. I was told that in a pub. I did a sloppy thing in a way; ordered a pint and left it on the counter for him.' Gweithred eithaf aneffeithiol, efallai, ond un sy'n mynegi ffydd mewn gwerthoedd cymdeithasol. Mae hyn yn gyffredin yn y storïau a ysgrifennwyd pan oedd Alun Lewis yn Lloegr yn cael ei hyfforddi yn y fyddin. Y stori olaf yn y casgliad hwn (*The Last Inspection*, 1942) yw 'They Came', hanes milwr a aeth adref a darganfod fod ei wraig ifanc wedi ei lladd mewn cyrch awyr. Mae ef mewn perygl o foddi yn y tywyllwch a ddaw drosto, ond mae'n dewis byw yn y byd fel y mae:

> And the soldier stood under the pines, watching the night move down the valleys and lift itself seawards, hearing the sheep cough and farm dogs restlessly barking in the farms. And farther still the violence growing in the sky till the coast was a turbulent thunder of fire and sickening explosions, and there was no darkness there at all, no sleep.
> 'My life belongs to the world,' he said. 'I will do what I can.'
> ('They Came')

Ond mae agwedd y bardd yn bur wahanol. Realiti yw profiadau dwys yr unigolyn yn dyfal ymchwilio 'the single poetic theme of life and death'.[6] Dyma ef yng ngwersyll hyfforddi 'Longmoor' yn Hampshire a oedd yn llawn o filwyr wedi dychwelyd o Dunkirk:

> the stench
> Of breath in crowded tents, the grousing queues,
> And bawdy songs incessantly resung
> And dull relaxing in the dirty bar[.]
> ('After Dunkirk')

A'r unig ffordd i ddianc rhag y profiadau erchyll hyn yw encilio i fyd crisialaidd y cyfeiriwyd ato yn 'The Mountain Over Aberdare':

> And, as the crystal slowly forms,
> A growing self-detachment making man
> Less home-sick, fearful, proud,
> But less a man.
>
> ('After Dunkirk')

Ond sylwer bod y profiad a gofnodir yma yn cael ei ddad-ansoddi wrth ei fynegi. Nid yw encilio fel hyn yn foddhaol i'r bardd ac nid yw'n ddim gwell na dichell hunanamddiffynnol; mae'n hollol ymwybodol o'r diffygion cymdeithasol sydd ynghlwm wrth y fath ystrywiau. Mae'r cydbwysedd hwn yn elfen bwysig yng ngherddi'r cyfnod rhwng ymuno â'r fyddin a gadael am yr India, cyfnod sy'n cwmpasu dwy flynedd. Ond hyd yn oed yma, lle mae cydwybod a chyfrifoldeb y dyn yn traethu, mae ysbryd y bardd yn ei amlygu'i hun hefyd:

> Beneath all this
> The dark imagination that would pierce
> Infinite night and reach the waiting arms
> And soothe the guessed-at tears.
>
> ('After Dunkirk')

Mae'r ddihangfa hon yn wrthgyferbyniad rhwng y bardd a theyrnas y tu hwnt i'r byd cymdeithasol, onid y byd dynol. Ond hefyd mae gweledigaeth y bardd yn ymestyn ymhellach na'i iaith sy'n annigonol. Os yw'r tywyllwch anfeidrol yn cynnig y breichiau, sy'n aros am y 'dark imagination', ai'r un dychymyg sy'n 'lliniaru'r' dagrau fel yr awgryma cystrawen y frawddeg, ynteu'r breichiau disgwyliedig? Dro ar ôl tro yn ei gerddi mae delweddau Alun Lewis yn torri o dan straen ei bererindota yn y deyrnas dywyll hon.

Dywed cymeriad un o storïau byrion Alun Lewis: 'I think it's better to fear death . . . otherwise you grow spiritually proud'.[7] Mae 'After Dunkirk' yn enghraifft dda o'r ymdrech i ddeall y balchder hwn, ond ar yr un pryd y mae'n dangos tueddiad i ymostwng i'w atyniadau. Ni welir balchder o'r math hwn yng ngherddi Alun Llywelyn-Williams o'r un cyfnod, os o gwbl. Ond mae'r agwedd eironig, wamal a amlygir yn 'Gorweddian ar y

Bryn' a cherddi tebyg yn ildio i agwedd lawer mwy difrifol ynghanol arswyd y rhyfel. Er bod ei agwedd at angau yn ddifater o'i chymharu ag agwedd Alun Lewis, ar adegau bydd yn sefyll yn ôl i fyfyrio ar ystyriaethau dwysach. Mae'r soned 'Y Gwrth-Gyrch' yn enghraifft dda o'r cyferbynnu hwn. Yn yr wythawd disgrifir gwaith milwr yn oeraidd, gydag agwedd ffwrdd-â-hi braidd:

> Wedi concro'r strydoedd briw, mathru aelwydydd
> glandeg gynt, ysbeilio'u stafelloedd tlws,
> wedi mentro brath y bwledi . . .

Ond defnyddir y chwechawd i adlewyrchu ystyriaethau eraill:

> yna, pan dariwn dro, gan syllu'n flin
> ar olion diffrwyth gwae'r gyflafan chwerw,
> daw arnom gad enbytach, tostach trin
> â'r gras sy'n oeri gwaed y galon ferw.
> Danseiliwr gwael, llechwraidd; yn erbyn hwn,
> ni thycia tanc, na bom, nac ergyd gwn.

Nid hap neu unrhyw awydd i arbrofi a barodd i Alun Llywelyn-Williams ddewis ffurf y soned ar gyfer y gerdd. Mae'n cario holl nerth y 'gwrth-gyrch' yn y cyferbyniad rhwng y milwr effeithlon sy'n siarad yn yr wythawd a'r dyn cydwybodol a wêl beryglon mwy difrifol yn y ffordd hon o weithredu. Ond os yw'r gad hon yn tynnu'r bardd yn ôl o brofiad ysbrydol at werthoedd dynol, nid yw'n annhebyg i'r gad a barodd i Alun Lewis encilio o blith dynion eraill i fod yn 'less a man' neu, ar ôl cyrraedd yr India, i benderfynu 'that I am seeking less and less of world'.[8] Er gwaethaf enbydrwydd y gad fewnol hon, 'gras' yw'r gelyn sy'n oeri gwaed y milwr ond yn achub enaid y dyn. Ac mae gan y bardd reolaeth berffaith dros y metaffor sy'n cyfleu naill ai oeri gwaed y galon (tawelu) neu'r oeri gwaed mwy sinistr, iasoer y mae'r 'gras' yn peri i'r milwyr fod yn ymwybodol ohono.

Efallai mai prif wendid Alun Lewis fel bardd yw ei ddiffyg rheolaeth gadarn dros drosiad o'r math hwn, ac mae hyn yn fwy na diffyg technegol. Yn ôl y bardd o Wyddel, Seamus Heaney, ceir dwy elfen yn nawn bardd: 'craft' a 'technique'. Fel arfer bydd gan fardd cyffredin ddigon o grefft, sy'n gymharol hawdd ei dysgu ar ôl astudio gwaith beirdd eraill, ond prinnach yw techneg, sy'n rhan o ddawn gynhenid y bardd ei hun. Barn

Seamus Heaney yw fod gan Alun Lewis, yn anghyffredin felly, fwy o dechneg nag o grefft.[9] Ai diffyg crefft, felly, sy'n achosi'r diffyg rheolaeth a nodwyd uchod? Yn rhannol, efallai, ond mae eglurhad hefyd yng nghefndir diwylliannol y ddau fardd. Yn gyntaf, roedd gan Alun Llywelyn-Williams agwedd lawer mwy pragmatig at y tyndra mewnol a achosir gan y 'gad enbytach' a ymleddir gan y ddau ddyn. Ceir digon o enghreifftiau ym mywyd Alun Lewis, wrth gwrs, i ddangos ei fod yntau, fel dyn, yn gallu bod mor ymarferol ag yr oedd angen, yn ei ddyletswyddau fel athro neu fel swyddog yn y fyddin, er enghraifft. Ond *fel bardd* – a bardd ydoedd, yn fy marn i, uwchlaw popeth arall – rheolid ei feddwl gan y gad fewnol ac enbydrwydd ei chwilio yn y gwyll. Dyna, yn sicr, un peth sy'n gwahanu'r ddau fardd. Gallai Alun Llywelyn-Williams ddisgrifio 'concro strydoedd briw' mewn dull hollol ddi-emosiwn ond mae'n anodd dychmygu Alun Lewis yn gwneud hynny yn ei ganu ef. Gwahaniaeth personol yw hyn, efallai, yn hytrach nag un a oedd yn seiliedig ar wahaniaethau iaith a diwylliant.

Ond awgryma M. Wynn Thomas nad anian wahanol yn unig a nodweddai'r ddau fardd. Mae'n awgrymu, hefyd, er bod ar y ddau ddylanwad beirdd Saesneg cyfoes – dylanwadau a oedd yn gyffredin i'r ddau – i Alun Llywelyn-Williams gael ei ysbrydoli gan y modernwyr i 'ailddarganfod cryfderau cynhenid y traddodiad llenyddol Cymraeg'.[10] Ni allai Alun Lewis droi at draddodiad cyflawn fel hyn. Er gwaethaf ei deimlad ynglŷn â barddoniaeth Saesneg gyfoes, yr oedd 'the dead hand of the living Auden'[11] arni, ac er, mae'n debyg, iddo ddarllen argraffiad Syr Ifor Williams o *Canu Aneirin* a ymddangosodd yn 1938, gan y bardd Almaeneg Rilke a chan syniadau Robert Graves ynglŷn â'r 'single poetic theme of life and death' yr ysbrydolwyd ef. Nid traddodiad diriaethol, felly, ond syniadau delfrydol a ddenodd ei sylw fel bardd.

Dyma ddarlun o fardd a fagwyd o dan fryniau dienw ac a etifeddodd deimlad cryf o arwahanrwydd oddi wrth gymdeithas dosbarth gweithiol y cymoedd ac oddi wrth unrhyw ymdeimlad o Gymreictod y gallasai addysg fod wedi'i fagu ynddo fel y'i magwyd yn Alun Llywelyn-Williams. Nid oedd ganddo dir cadarn, felly, i wneud ei safiad ar faes y gad enbyd fewnol lle y brwydrai'r ddau fardd. Roedd ei brofiad, o ganlyniad, yn un o frwydro yn y tywyllwch ac, yn fwy na hynny, o chwilio yn y gwyll, fel cuddfan y 'gwir', am unrhyw sicrwydd y gallai ei ddarganfod yno. A dyna'r 'angau' sydd, yn y cerddi cynnar, yn cael ei herio a'i wrthgyferbynnu â 'chariad'. Ond hyd yn oed yma, mae'r ddau ynghlwm wrth ei gilydd fel yn 'Goodbye', y gerdd lle y ffarwelia â'i wraig Gweno, ac sy'n cynnwys y llinell 'We stride across the seven seas of death'. Mae hon yn fynegiant o'r ymgais i fyw ar lefel ysbrydol lle mae'r 'crystal peace' yn disodli'r byd materol.

Sylwodd Alun Llywelyn-Williams ar absenoldeb unrhyw gyswllt â thraddodiad Cymraeg yng ngwaith Alun Lewis. Mewn adolygiad ar *Letters From India* cyfeiria at y pwysigrwydd o 'direct contact with a living culture' ac awgryma ymhellach nad oedd gan Alun Lewis gysylltiad uniongyrchol o'r fath: 'His roots were in Wales, but he knew little or no Welsh, and was cut off accordingly from the literary traditions and activities of his own people.'[12] Mae'n gweld gwaith Alun Lewis fel enghraifft o 'the single struggle that goes on in the heart and mind of every poet and writer born between two cultures, a struggle expressed obliquely by some of necessity, by some from choice, in English, and by some too in Welsh.' Nid oes amheuaeth nad oedd Alun Llywelyn-Williams yn meddwl am ei gyflwr ei hun pan gyfeiriai at y rhai sy'n ysgrifennu yn Gymraeg ac yn cymryd rhan yn yr un 'struggle'. Mewn cyfweliad a gyhoeddwyd yn 1971 datganodd '. . . nad wyf erioed wedi llwyddo i feistrioli'r iaith Gymraeg fel cyfrwng mynegiant cwbl naturiol'.[13] Ymateb yw hyn i wahoddiad i sylwi ar broblemau'r llenor mewn cymdeithas ddwyieithog, ac awgryma mor agos yr oedd ef i fod yn yr un sefyllfa ag Alun Lewis ynglŷn â'i iaith ac, felly, ynglŷn â'i ddiwylliant:

> Hyd yn oed i'r llenor uniaith, mae llenydda'n frwydr barhaus â'i iaith, ond gan mai yn Saesneg y dechreuais i 'sgrifennu a chan fy mod o raid yn siarad ac yn darllen llawer mwy o Saesneg nac o Gymraeg, dydw i ddim wedi cael gwared â'r ymdeimlad fy mod wrth 'sgrifennu yn Gymraeg yn gorfod ymdrechu'n rhy galed, a bod yr ymdrech yn ei dangos ei hun . . .

Gadawaf i eraill bwyso a mesur y cysyniad hwn o orymdrech gan gymharu cerddi Alun Llywelyn-Williams â barddoniaeth gan feirdd eraill yn y Gymraeg, ond o'i gymharu ag Alun Lewis mae'r bardd yn ymddangos yn gwbl hyderus. Anesmwythyd mynegiant (iaith) y tu mewn i fframwaith o wybodaeth eang a chywirdeb gramadegol sydd ganddo mewn golwg, ond hefyd, yn *Cerddi 1934–42*, y mae teimlad gwahanol o anesmwythyd: 'O gysgod y Rhyfel y mae'r anesmwythyd yn deillio i raddau helaeth iawn, ac wedyn o'r Rhyfel ei hun.' Mae hyn yn taro nodyn agosach at yr anesmwythyd a nodwyd yn gynharach yn nelweddau a throsiadau Alun Lewis. Eto, goroesodd Alun Llywelyn-Williams y rhyfel ac 'ar y diwedd roedd yn rhaid i mi 'sgrifennu cerdd neu ddwy i ddatgan fy syndod fy mod eto'n fyw a bod bywyd y gymdeithas a garwn rywsut wedi dal trwy'r cwbl'.

Ni chafodd Alun Lewis y fraint o ddychwelyd o'r rhyfel. Ysgrifennodd adref at ei rieni: 'I regret my lack of Welsh very deeply. I really will learn it when I come home again.'[14] Ond at beth y byddai wedi dychwelyd? Mae tystiolaeth ei gerddi olaf yn awgrymu argyfwng ffydd yn ei ymroddiad i'r ymgyrch i wella cyflwr y bobl gyffredin. Awgrymodd Alun Llywelyn-Williams mewn darlith radio yn 1966 nad oedd 'swydd gymdeithasol y bardd ddim yn amlwg iawn yn niwylliant cyffredinol gwled-ydd y gorllewin' yn yr ugeinfed ganrif, ond 'mae'n wahanol gyda'r nofel a'r ddrama'.[15] Yn wir, awgrymwyd eisoes fod Alun Lewis wedi defnyddio ffurf y stori fer i wneud ei ddatganiadau a'i ddadansoddiadau cymdeithasol, gan gysegru ei gerddi i ymchwiliadau mewnblyg. Mewn llythyr at Robert Graves, dywedodd Alun Lewis am y storïau 'they're very objective . . . and I imagine you'll lay them aside for pointing too regularly the social moral'.[16] At ei wraig, Gweno, ysgrifennodd: 'Do you see how a poem is made – or fails? By perpetually trying, by closer and closer failing, by seeking and not finding, *and still seeking*, by a robustness at the core of sadness.'[17] A yw hyn oll yn enghraifft o'r hyn y mae Alun Llywelyn-Williams wedi ei alw 'yn ystum gwbl bersonol, yn fath o buredigaeth neu'n llwybr ymwared i'r unigolyn, a'r bardd yn ŵr unig a'i fryd ar ei ymchwil ymroddgar i feddiannu ei brofiad ei hun'?[18] Efallai, ond i Alun Lewis roedd y cysylltiad rhwng y llenor a'i gymdeithas mor bwysig ag yr oedd i Alun Llywelyn-Williams, ond ar yr un pryd yn llawer mwy o broblem bersonol iddo.

Gwelwyd hyn yn y dadansoddiad o 'After Dunkirk'. Os oedd y cerddi yn gyfrwng iddo ryddhau'r benbleth hon gallem ddisgwyl iddynt ddwysáu ar ôl iddo gyrraedd yr India ac, yn wir, mae'r thema hon yn fwy miniog byth yn y cerddi a ysgrifennodd yno. Mwy arwyddocaol byth yw'r ffaith fod y storïau byrion olaf hefyd yn datblygu themâu tebyg. Yn gyffredinol dengys ei storïau byrion sut y gall bywyd milwrol lenwi'r gwacter mewn enaid aflonydd:

> You sink your scruples in conscription, and then there's something interesting if you take the trouble of finding it. Infantry schemes, sleeping under hedges, swimming in a river in full kit . . .
>
> ('The Earth is a Syllable')

Ond i'r dyn y daw'r geiriau hyn i'w feddwl ac yntau'n marw mewn ambiwlans yn teithio trwy'r jyngl, nid oeddynt yn ddigon i guddio'r cynnwrf mewnol:

> The terrible struggles had been quieter and less obvious than voyages and armoured regiments. They were just something inside you – simply whether to say yes or no to a thing . . . What did the Upanishads say? The Earth is a Syllable.

Yma, mae agwedd bositif, wedi'i sylfaenu ar yr ysgrythurau Sanscrit, yn arwain y dyn i'r tywyllwch heb ofn: 'He went to get up and enter the darkness and enter the silent village under the hill and enter it with his wife alone.' Y bore canlynol 'The driver found him five yards away from the truck.'

Yn 'Ward "O" 3 (b)' mae cleifion mewn ysbyty milwrol yn yr India yn chwilio am atebion i'r cwestiwn 'Are you afraid of death?' I Weston, y bu bron iddo farw yn Burma,

> . . . there had been an annihilation, a complete obscuring, into which light had gradually dawned . . . He desired to return to the timeless void where the act of being was no more than a fall of snow or the throw of a rainbow; and these regions became a nostalgia to his pain and soothed his hurt and parched spirit.

(Cymharer hyn â'r 'crystal peace' yn 'The Mountain Over Aberdare', ac â'r 'waiting arms' yn 'After Dunkirk'.) I Weston, mae derbyn bywyd yn golygu, yn ogystal, dderbyn poen. Mae'r tywyllwch yn gysurus a diymdrech. Nid symbol o obaith yw'r golau, ond o'r angen i wynebu'r byd poenus. Ond mae Weston yn dewis byw: 'When I was as good as dead . . . I was enamoured of death. I'd lost my fear of it. But then I'd lost my will, and my emotions were all dead.' Mae'r stori yn dod i ben â sgwrs rhwng Weston a Moncrieff. Mae gan Moncrieff 'empty, inarticulate eyes' a gŵyr ef na fydd yn goroesi, ond mae Weston wedi dod trwyddi: 'he felt glad tonight, feeling some small salient gained when for many reasons the men whom he was with were losing ground along the whole front to the darkness that there is.' Yn y farddoniaeth, yn enwedig y farddoniaeth a ysgrifennwyd yn yr India, daw tywyllwch rhwng y bardd a'r byd yn amlach na pheidio. Â'r byd yn gynyddol ddiystyr iddo wrth i'w gysylltiadau â'r byd hwnnw gilio.

Yn ôl Alun Llywelyn-Williams 'trwy bopeth y mae'r bardd i fod i ddarganfod rhywbeth i'w ddweud *o blaid* bywyd'.[19] Pan welodd fedd bas a'i 'groes bitw o bren' mewn parc cyhoeddus ym Merlin yn 1945, roedd ei ymateb, a'i sylwadau am natur angau, yn ystyrlon a thrawiadol, ond heb fod yn afiach:

> Cynefin yn ddiau, pan ddêl, yw'r angau
> sy'n dringo'n dosturiol i'n gwely ar derfyn yr hirddydd, . . .
>
> ('Ym Merlin – Awst 1945')

Trosiad priodol yw hwn sy'n creu darlun eithaf crefftus, a hyd yn oed byw, o angau. Ond nid yw'r angau yma yn glòs at y bardd ei hun er gwaethaf y gair 'cynefin'. Cymharer Alun Lewis:

> The dark is a beautiful singing sexless angel
> Her hands so soft you scarcely feel her touch . . .
>
> ('Burma Casualty')

Does dim byd bywiog yn hyn. Mae'r angau'n bell o fod yn ddigon cyfeillgar i gyfiawnhau gair fel 'cynefin', ond mae'r ddelwedd yn gorfforol ac yn synhwyrus o agos at ddychymyg y bardd. Mae'n rhaid i fyd y byw osgoi'r angel hwn trwy ymdrechu i wrthod ei gyfaredd:

> [Life] is only a crude, pigheaded churl
> Frowsy and starving, daring to suffer alone.

Er bod y ddau fardd yn mynegi profiadau sydd, yn eu hanfod, yn brofiadau personol, safbwynt cymdeithasol sydd gan Alun Llywelyn-Williams, ond un o arwahanrwydd sydd gan Alun Lewis. 'Ni' sydd yn rhannu'r profiad ag Alun Llywelyn-Williams; ond mae 'you' Alun Lewis yn ddyn unig sydd wedi colli pob cyswllt â byd ei gyd-filwyr. Bardd wedi'i ddieithrio o'i gynefin priodol yw Alun Lewis, hyd yn oed yn y cerddi cynnar. Ar ôl iddo fynd i'r India nid y bardd yn unig ond y dyn cyfan a oedd wedi ei ddieithrio.

Yn ei stori fer 'The Orange Grove', un o'r rhai olaf a ysgrifennodd, mae tywyllwch yn disgyn ar ddyn sydd, fel yr awdur, yn teithio trwy'r wlad fel enaid coll. Mae cefndir y stori wedi ei seilio, mae'n debyg, ar brofiadau Alun Lewis ei hun pan oedd yn teithio yr India yn rhinwedd ei swydd fel *Intelligence Officer* yn y fyddin. Dyma sut y disgrifia ef Staff Captain Beale ar ôl i'r milwr preifat a oedd yn gyrru'r cerbyd ddiflannu i chwilio am wyau i swper:

> He was experiencing one of those enlargements of the imagination that come once or perhaps twice to a man, and recreate him subtly and profoundly. And he was thinking simply this – that some things are possible and other things are impossible to us. Beyond the mass of vivid and sensuous impressions which he had allowed the war to impose upon him were the quiet categories of the possible and the quieter frozen infinities of the impossible. And he must get back to those certainties.

Ond yn nes ymlaen, wedi i'r preifat gael ei ladd, dyma Beale yn gyrru'r cerbyd ei hun, gyda chorff y preifat yn y cefn a 'the loneliness of India all about him', ac yn mynd yn sownd mewn llif dros ryd afon. Mae'n gofyn am help gan grŵp o sipsiwn, ond yn methu rhyddhau'r cerbyd. Nid oes dim byd amdani ond dilyn y sipsiwn yn y gobaith o gyrraedd rhywle lle y gallai wneud adroddiad swyddogol. Mae'n gwneud ymdrech i gadw cysylltiad â'r 'certainties' neu'r 'possibilities' yr oedd yn eu hystyried cyn mynd ar goll, ond mae'r posibiliadau sydd o'i flaen yn awr yn fwy cyfyng byth: 'What was it all about, anyway? . . . as long as he had the man's identity discs and paybook, he would be covered. He must have those.' Ar ôl cael y rhain, mae'n teimlo rhyw gysur – 'He would be alright now' – ond mae ei sicrwydd, a chyda hynny y ffydd yn y 'possibilities' a oedd mor bwysig iddo, wedi eu trechu'n llwyr: 'He wished that he knew where they were going. They only smiled and nodded when he asked. Maybe they weren't going anywhere much, except perhaps to some pasture, to some well.' Mae'r cyfyngu hwn ar ddychymyg Beale yn lleihau ei awydd i roi blaenoriaeth i wneud adroddiad swyddogol a dilyn y drefn briodol. Ond pan fydd hyd yn oed y gweithredoedd cyfyng hyn yn amhosibl, mae bywyd yn colli pob ystyr. Mae bywyd gwâr yn bell i ffwrdd a byd cyntefig y sipsiwn yw'r unig beth sy'n real: 'Once life had been nothing worth recording beyond the movements of peoples like these.'

Ceir dadansoddiad o benbleth debyg, hefyd, yn y gerdd 'The Mahratta Ghats' lle mae'r 'landless soldier lost in war' yn cael ei gyferbynnu â'r 'dark peasants . . . each arid patch owns'. Ond yn y cerddi olaf, nid estron mewn gwlad estron yn unig mo Alun Lewis, ond un a oedd yn ddieithr hefyd i ddiwylliant y gor-llewin, diwylliant nad oedd Alun Llywelyn-Williams, hyd yn oed yn nyddiau mwyaf tywyll y rhyfel, wedi colli pob mymryn o ffydd ynddo. Dim ond cam bach ydyw o'r benbleth hon i'r benbleth lawer mwy personol a fynegai Alun Lewis yn ei gerdd 'The Jungle'.

Dyma enghraifft, yn sicr, o'r llenor yn 'diflasu'n llwyr ar gymdeithas, pan fyn ymwrthod â'i hamodau a'i gwerthoedd ac ymgolli yn ei freuddwydion ei hun'.[20] Ond parha Alun Llywelyn-Williams i ddweud fod hyn 'yn brotest gymdeithasol yn ogystal â datganiad o annibyniaeth . . . yn ddrych o gyflwr cymdeithas, yn ysbrydol ac yn faterol'. Nid oedd gan Alun Llywelyn-Williams unrhyw fwriad i gyfeirio at Alun Lewis yn y sylwadau hyn a wnaed mewn cyd-destun cyffredinol. Ond eto, disgrifiant benbleth Alun Lewis i'r dim.

Ond cyn edrych yn fanwl ar 'The Jungle', bydd yn fuddiol sylwi ar ymateb Alun Llywelyn-Williams pan welai ddistryw yr hen drefn Ewropeaidd:

> Dinas rodresgar, fras, 'fu hon erioed
> ac addas i'w hadfeilio; . . .
>
> ('Ym Merlin – Awst 1945')

Yn ei ddarlun o adfeilion canolbwyntia ar yr orsaf – Lehrter Banhof – lle ymgasglai ffoaduriaid ar ddiwedd y rhyfel. Dyma ddiwedd y daith i rai ohonynt. Lle diflas a diobaith ydyw:

> ac o'r agen yn y wal, o'r crac yn y palmant,
> gofera'r dŵr heb seinio cân y nant.

Ond nid yw'r digwyddiadau'n ddiystyr i Alun Llywelyn-Williams. Ymgorfforir ing y bobl mewn merch a roir mewn cyd-destun ehangach na'r sefyllfa hanesyddol gyfoes:

Mae digon o sylw wedi'i roi i'r gerdd hon fel nad oes angen yma edrych yn fanwl ar awyddocâd Heledd yn yr englynion o'r nawfed ganrif.[21] Ond yr hyn sy'n ddiddorol yng nghyd-destun y drafodaeth hon yw'r ffaith fod gan Alun Llywelyn-Williams ffrâm hanesyddol/ddiwylliannol i roi ystyr i'r digwyddiadau erchyll a'i poenai. Cynigiodd yr englynion ffordd iddo ddeall trychineb y rhyfel a'i effeithiau mor amlwg o frawychus, trwy gyfrwng stori a'i galluogodd ef i osod y cyfan yng nghyd-destun hanes diwylliant hynafol Cymru. Y pwynt pwysig yw fod gan Alun Llywelyn-Williams y deunydd a'r ymwybyddiaeth ddi-wylliannol i wneud hyn. Nid gwybodaeth hanesyddol neu lenyddol yn unig sydd ei heisiau chwaith, ond teimlad o ddilysrwydd a lleoliad pendant mewn traddodiad y cyfrennir ato ac, ar yr un pryd, y cyfranogir ohono gan y llenor. A dyna beth oedd gan Alun Llywelyn-Williams, er gwaethaf ei brotestiadau am ei afael ansicr ar yr iaith. Yn wir, gellid dadlau fod ei deimlad o ansicrwydd wedi cryfhau ei ymwybyddiaeth o'r traddodiad yr oedd yn rhan ohono ac felly yn ystwytho ei ddefnydd ohono fel rhywbeth y gallai droi ato mewn cyfyng-gyngor.

Yn ail ran y gerdd – 'Zehlendorf' – mae'r bardd yn dychmygu Inge yn penlinio i gusanu'r pridd wrth ymyl bedd mewn parc cyhoeddus. Mae delwedd y 'bedd bas' a'r 'groes bitw o bren' yn un drist sy'n troi meddyliau'r bardd at natur angau. Cymharwyd rhan o'r portread hwn eisoes ag un Alun Lewis. Nodweddiadol, hefyd, yn y disgrifiad hwn yw'r tebygrwydd rhyngddo a'r un a geir yn 'Pibau Pan' a ysgrifennodd ar ôl y rhyfel. Dyma'r 'cnaf' cyfrin sy'n aros yn dawel amdanom 'ar gyrrau eitha'n gwybod'.

Fel y 'cyfaill' yn 'Pibau Pan', 'cynefin' fydd ef 'pan ddêl'. Ond perygl cuddiedig yw angau, yn aros 'i gyfarch ein grym', nid rhywbeth a ragwelir ym mhrofiad uniongyrchol y bardd fel yr awgryma Alun Lewis. A oes gobaith o gwbl yng nghanol y tristwch hwn? Mae llinellau olaf y rhan hon o'r gerdd 'Zehlendorf' yn awgrymu agwedd braidd yn betrus at y cwestiwn hwn:

ni fentra'r coed proffwydol addo
y daw drachefn y gwanwyn ar ei dro.

Nid oes sicrwydd, o leiaf ar wyneb pethau, ond mae gweithred Inge o benlinio, cusanu'r pridd a thaenu'r blodau ar y bedd yn cadarnhau ffydd mewn bywyd ac, o'r herwydd, yn herio'r gwyll. Clywodd Heledd gynt 'chwerthin croch yr eryr eiddig', ond mae Inge yma yn adleisio, yn hytrach, 'ystum ofer' y groes bren ac yn cofio, gyda thristwch tawel ac urddasol, y plant a fu'n chwarae yn y parc.

Yn 'Theater des Westens' – y drydedd ran – mae'r dŵr sy'n diferu trwy'r craciau yn y wal, delwedd a oedd yn creu awyrgylch o ddadfeiliad yn y rhan gyntaf, yn awr yn 'ddiferion / anhapus, cyson' sy'n trochi carped y theatr – yr unig theatr a oedd yn dal i sefyll yn y sector Prydeinig o'r ddinas. Yma y mae Inge yn cael ei thrawsffurfio eto. Mae'n dawnsio ac

> Yn ôl ei chamau chwimwth, fe dyf y meillion –
> o'r baich wrth ei bron, boed lawen y fam drachefn,
> boed siriol y meddyg blin wrth ado'i gyfeillion!

Ymdebyga i Olwen y chwedl. Mae'r blodau a'i llawenydd yn cynnig gobaith o ganol yr adfeilion. Trwy gelfyddyd – y dawnsio – y cyfleir hyn. Dyna beth sy'n dod â'r gwanwyn yn ôl gyda'r blodau. Celfyddyd a ddysgir gan draddodiad hir yw hon:

> . . . a llawer oes
> fu'n llunio'i chain gelfyddyd, y grefft sy'n gnawd
> ar ymnyddiad y nodau, sy'n puro'r gyntefig loes.

Sylwer yn ogystal ar y ffordd y mae canu Alun Llywelyn-Williams yn troi at odli'n rheolaidd wrth iddo ddatgan hyn. Dyma'r bardd gwâr, bondigrybwyll, sy'n arddel gwerthoedd dinesig. Ond hefyd, dyma fardd sy'n ymblethu â 'nodau' y traddodiad a barhaodd ar ôl trasiedi Canu Heledd. Mae hefyd yn gân o obaith yn y dyfodol; yn ymwrthod â gormes y rhyfel:

> Yma, mae gardd i'w thrin, haint i'w hynysu;
> wedi tyngu'r llw diymwad i'w huchel urdd,
> mor ysgafn y rhodiwn ninnau'r llwyfan galed, y profwn
> o'r nerth yn y nwyfre, o'r grym yn yr egin gwyrdd.

Oes, i Alun Llywelyn-Williams y mae gwanwyn a ddaw yn ôl, y mae ganddo wlad i ddychwelyd iddi; y mae'r traddodiad yn parhau.

'The Jungle' yw'r gerdd gan Alun Lewis y mae'n briodol ei chymharu ag 'Ym Merlin' er mwyn cyferbynnu diweddbwynt y rhyfel i'r ddau fardd. Ysgrifennodd Alun Lewis ar ddechrau'r rhyfel:

> The beech boles whiten in the swollen stream;
> Their red leaves, shaken from the creaking boughs,
> Float down the flooded meadow, . . .
> ('Autumn 1939')

Darlun eithaf cyffredin yw hwn o unrhyw hydref. Ond erbyn y trydydd pennill y mae'r dail cochion wedi newid eu lliw:

> Black leaves are piled against the roaring weir;
> Dark closes round the manor and the hut.

Y mae'r dull symbolaidd yn eithaf cyffredin yng ngherddi Alun Lewis o'r cyfnod hwn. Yma cyfunir dyfodiad y gaeaf â dyfodiad y rhyfel mewn delwedd o dywyllwch. Yn 'The Jungle', mae'r mynegiant – ar yr wyneb – yn gymharol:

> In mole-blue indolence the sun
> Plays idly on the stagnant pool
> In whose grey bed black swollen leaf
> Holds Autumn rotting . . .

Fel yn y gerdd gynnar mae'r defnydd o liwiau yma yn rhan hanfodol o fynegiant y bardd. Yn 'Autumn 1939' cafwyd symudiad o wyn i goch i ddu. Yma 'mole-blue' a 'black' yw'r man cychwyn. Prif ddiben y cyflwyniad yn y gerdd gynnar oedd mynegi dyfodiad y rhyfel mewn dull symbolaidd. Yn hyn o beth gellir cymharu'r gerdd â'r ddelwedd:

> Blue necklace left
> On a charred chair
> Tells that Beauty
> Was startled there.
> ('Raiders' Dawn')

Yma mae'r delweddu ffurfiol yn cyfleu datganiad ymwybodol a deallusol am y digwyddiad. Ond prif ddiben pennill cyntaf disgrifiadol 'The Jungle' yw creu awyrgylch o'r 'mole-blue indolence' a 'green indifference', hynny yw teimlad personol sy'n diystyru unrhyw ymgais i wneud datganiad positif neu ystyrlon am y byd.

Dyma'r bardd mewn byd hollol estron

> Where sleep exudes a sinister content
> As though all strength of mind and limb must pass

ac yn bell o'r

> Huge cities known and distant as the stars,
> Wheeling beyond our destiny and hope.

Nid pellter symbolaidd yn unig yw hwn, nac un daearyddol chwaith, ond pellter mewnol yn ymwybyddiaeth y bardd. Mae'n cyferbynnu, felly, 'the humming cultures of the West' â 'We who dream beside this jungle pool'. Nid oes gan Alun Lewis unrhyw ffydd yma mewn traddodiad parhaol nac yn 'egin gwyrdd' Alun Llywelyn-Williams i hybu ei obaith.

Nid byd dirywiedig yw hwn, fel y byd a bortreadwyd yn 'The Mountain Over Aberdare', ond byd cyntefig gyda'i harddwch pur, digyfaddawd, creulon yn rhoi'r unig ystyr – 'the instinctive rightness of the poised, pied kingfisher' – y gall y bardd gredu ynddo. Am hynny y mae'n well ganddo:

> The dew-bright diamonds on a viper's back
> To the slow poison of a meaning lost
> And the vituperations of the just.

Yma, mae'r adlais o'r gair 'viper' yn 'vituperations' yn miniogi'r feirniadaeth ymhlyg yn 'little home/ semi-detached, suburban, transient' yn erbyn y byd diamser, bythol. Dyma, felly, wyll heb oleuadau ond y 'dew-bright diamonds' angheuol a berthyn iddo. Dyma, hefyd, ddiwedd taith yr enaid coll a chwiliai am sicrwydd yn 'The Orange Grove'. Dyma'r 'crystal peace' wedi ei ddarganfod yn nhywyllwch peryglus y jyngl, ond nid oedd 'waiting arms' yn y tywyllwch hwn, fel yn 'After Dunkirk'. Nid 'singing sexless angel' chwaith yw'r angau yma. Mae'r broses o ddiystyru pwysigrwydd yr unigolyn yn gyflawn, a ffydd mewn bywyd a bodolaeth mewn cyd-destun cymdeithasol, diwyll-iannol, wedi'i threchu'n llwyr. Ni wna symbolau, sy'n rhan o adeiladwaith cyd-ddynol, y tro bellach. Mae'r bardd yn awr yn arddel profiadau pur, uniongyrchol, o'r byd cyntefig a'i dywyllwch.

Yn nhrydedd adran y gerdd y mae Alun Lewis yn symud ymlaen o gymharu'r jyngl â'r byd datblygedig tuag at ystyriaethau mwy personol. Defnyddia'r ddelwedd o'r 'head of light' uwchben lle mae copaon y coed yn cyfarfod i greu delwedd o ddüwch: 'The black spot in the focus grows and grows.' Mae'r syniad hwn o smotyn du ynghanol y golau yn ei arwain at wrthgyferbyniadau eraill fel '[c]argoes of anguish in the holds of joy', neu 'And though the state has enemies we know/ The greater enmity within ourselves.' Mae llygedyn o obaith yn y syniad y gall cariad 'melt the glacier in the dark coulisse', er ei fod yn gofyn am faddeuant gan y rhai 'who want us for ourselves'. Mae'r bardd, felly, yn cydnabod o leiaf un peth o bwys, un peth sydd, efallai, yn werth byw o'i herwydd. Ond beth yw ystyr 'the greater enmity within ourselves' yma? Mae sôn am 'Instinctive truths and elemental love' fel 'knives in earth/ Kept from the dew and rust of Time' yn ein tywys ni yn ôl at y gwirionedd cudd a gymharwyd gan y bardd â 'the small white tapeworm of the soul . . . within my blood' yn 'After Dunkirk'. Mae delweddau o gyllyll miniog yn galetach o lawer na delweddau'r cerddi cynnar, ond nid yw pethau cadwedig yn effeithlon. Arfau di-rym ydynt yn erbyn y gelyn oddi mewn pan fo hyd yn oed hunanddelwedd y bardd yn toddi:

> The face distorted in a jungle pool
> That drowns its image in a mort of leaves.

Dyma, felly, fardd sydd wedi colli pob ffydd, nid yn unig yn ei gymdeithas a'r byd sydd ohoni, ond hefyd ynddo ef ei hunan fel dyn a all ymateb yn ddigonol, o leiaf i'r rhai sydd â rhyw hawl ar ei deimladau personol.

Erbyn pedwaredd adran y gerdd, sef y rhan olaf, mae'r bardd a'i gyd-filwyr yn symud trwy'r jyngl fel ysbrydion:

> Grey monkeys gibber, ignorant and wise.
> We are the ghosts, and they the denizens; . . .

Ânt

> . . . swinging slowly
> Down the cold orbit of an older world . . .

gan adael 'the world we could not change' trwy 'the last kindness of a foe or friend'. Gellir ystyried y gerdd hon yn destament y bardd a fu farw yn fuan ar ôl iddo ei hysgrifennu; ond mae'n dangos mwy na milwr ar ben ei dennyn yn wynebu angau mewn lle peryglus. Nid yw'r mynegiant cryf o anobaith yn newydd; yr hyn sy'n newydd yw fod y bardd yn methu dod o hyd i unrhyw gysur i godi ei ysbryd. Dyn dieithr oedd Alun Lewis o'r cychwyn, yn ansicr am ei iawn safle yn y byd. Ac er bod gwedd gymdeithasol ar y cyflwr hwnnw, yr oedd hefyd yn rhan annatod o'i anian ef ei hun. Nid dim ond dyn unigol a oedd yn methu ymuno â'i gyd-filwyr yn eu 'bawdy songs incessantly resung'; yr un oedd methiant y dyn unig a fynnai ddianc o'r bryniau dienw i ryw arallfyd annynol.

Roedd Alun Llywelyn-Williams yn llawn ddeall a chydymdeimlo â'r syniad hwn o arallrwydd. Ond nid oedd ei brofiad ef o arallrwydd yn ei ddieithrio hanner cymaint ag a wnaeth i Alun Lewis. Ni chollodd Alun Llywelyn-Williams ei obaith a'i ffydd mewn dynoliaeth. I'r gwrthwyneb, gellid dadlau iddynt gael eu cryfhau gan y rhyfel. Cariwyd ef trwyddo gan y 'gras' a brofodd ef yn 'Y Gwrth-Gyrch'; gras, hefyd, a deimlodd – ac a rannodd – gyda'r barwn a'i wraig ar ddiwedd 'Ar Ymweliad' ar ôl cydbrofi arswyd. Trwy gerddoriaeth, un o'r celfyddydau gwâr, cyd-ddynol, mae gras yn eu bendithio:

> Safem yn fud ein tri,
> nes i'r gŵr droi at y piano fel pe'n herio'i rym . . .

a 'gosod ein horiau caeth yn rhydd'. Mae gafael ar y cysyniad o ras y mae modd ei rannu yn hollbwysig, felly, i Alun Llywelyn-Williams. 'Cariad' oedd fersiwn Alun Lewis o'r cysyniad hwn. Yn ei ddatganiad 'love survives the venom of the snake' ('In Hospital: Poona [1]'), mae'n arddel ffydd a oedd ganddo'n gyson – os yn sigledig – tan y diwedd. Ond yn ogystal roedd yn ymwybodol o'r gwyll a oedd yn ei ddisgwyl y tu ôl i len denau'r byd cymdeithasol ac o'r *coup de grace* terfynol a fyddai'n ei dywys yno. Yn 'The Jungle' mae gwenwyn y neidr yn cynnig y gras terfynol fel rhyddhad oddi wrth yr 'humming cultures of the West'.

Cyfeiriodd Alun Llywelyn-Williams at 'my despair for Wales helplessly entangled in the cataclysm, and my despair for the whole of human civilisation',[22] teimladau y ceisiodd Alun Lewis eu trechu trwy ymdrech unigolyddol yn hytrach nag un yn cael ei chynnal gan werthoedd cymdeithasol. Ysgrifennodd at ei wraig y dylai'r gwirionedd 'reside in the texture of a person's life. I'm more careful about this integrity than about anything else . . . because there's nothing else to save one or make one worth saving.'[23] Profodd ei ffydd mewn cariad yn ei berthynas â'i wraig. Mae John Pikoulis wedi awgrymu i'r cariad hwnnw gael ei danseilio gan berthynas arall a gafodd y bardd yn yr India.[24] Ond mae'n debyg mai ei fethiant sylfaenol oedd colli ffydd mewn cariad fel gwerth cyffredinol a allai achub dynolryw yn gyffredinol. Â Alun Llywelyn-Williams yn ei flaen fel hyn: 'The saving grace was the discovery in war, in the midst of its evil destructiveness, of the astonishing power of the human spirit to survive and to triumph.' Yn ymarferol casgliad yr ysgrif hon yw: 'good and evil are inextricably mingled'.

Er mor ddu yr oedd y tywyllwch, felly, gellid dirnad goleuni ynddo – ond nid gan Alun Lewis. Yn Ewrop, yng nghanol yr adfeilion, gallai Alun Llywelyn-Williams gredu bod ailadeiladu yn bosibl. Roedd ganddo ddychymyg hanesyddol a thraddodiadol i ganiatáu iddo ffurfio cynllun deallusol i gyfiawnhau'r fath ffydd:

> Canys yr ofn a'n gwawdiodd cyn y drin,
> anwir a fu. Ni thorrwyd cwmnïaeth glyd
> heniaith y tadau, diofal chwerthin plant.
> ('Nadolig Cyntaf Heddwch')

Ond i Alun Lewis, mewn amgylchfyd cyntefig, ymhell o fywyd bob dydd yng nghanol adfeilion Ewrop, a'i leoliad yn sigledig yn ei gornel fach o'r Ewrop honno, yr oedd presenoldeb y da ynghyd â'r drwg ymhell o fod yn sicr. A phan fethodd yr 'integrity' personol a safai rhyngddo a'r tywyllwch nid oedd ond 'the darkness that has gathered . . . like water in a sump'[25] i fynnu'i sylw. I Alun Lewis nid oedd golau yn y gwyll. Nid oedd, chwaith, y 'saving grace' a achubodd Alun Llywelyn-Williams rhag anobaith. Roedd y jyngl daearyddol felly yn gadarnhad o'r 'jungle of my mind'[26] a oedd gydag ef o'r cychwyn cyntaf.

~

Goroesodd Alun Llywelyn-Williams. Awgrymodd Dafydd Glyn Jones mai ef oedd

> . . . the only Welsh poet of importance who has changed his mind since 1936 . . . In the early poems, the dominant note is one of anticipation, coupled with an appeal to the collective. In the later

poems we have the discovery of the past, and an acceptance of solitude. The war poems . . . indicate how the change occurred.[27]

Os yw'n wir mai'r rhyfel a barodd i Alun Llywelyn-Williams ddarganfod y gorffennol er mwyn deall y presennol, mae'n wir hefyd iddo, ar ôl y rhyfel, encilio at unigrwydd a dibynnu fwyfwy ar ei adnoddau mewnol. Ceir ganddo er enghraifft, gerddi hwyr fel hon:

> nad oes neb yn gwrando
> nac yn gwylio'r ffin
> wag rhwng breuddwyd a bod;
> nad oes neb yn awr
> yn ateb ein gweddïau . . .
>   ('Diwedd Cyfnod')

Ond ni ddylid anghofio'r cerddi hynny gan Alun Llywelyn-Williams sy'n amlygu'r un tueddiad i werthfawrogi'r byd cyntefig sydd i'w gael ym marddoniaeth Alun Lewis. Yn 'Pibau Pan', er enghraifft, mae'r bardd yn dangos agwedd arall ar y dyn gwâr a oedd yn sefyll dros y gwerthoedd dinesig ac yn erbyn rhai gwledig. Dyma Pan, duw yr anifeiliaid, ysbryd natur wyllt yn ei wisg fel 'yr hen wrth'nebydd', ond nid yw'n hollol elyniaethus inni. Ni ddefnyddir y gair 'gelyn' neu 'drwg' amdano. Ysbryd y tir ydyw, yn cofio'r coed ar 'yr annirgel waun' ac sydd bellach yn 'gyfaill anorfod' yn aros lle bynnag yr ydym mewn perygl. Daw ef, yn y gerdd hon, 'i'n cofleidio yr un mor gadarn â chynt' cyn ein bwrw yn 'chwareus i gwymp yr angau rhyfeddol'. Ai cwbl faleisus yw'r 'bwrw' yma? Os felly mae'n rhaid bod y gair 'cyfaill' yn llawer mwy eironig nag yr wyf yn credu ei fod. Yn sicr mae'r bardd yn daer wrth '[f]lynnu'r ornest sydd inni'n fywyd yn wir', ac yn adnabod cryfder y 'cyfaill', 'er i'n pwerdai powld drawsfeddu'i rym'.

Yn ei gerddi am grwydro'r wlad mynega brofiadau tebyg; profiadau mewn mannau ac eiliadau tawel. Yn 'Pont y Caniedydd', er enghraifft, mae'n oedi ar drothwy'r bont:

> Rhaid croesi; y mae rhyw adlais yma,
> rhyw gytgord hŷn nag amser,
> yn sŵn y nant, yn naid y gwynt . . .

ond y tu draw i'r bryniau mae'r ddinas yn gwrthod yr adlais

---

hwn a hefyd, o leiaf ym meddwl y bardd, yn gwrthod y profiad o dragwyddoldeb fel rhywbeth estron ym myd amser y mae'r bardd yn byw ynddo. Profiad diddorol, gwerth ei flasu, oedd yr arallfyd hwn i Alun Llywelyn-Williams, ond derbyniai'r ddinas fel y lle a ddiffiniai realiti i ddynolryw'r ugeinfed ganrif – nid felly Alun Lewis, o leiaf nid felly yn ei farddoniaeth.

Nodiadau

[1] Hoffwn ddiolch i Ceridwen Lloyd-Morgan am ei chymorth wrth arolygu arddull yr ysgrif hon.
  Dyfynnwyd cerddi'r ddau fardd o'r cyfrolau canlynol:
Alun Llywelyn-Williams, *Y Golau yn y Gwyll* (Dinbych, 1974)
Alun Lewis, *Raiders' Dawn* (London, 1942); *Ha! Ha! Among the Trumpets* (London, 1945)

[2] M. Wynn Thomas 'Y Ddau Alun', *Talisein*, 64 (Hydref 1988), 25–35. Ailgyhoeddwyd yn Saesneg gydag ychwanegiadau yng nghyfrol yr un awdur, *Internal Difference* (Cardiff, 1992).

[3] *Artists in Wales* 2, ed. Meic Stephens (Llandysul, 1973), 173.

[4] Ailargraffwyd y gerdd hon yn *Alun Lewis: A Miscellany of his Writings*, ed. John Pikoulis (Bridgend, 1982).

[5] Fel y dangosodd Roland Mathias yn ei ysgrif 'A Black Spot in the Focus', *The Anglo-Welsh Review*, 67 (1980), 43–78; ailargraffwyd yn *A Ride Through the Wood* (Bridgend, 1985), 125–57.

[6] Felly yr ysgrifennodd Alun Lewis at ei wraig gan addasu syniadau Robert Graves. Mae Graves yn dyfynnu'r geiriau yn ei ragymadrodd i *Ha! Ha! Among the Trumpets*, 12.

[7] *Collected Stories*, ed. Cary Archard (Bridgend, 1990), 204.

[8] 'Karanje Village', *Ha! Ha! Among the Trumpets*, 41.

[9] Seamus Heaney, *Preoccupations* (London, 1980), 47.

[10] M. Wynn Thomas, 'Y Ddau Alun'.

[11] Adolygiad ar *Fortune Anthology* yn *Tribune*, 19.VI.42; dyfynnwyd gan John Pikoulis yn *Alun Lewis, A Life* (Bridgend, 1984), 128.

[12] *Transactions of the Honourable Society of Cymmrodorion* (1948), 328–31.

[13] *Mabon*, 4 (1971), 13–21. 'Holi Alun Llywelyn-Williams' – cyfweliad â Gwyn Thomas.

[14] *In The Green Tree* (London, 1948), 51.

[15] *Y Llenor a'i Gymdeithas* (BBC, 1966); ailgyhoeddwyd yn *Ambell Sylw* (Dinbych, 1988), 136–51.

[16] Llythyr dyddiedig 2.5.42; cyhoeddwyd yn *The Anglo-Welsh Review*, No. 37 (Spring 1967), 11–12.

[17] Llythyr dyddiedig Tachwedd 1942 yn *Letters to My Wife*, ed. Gweno Lewis (Bridgend, 1989), 279.

[18] *Y Llenor a'i Gymdeithas*, 137.

[19] Gwyn Thomas, *Alun Llywelyn-Williams* (Llên y Llenor), (Caernarfon, 1987).
[20] *Y Llenor a'i Gymdeithas*, 137.
[21] Gweler, er enghraifft, Gwyn Thomas, op. cit., 37–8.
[22] *Artists in Wales 2*, 173.
[23] *Letters to my Wife*, 412.
[24] John Pikoulis, op. cit., penodau 14–15.
[25] *Letters to my Wife*, 409.
[26] Ibid., 322.
[27] Dafydd Glyn Jones, 'The Poetry of Alun Llywelyn-Williams', *Poetry Wales*, 7, No.1 (1971), 17.

Saunders Lewis a'r Eingl-Gymry

HARRI PRITCHARD JONES

Boed hysbys ynteu mai Cymro Cymreig yw pob Cymro sy'n credu ac yn cyffesu mai cadw Cymru yn Gymreig o ran iaith ac ysbryd yw'r pwnc pwysicaf o bob pwnc gwleidyddol. Yn ei olwg ef, cadw'r Gymraeg yn fyw ac yn iach yw'r unig Geidwadaeth y mae'n weddus i'r Cymry ymegnio i'w hamddiffyn, a rhyddhau'r Dywysogaeth oddi wrth ormes Seisnig sy'n ei gwneud hi'n gadlas chwarae ac yn grochan golchi i bobl anghyfiaith ac anghyweithas ydyw'r unig Ryddfrydiaeth y mae'n wiw i'r Cymry ymladd drosti; canys y mae a wnelo'r Geidwadaeth a'r Rhyddfrydiaeth yma, nid yn unig â llwyddiant, ond hefyd â bywyd y genedl yr ydym yn perthyn iddi. Gan mai pobl anaml ydym, yn preswylio parth bychan o Ynys Prydain, ni allwn argyhoeddi estroniaid ein bod yn ddim amgen na Saeson heb eu llwyr wareiddio os na bydd gennym iaith wahanol.

I ni, y Gymraeg yw'r unig wrthglawdd rhyngom â diddymdra, ac y mae'r sawl a dorro'r gwrthglawdd hwnnw, trwy barablu iaith ein gorchfygwr heb raid nac achos yn euog o ddibrisdod sy'n dangos eu bod wedi colli pob parch iddynt eu hunain; a phan beidio dyn â pharchu ei hun y mae hwnnw i bob perwyl wedi peidio â bod.

Er bod y Cymro Cymreig yn rhy falch i'w ddiddymu ei hun, nid yw o'n gulfarn o gwbl, fel y tybia rhai. Y mae o'n ewyllysio i'w gydwladwyr nid yn unig ddysgu Saesneg a darllen llenoriaeth Saesneg, ond hefyd ddysgu pedair prifiaith y Cyfandir, er mwyn ymgydnabod â phobl a llenoriaeth sy'n llai ynysaidd na rhai Prydain.

Geiriau Emrys ap Iwan bron ganrif yn ôl bellach[1] – y gŵr y patrymodd Saunders Lewis lawer o'i syniadau am genedligrwydd a Chymreictod ar ei weithiau. Mae sawl adlais o'r darn hwnnw yn y ddarlith *Egwyddorion Cenedlaetholdeb* (1926), yn y llyfr *Canlyn Arthur* (1938) ac yn y ddarlith radio *Tynged yr Iaith* (1962). Maent yn crynhoi agwedd Saunders Lewis at le'r Saesneg yng Nghymru. Yn fras, hoffai fedru dweud *delendum est*.

Mae'n ddiddorol nodi i O. M. Edwards, yn ei sylwadau golygyddol yn rhifyn cyntaf ei gylchgrawn *Wales*, flwyddyn cyn i Emrys ap Iwan gyhoeddi'r darn uchod, sylwi fod yna 'ddadeni llenyddol ymysg y Cymry sydd heb fedru siarad Cymraeg; mae yna awydd cryf am lenyddiaeth fydd yn Saesneg o ran iaith ond yn Gymreig o ran ysbryd'.[2]

Rhwng goddefgarwch O. M. Edwards a beiddgarwch treiddgar Emrys ap Iwan, y mae bwlch. I'r naill, mae ysbryd Cymreig yr awduron Saesneg i'w groesawu; i'r llall yr hyn sy'n hollbwysig yw troi Cymru'n genedl fwy neu lai uniaith Gymraeg. Yn wir mae'n debyg i Emrys, fel ei ddilynwyr – gan gynnwys Saunders Lewis – amau'r posibilrwydd o gael cenedl ddwyieithog. Fe gymerodd tua thri-chwarter canrif i'r ddwy agwedd ddod ynghyd, fwy neu lai.[3]

Os oedd O. M. Edwards yn gweld arwyddion o ddeffroad llenyddol ymysg y di-Gymraeg, nid oedd mudiad cryf, ac roedd llawer mwy o arwyddion o'r fath beth yn y Gymraeg. Dros y dŵr, yn Iwerddon, yr oedd pethau'n dra gwahanol, ac roedd yr hyn a ddigwyddodd yno i fod o bwys mawr i wŷr fel T. Gwynn Jones a Saunders Lewis. Yn negawd olaf y bedwaredd ganrif ar bymtheg yn yr Ynys Werdd, roedd yna ddadeni diwylliannol a gwleidyddol yn crynhoi, a Chynghrair yr Wyddeleg yn mynd o nerth i nerth. Er mai mudiad i adfywio'r iaith Wyddeleg oedd calon y dadeni yno, trwy'r Saesneg yn bennaf y mynegai'r genedl ei hun; ac yr oedd wedi dysgu gwneud hynny ers bron i ganrif, gan i'r cwymp mawr yn nifer y Gwyddelod Gwyddeleg ddigwydd yn ystod y ganrif honno – oherwydd y Newyn Mawr yn bennaf. Yma, ar y llaw arall, roedd y Gymraeg mewn sefyllfa gymaint cryfach, a'r traddodiad llenyddol yn dal yn ddi-fwlch, er gwaethaf peth nychu arno yng nghyfnod Philistaidd y ganrif ddiwethaf. Ac, yn wahanol i'r sefyllfa yn Iwerddon, nid oedd fawr ddim wedi ei ysgrifennu gan Gymry, nac am Gymru yn Saesneg.

Er gwaethaf O. M. Edwards, nid oedd mudiad nac ysgol ymwybodol Eingl-Gymreig i ymddangos am tua chwarter canrif ar ôl ymddangosiad *Wales*. Cyhoeddwyd llyfr Caradoc Evans,

My People, yn 1915, a chasgliad A. G. Prys-Jones, *Welsh Poets*, yn 1917 – blwyddyn marw Edward Thomas, ond daeth y sôn am ysgol lenyddol Eingl-Gymreig yn 1922, mewn llythyr gan Idris Bell yn y *Welsh Outlook*. Sais ydoedd ef a fu'n gymaint cefn i lenyddiaeth Gymraeg, ac roedd yn gobeithio y dôi yna 'Yeats' o Gymro i wneud dros lenyddiaeth Eingl-Gymreig yr hyn roedd y Gwyddel wedi'i wneud yn Iwerddon. Roedd y cysyniad o lenyddiaeth ac awduron Eingl-Gymreig yn bod bellach, ond rhywbeth yn egino ym meddyliau carfan fechan o bobl ydoedd. Digwyddiadau economaidd a gwleidyddol a greodd y mudiad fel rhywbeth amgenach.[4]

Fel y dywedodd Harri Webb mewn llythyr yn *Poetry Wales* yn 1966:

> Os oes gennym ni [Awduron Saesneg Cymru] unrhyw draddodiad o gwbl, nid un Eingl ydyw, ond un an-heiffenedig Gymreig.[5]

Er hynny, ymhellach ymlaen, llwyddodd Raymond Garlick i ddangos fod o leiaf gefndir o ysgrifennu yn Saesneg yng Nghymru er yr unfed ganrif ar bymtheg, yn mynegi Cym-reigrwydd a Chymreictod i ddarllenwyr o Gymry Cymraeg a di-Gymraeg a Saeson. Pobl oedd y rhain, fel arfer, a oedd wedi eu haddysgu yn yr hen ysgolion gramadeg a Rhydychen neu Gaergrawnt, yn gysylltiedig â'r bendefigaeth Seisnigedig a'r Eglwys wladol, ond yn aml roeddynt yn Gymry Cymraeg, fel Henry Vaughan er enghraifft.

Wrth gwrs, ar wahân i dde Penfro a Maesyfed, ac ambell dref garsiwn fel Biwmaris, nid oedd bron dim Cymry cyffredin na wyddent Gymraeg hyd ddiwedd y ddeunawfed ganrif. Erbyn canol y ganrif ddiwethaf roedd diwydiannaeth wedi dechrau trawsnewid y sefyllfa yng nghymoedd y de ac yn y gogledd-ddwyrain, a phrysurodd hyn yn arw, fel y gwyddom, ar ôl y Rhyfel Mawr. Aeth mwy a mwy at y Saesneg, hefyd, wrth i ddylanwad y capel edwino ac i dlodi droi pobl at sosialaeth a ddôi drwy Loegr a'r Saesneg ac a unai'r werin ddiwydiannol â'r un bobl yng ngweddill y deyrnas, yn hytrach nag â'r werin gefn gwlad, Gymraeg ei hiaith.

~

Nid gwerinwr – gwledig na threfol – oedd Saunders Lewis na'i gyndadau ers o leiaf ddwy genhedlaeth, ac roedd ei gysylltiadau â Chymru, yn enwedig â Chymry cyffredin, wedi bod yng nghefn gwlad Môn a Sir Gaerfyrddin. Nid oedd y syniad o Gymreictod Saesneg gwerinol yn debyg o fod yn rhywbeth y byddai wedi dod ar ei draws, yn bersonol nac ar glawr. Byddai'n debycach o fod wedi cyfarfod, neu ddarllen am, y math o Gymry Saesneg pendefigaidd y soniai Raymond Garlick amdanynt, ac roedd peth o'i waith ymchwil, a gyhoeddwyd fel *A School of Welsh Augustans*, yn ymwneud â'r byd hwnnw.

Hyd y gwelaf i, mewn troednodyn i erthygl ar 'The Present State of Welsh Drama', yn y *Welsh Outlook* yn Rhagfyr 1919, y ceir y cyfeiriad cyntaf ganddo at yr 'Anglo-Welsh' mewn print, wrth iddo drafod cyflwr y ddrama Gymraeg. (Mae'n ddiddorol sylwi, wrth fynd heibio, mai cerddi Cymraeg yn bennaf sydd yn adran lenyddol y cylchgrawn Saesneg hwnnw.) Ond rhaid disgwyl am bron ugain mlynedd cyn cael ymdriniaeth sylweddol ganddo â gweithiau ac ymwybyddiaeth y Cymry sy'n ysgrifennu yn Saesneg. Yn gyntaf, cafwyd darlith i gangen y brifddinas o Urdd y Graddedigion yn 1938, *Is there an Anglo-Welsh Literature?*, ac wedyn sgwrs radio, 'By Way of Apology', a gyhoeddwyd yn *Dock Leaves* yn 1955. Mae'r ddwy yn nodweddiadol ohono: ar y naill law yn cymryd safbwynt gweddol eithafol, wrth wrthod cydnabod fod llenyddiaeth Eingl-Gymreig, ac, ar y llaw arall, yn ymddiheuro i'w gyd-wladwyr Saesneg am iddo droi at iaith fechan oedd ar ymylon pethau, ac yn prysur ddihoeni ar y pryd.

Dim ond yn 1937, flwyddyn cyn darlith Saunders Lewis, yr oedd y term 'Anglo-Welsh' – gyda'r dyfynodau hyn – wedi ennill lle gweddol swyddogol, yn erthygl olygyddol Keidrych Rhys yn rhifyn cyntaf *Wales*. Cymro Llundain oedd Keidrych, ond un a ddeallai Gymraeg. Flwyddyn ar ôl y ddarlith, ymddangosodd y *Welsh Review* dan olygyddiaeth Gwyn Jones, Cymro di-Gymraeg y pryd hynny, o Goed-duon yng Ngwent. Ef yw'r ffigur mwyaf allweddol yn y mudiad Eingl-Gymreig, fel awdur, beirniad, academydd a golygydd, ac arweinydd y brif ffrwd ynddo. Gŵr a symudodd o'i ystyried ei hun a'i waith fel rhywbeth rhanbarthol, yn perthyn i ran o Brydain ac i brofiad un dosbarth cymdeithasol, at y ddirnadaeth yn y diwedd mai awduron Cymreig, os nad Cymraeg, oedd ef a rhai fel Glyn Jones a'u tebyg. Cymhellodd nifer o rai eraill i weld hynny hefyd, ac i fodloni i ildio'r term 'Welsh' i lenyddiaeth ac awduron Cymraeg, er na chydnabu beirniaid o Saeson hynny am hydion. Ef a ddangosodd inni i gyd, yn y diwedd, mai awduron rhanbarthol o fewn byd llenyddol Cymru oedd y rhai Eingl-Gymreig yng nghymoedd y de, yn hytrach na rhai rhanbarthol Brydeinig.

Fel Saunders Lewis, fe ddarganfu yntau Gymru benbaladr a phob oes, a threiddio i adnabyddiaeth ddofn ohoni, gan ddwyn ei ddilynwyr ar ei ôl. Dagrau pethau yw iddi gymryd cenhedlaeth bron i awduron Cymraeg, dan arweiniad D. J. Williams ac Aneirin Talfan Davies, Saunders Lewis ac eraill, gydnabod dilysrwydd profiad a safiad a gwaith Gwyn Jones a'i debyg. Fe gymerodd yr un faint i'r rhan fwyaf o'r awduron Eingl-Gymreig werthfawrogi safiad y rhai Cymraeg hefyd. Bu cecru ac ymddygiad snichaidd o'r ddeutu, ond bu haelioni hyfryd yn y diwedd. Gwelir hynny yn agwedd Gwyn Jones at Saunders Lewis yn ei ddarlith Warton yn 1981, ar 'Three Political-Prayer Makers of the Island of Britain', sydd mor wahanol i'r portread difrïol braidd o Saunders yn ei *Welsh Review* yn 1946. O ochr Saunders Lewis, wedyn, mae trobwynt mawr i'w weld erbyn y sgwrs farwnadol a draddododd ef drannoeth marwolaeth Dylan Thomas, yn 1953; sgwrs a wrthddywedodd ei farn am Dylan fel Cymro – nid fel artist – yn y ddarlith honno yn 1938.

Gadewch inni ystyried yr hyn a ddywedodd Saunders yn y ddarlith honno, ei ddatganiad swmpus cyntaf ar y pwnc.[6] Mae'n mynd ati'n syth i godi'r cwestiwn – a yw gofyn 'A oes yna Lenyddiaeth Eingl-Gymreig?' yn golygu gofyn, 'A oes yna genedl Eingl-Gymreig?' Cwestiwn od i ni, erbyn heddiw, ond mae'n hen syniad fod iaith a chenedligrwydd yn gyfystyr. Yr oedd Bertrand Russell yn credu fod y Cymry Cymraeg yn genedl, ond nid y Cymry, a phobl fel St John Gogarty a Yeats yn Iwerddon, ar brydiau, yn credu fod yna'r fath beth â'r genedl Eingl-Wyddelig neu Brotestannaidd. I Saunders, yn y ddarlith, yr unig rai yng Nghymru a allai hyd yn oed ystyried am eiliad eu bod yn genedl ar wahân oedd pobl de Penfro. Ardal, wrth gwrs, lle bu Raymond Garlick, wedyn, yn gweithio am gyfnod hir – y gŵr a atebodd ddarlith Saunders Lewis mewn darlith arall dan yr un teitl, eto yn y brifddinas, yn 1960.

Pwynt mawr cyntaf Saunders Lewis oedd mai term llenyddol oedd 'Eingl-Gymreig', nid un gwleidyddol, ac nad oedd cenedl Eingl-Gymreig yn bod. Aeth rhagddo i atgoffa'i wrandawyr nad oedd beirniaid Lloegr, bron yn ddieithriad, yn cydnabod y term, a'u bod yn galw pobl fel Edward Thomas a W. H. Davies yn awduron Cymreig. Diffiniodd Saunders awdur Eingl-Gymreig yn yr un termau ag y disgrifia Glyn Jones ei hun, fel 'Cymro sy'n sgrifennu am Gymru a bywyd Cymru yn yr iaith Saesneg', gan warafun y teitl, ar y naill law, i bobl megis George Borrow a Theodore Watts-Dunton, ac awduron eraill o'r tu allan, sydd wedi dewis Cymru neu themâu Cymreig ac, ar y llaw arall, i awduron o Gymry oedd am ysgrifennu am bethau nad oedd a wnelo hwy'n uniongyrchol â Chymru. Wrth wneud hyn roedd yn tueddu i gyfyngu ar themâu a deunydd unrhyw awduron Eingl-Gymreig. Aeth ati, hefyd, i warafun y teitl i awduron sydd wedi'u geni neu wedi byw yng Nghymru, ond sy'n ysgrifennu o fewn y traddodiad llenyddol Seisnig, a'u diddordeb yn y wlad hon yn ddamweiniol neu'n gymdeithasol yn unig. Ymysg awduron o'r fath gosododd Richard Hughes a Dylan Thomas. Wrth drafod Dylan, aeth ati i olrhain dylanwad Bunyan ar linell ganddo am gerdded drwy anialwch y byd yma. Roedd yn gwerthfawrogi'r darn, ond yn mynnu nad oedd dim byd yn 'heiffenedig' ynghylch Dylan Thomas: 'Mae'n perthyn i'r Saeson.' Cawn weld i'w farn newid yn llwyr.

Y peth nesaf a gaed yn y ddarlith oedd cydnabyddiaeth fod grŵp o Gymry sy'n ysgrifennu yn Saesneg ond â'u cefndir a'u themâu yn gyson Gymreig. Ond nid oedd hynny yn golygu fod llenyddiaeth Eingl-Gymreig, ar wahân i lenyddiaeth Saesneg, 'ag iddi ei chymeriad a'i thraddodiadau ar wahân'. Yma, mae'n troi i gymharu sefyllfa Cymru ag Iwerddon, gan bwyso ar syniadaeth Daniel Corkery, a ddosrannodd awduron Iwerddon yn ôl ar gyfer pwy yr oeddynt yn ysgrifennu: ai ar gyfer y Saeson neu'u cyd-wladwyr.

Roedd Saunders yn dal, hefyd, fod byd y werin Babyddol, anfaterol ac anniwydiannol yn Iwerddon yn fyd hollol ar wahân i Loegr. Ymhellach, roedd gan y bobl hynny eu Saesneg eu hunain, iaith gyfoethog ei hidiomau a'i llên a'i chanu gwerin, ac yn rhydd o unrhyw adleisiau neu rythmau o'r traddodiad Seisnig. Hynny yw, roedd yn cydnabod arwahanrwydd Saesneg Iwerddon oherwydd ei bod yn

> iaith frodorol gwerin (*peasantry*) draddodiadol . . . ac wedi tyfu yn ystod y cyfnod yna, . . . i fod yn beth ar wahân, o safbwynt rhythmig, emosiynol ac idiomatig, i bob tafodiaith yn Lloegr ddiwydiannol . . . [Cyfieithiad yr awdur presennol.]

Y pwynt olaf oedd fod yr awduron Gwyddelig a sefydlodd lenyddiaeth Eingl-Wyddelig yn arddel traddodiadau'r iaith Wyddeleg, a'u bod yn genedlaetholwyr ymwybodol a bwriadol. Nid dyna'r sefyllfa a welai Saunders yng Nghymru. Roedd yn rhaid aros hyd 1965 cyn i Meic Stephens, wrth lansio *Poetry Wales*, allu haeru bod yr holl feirdd yn y cylchgrawn yn Gymry cenedlaetholgar.

Dyna'r pedwar amod, ac yn ôl y rhain cafodd Saunders Lewis yr awduron Saesneg eu hiaith, a'u gwaith, yn brin o fod yn haeddu'r enw llenorion, a llenyddiaeth, Eingl-Gymreig. Byd y de diwydiannol oedd eu byd hwy wedi'r cwbl, yn y nofel yn arbennig. Nid oeddynt, yn ei feddwl ef, yn ymdrin â bywyd y genedl, yn enwedig gan mai ymwneud â bywyd diwydiannol yr oeddynt. Methodd â dirnad mor ganolog oedd y bywyd hwnnw i'r Cymry, o Fethesda a'r Wyddgrug i gymoedd y de. I Saunders Lewis: 'Diwydiannaeth sy'n distrywio cenhedloedd, yn diraddio dyn i fod yn ddim ond pâr o ddwylo a chymuned i fod yn dorf.'

Agwedd od arall ar y ddarlith yw ei sôn am Geltiaeth. Yn anaml iawn y cyfeiriodd at y pwnc, a hynny fel arfer yn ddilornus, ond yn y ddarlith hon mynnai fod 'y bobloedd Geltaidd yn gynhenid anaddas ar gyfer diwydiannaeth'. Dim ond nofel am frwydr cymuned frodorol, ac iddi rywfaint o draddodiadau diwylliannol, yn ymdrechu i gynnal ei threftadaeth yn erbyn pwysau y peiriant diwydiannol cosmopolitanaidd sydd am wastatáu popeth, dim ond nofel felly fyddai'n haeddu cael ei hystyried yn rhan o lenyddiaeth Cymru. Nofel am frwydr hanfodol ysbrydol fyddai honno, wrth gwrs.

Methodd, yma eto, â dirnad yr elfen ysbrydol ym mrwydr gwerin y graith yn erbyn gormes economaidd. Haerodd mai dim ond am fod nofelau proletaraidd a chymdeithasol yn y ffasiwn yn Lloegr ar y pryd y daeth llwyddiant i ran y nofelwyr Cymreig a oedd yn disgrifio'r dirwasgiad economaidd.

Nid oedd gan bobl y cymoedd Saesneg ar wahân, meddai eto; nid fel pobl de Penfro, Maesyfed a de Gŵyr. Iaith diwydiannaeth oedd Saesneg y cymoedd, yn disodli iaith 'gweddillion hen fywyd cymdeithasol y cefn gwlad yno . . .' Dyna grynhoi holl feddylfryd y gerdd 'Y Dilyw 1939', onid e?

Mae'n deg cydnabod, er hynny, fod llawer o'r hyn a ddywedodd Saunders Lewis yn hollol gywir, wrth gwrs, yn gyffredinol. Nid oedd gan y Cymry Saesneg traddodiadol, ar wahân. Yr oedd yr iaith frodorol yn dal yn fyw, a'i thraddodiad llenyddol yn ddi-dor. Er iddo iawn ddifrïo llawer o'r llenyddiaeth gyfoes Gymraeg, yr oedd yn deg iddo honni fod y Gymraeg yn dal yn gyfrwng teilwng ar gyfer llenydda ynddi.

Yr hyn sy'n anffodus, o leiaf wrth edrych yn ôl, ac yn drist, yw na fedrodd weld fod pobl y cymoedd wrthi'n datblygu Saesneg Cymreig, iaith a thafodiaith liwgar, idiomatig, ac iddi ei rhythmau a hyd yn oed ei llên gwerin (newydd) ei hun – a llawer o hyn oll yn tarddu i raddau helaeth o'r Gymraeg a'r bywyd gwledig a oedd yng nghefndir cymaint o drigolion y cymoedd. Ac wrth roi cymaint o bwyslais ar agweddau gwleidyddol a chymdeithasegol llenyddiaeth, yr oedd yn cynnig cyfiawnhad i farn rhai a haerai fod Cymreigrwydd gwaith yn bwysicach na'i werth llenyddol, gan yrru rhai ohonynt i'r eithaf arall. Roeddem ymhell o'r sefyllfa braf lle gallai'r *Times Literary Supplement* ddweud, ar ôl cyhoeddi llyfr Raymond Garlick, *Introduction to Anglo-Welsh Literature*, yn 1970:

> There has been debate in the past, sometimes impassioned, occasionally bitter, whether in Anglo-Welsh poetry the poetry was more important than the Welshness, or the Welshness than the poetry. The debate may be resolved pragmatically by the practice of that increasing number of poets who are making the two things one.

~

Rhaid cofio o hyd mai o Lerpwl, a *via* Ffrainc, yr Eidal a Groeg, y daeth Saunders Lewis i fyw i Gymru yn y lle cyntaf, a hynny ar ôl bod ym Mhrifysgol Lerpwl yn astudio Saesneg, ac yn y Rhyfel Mawr. Ac roedd yn aelod o'r dosbarth breintiedig hwnnw, teuluoedd y mans, a gafodd addysg a chefndir o addysg, ynghyd â pheth statws cymdeithasol ac weithiau bywyd gweddol fras. Oedd, yr oedd Saunders Lewis wedi ei fagu ar aelwyd Gymraeg, gyda morynion Cymraeg o Sir Fôn yn dod yno i weini. Roedd yn mynd i Fôn Gymraeg ar wyliau hefyd – mae hynny i gyd yn wybyddus o'r cyfweliad gydag Aneirin Talfan Davies yn y gyfres 'Dylanwadau' (Mai 19, 1960, a gyhoeddwyd wedyn yn *Taliesin*, Nadolig 1991). Ond iaith dydd Sul oedd y Gymraeg iddo ar y cyfan. Saesneg, Saesneg Lloegr, oedd iaith ei addysg, ei gyfeillion, ei ddarllen a deffroad ei ddychymyg – a defnyddio term hollbwysig Glyn Jones yn y cyd-destun hwn. Saesneg, hefyd, oedd iaith ei garwriaeth ddeng mlynedd gyda Margaret Gilcriest, a ddaeth yn wraig iddo; carwriaeth a gyfryngwyd trwy lythyru'n bennaf, oherwydd eu gwahanu gan ryfel ac enwadaeth.

I bob pwrpas, Sais ifanc llengar oedd y John Saunders Lewis a ymunodd â'r *South Wales Borderers* yn 1914, a mynd i uffern ffosydd Ffrainc. Gallai yntau, fel mab y mans Cymraeg arall, Goronwy Rees, fod wedi dewis bod yn ddyn llên Saesneg a Seisnig. Mae'n dweud hynny yn 'By Way of Apology', ond fe aeth Saunders, fel ei gyfaill mynwesol ymhen blynyddoedd, yr awdur a'r arlunydd o hanner Cymro, David Jones, i Ffrainc, ac ym merw'r llaid a'r lladd, ac wrth orffwys mewn ysbytai ar ôl cael ei glwyfo yn 1917, cafodd gyfle i'w ddarganfod ei hun, ac adnabod ei wreiddiau. Erbyn hynny roedd ganddo gynhysgaeth helaeth o syniadau a chysyniadau ac o ddelweddau y bu'n eu cywain o ddarllen fwyfwy mewn Cymraeg, yn ogystal â Saesneg, ac mewn Ffrangeg hefyd; yno y darllenodd Yeats a T. Gwynn Jones a Barrès a llu o rai eraill. Ar ddiwedd y rhyfel cafodd fynd drwy'r Eidal i Athen, a threulio cyfnod yno. Trwy gydol y cyfnod cythryblus, chwyldroadol hwn, roedd yn gohebu'n helaeth a rheolaidd – yn Saesneg – â Margaret, ei ddarpar wraig, ac â chyfeillion ysgol a choleg. Ac nid oes yr un cyfeiriad at waith awduron Saesneg Cymru yn y llythyrau a ddaeth i'r fei, er bod *My People* a *Welsh Poets* wedi ymddangos. Yn y llythyrau adref o 'Wormwood Scrubs' yn 1937, mae un cyfeiriad at awdur Eingl-Gymreig, Richard Llewellyn. Yr oedd wedi ei gyfarfod ar ôl perfformiad o'i ddrama *The Poison Pen*, y tu fewn i'r carchar, a'i hoffi. Fe'i gwelai fel Cymro gwlatgarol o Benfro, ac addawyd y byddent yn cyfarfod eto. Tybed a ddigwyddodd hynny? Er ei magu yn Lerpwl, Gwyddeles oedd Margaret, o dras Eingl-Wyddelig – yr *Anglo-Irish*; y crach-ach Protestannaidd; pobl y Tai Mawr a ddisgrifiwyd yn fythgofiadwy gan Brendan Behan fel 'Protestaniaid ar gefn ceffyl'. Roedd y ddau'n sylweddoli cymhlethdod sefyllfa'r di-Wyddeleg yn Iwerddon yn sgil y dadeni llenyddol a gwleidyddol. Ceir nifer o gyfeiriadau at Daniel Corkery yn llythyrau Saunders ati. Hwnnw oedd wedi difrïo'r rhai a ysgrifennai ar gyfer cynulleidfa Seisnig, estron – a fyddai'n chwerthin 'with foreign jaws' at wendidau'r Gwyddyl. Roedd disgwyl i Wyddelod fod yn wlatgarwyr ym mhopeth, bellach.

Er ei fod ef ei hun yn athro Saesneg ac yn llenydda yn yr iaith honno – yn ogystal â bod yn beintiwr – roedd Corkery am i bobl ddysgu'r Wyddeleg, a chefnu ar y Saesneg. Yr oedd Yeats a Synge wedi troi'n ôl at lenyddiaeth a chwedlau gwerin yr Wyddeleg, at hen hanes a thrysorau llenyddol y genedl, ac am ysgrifennu ar gyfer eu cyd-wladwyr. Ond Saesneg fyddai cyfrwng eu llenydda, ac roedd rhywfaint o dyndra rhwng y ddwy garfan. Ond nid oedd lle gan y naill na'r llall i awduron a fynnai bardduo'u cenedl – rhywbeth y cyhuddid Caradoc Evans ohono, fel y cyhuddwyd Dylan Thomas gan Thomas Parry pan gyhoeddwyd *Under Milk Wood*.

Roedd Margaret Gilcriest yn cefnu ar Seisnigrwydd ei chefndir teuluol ac yn dysgu Gwyddeleg, fel yr oedd Saunders yntau, a'r ddau'n ei defnyddio rywfaint yn eu llythyrau. Does dim dwywaith nad oedd posibilrwydd y gallent fod wedi penderfynu byw yn Iwerddon yn hytrach na Chymru; nid oedd y naill na'r llall wedi byw yn yr un o'r ddwy wlad, ac eto nid oeddynt am aros yn Lloegr. Yn y man, fe fentrodd Saunders geisio efelychu Synge, a llunio 'Saesneg Cymreig' ar gyfer ei ddrama *The Eve of Saint John* (1921), ond methiant fu'r arbrawf. Nid yr un oedd y sefyllfa yng Nghymru ag yn Iwerddon. A bod yn rhesymegol, doedd dim amdani, fel y dywedodd yn 'By Way of Apology', ond meistroli'r Gymraeg ac ymroi i lenydda ynddi hi.

Yn gyffredinol, roedd y ddau gariad yn ystyried Cymru yn wlad hanfodol Gymraeg ac, fel llu ohonom, wedi cyfystyru Cymreigrwydd â Chymreictod. Roeddynt hefyd wedi ymserchu yn harddwch cefn gwlad Môn a Dyfed, 'o olwg hagrwch cynnydd'; roedd Margaret wedi treulio amser yng Nghaergybi ac Aberystwyth, ac nid oedd y naill na'r llall â phrofiad o'r ardaloedd diwydiannol. Glannau'r Fenai a sŵn y Gymraeg ar wefusau plant sy'n denu serch Saunders yn un o'i lythyrau ati (19.6.18), pan oedd yn disgwyl gorchymyn y Swyddfa Ryfel i fynd i Athen. Peth diweddar ac aliwn oedd Cymreictod di-Gymraeg iddynt; rhywbeth i'w wneud â diwydiannaeth a dylanwad Lloegr. Y Gymraeg oedd yr iaith hanesyddol, ac iddi lenyddiaeth hen a pharhaus, a hi oedd yr iaith genedlaethol neu nid oedd hi'n ddim, na Chymru'n genedl. Hi oedd y symbol o'n statws fel cenedl. Roedd hi'n un o hen ieithoedd Ewrop, a'i llenyddiaeth wedi bod yn un o'r tair pwysicaf yn yr Oesoedd

Canol. Hi oedd yr 'unig wrthglawdd rhyngom a diddymdra', chwedl Emrys ap Iwan.

Mae'n debyg i Saunders Lewis ddarllen llyfrau A. G. Prys-Jones a Caradoc Evans yn y blynyddoedd cyntaf ar ôl dod yn ôl o'r rhyfel, os nad ynghynt. Hwyrach iddo ddarllen am Ernest Rhys a'i berthynas â Yeats, a fyddai wedi bod o ddiddordeb iddo, ond does dim sôn am hynny. Nid oedd Prys-Jones, a oedd yn cynnig rhyw lastwr fel cynnyrch gorau Cymru, na Caradoc Evans, a oedd yn anelu at greu gwên ar 'foreign jaws', yn debyg o fod wedi denu'r Saunders ifanc i fod yn awdur rhanbarthol Seisnig!

A dyna oedd awduron Saesneg Cymru i feirniaid y tu allan i Gymru, i feirniaid Cymraeg, ac iddynt hwy'u hunain i raddau helaeth, cyn i Gwyn Jones a'i debyg greu'r sefyllfa newydd. Pan oedd y Saunders ifanc yn chwilio am ei wreiddiau, yn tueddu tuag at gefn gwlad Cymru a thua Rhufain, ac yn derbyn ysbrydoliaeth o 1916 yn Iwerddon, roedd digwyddiadau 1917 yn Rwsia bell yn llawer pwysicach i ddynion y cymoedd. Eilbeth oedd iaith a diwylliant i'r broblem o osgoi difodiant. I Saunders, Philistiaeth fyddai hynny: rhoi bara o flaen ceinder. Yn yr un modd, ymhen blynyddoedd, pan oedd Saunders yng nghanol helynt yr Ysgol Fomio, Rhyfel Cartref Sbaen oedd yn denu sylw sosialwyr y cymoedd, gan gynnwys llawer o'r awduron Eingl-Gymreig.

O gofio'r cefndir Seisnig a Gwyddelig, does ryfedd i Saunders – pan ddaeth i fyw i Gymru – anelu at ddiddymu'r iaith a'r diwylliant Saesneg o'r wlad. Fe welir hyn ym mholisi'r Blaid Genedlaethol tuag at y Gymraeg, polisi a luniwyd gan Saunders Lewis ei hun. Fel y wladwriaeth newydd yn Iwerddon, roedd y blaid newydd yng Nghymru am ddisodli'r Saesneg a gorseddu'r heniaith frodorol fel

> unig gyfrwng addysg o'r ysgol elfennol hyd at y brifysgol . . . yn unig iaith swyddogol Cymru, yn iaith y llywodraeth yng Nghymru, yn iaith pob cyngor sir a thref a dosbarth . . . a'r llysoedd cyfraith . . . Mewn gair, rhaid i holl fywyd cymdeithasol Cymru, a phob offeryn bywyd cymdeithasol, ei addasu at un amcan yn gyson a di-ŵyro: sef gwareiddiad Cymreig i Gymru. Felly'n unig y cedwir cadwyn hanes a diwylliant a bywyd gwareiddiedig yn ddidor yn y rhan hon o'r byd, a'n cysylltu ni â'n gorffennol, a rhoi inni fonedd a thraddodiad a sefydlogrwydd a datblygiad buddiol.[7]

Yr oedd Saunders Lewis am ddiddymu'r iaith Saesneg o'r wlad hon, yn osgystal â diddymu diwydiannaeth, sef sail bywyd y cymoedd, er mor fregus oedd y sail honno. Y cymoedd lle y cafodd cynifer o William Jonesiaid y byd hwn loches rhag tlodi affwysol, am gyfnod o leiaf, cyn y dirwasgiad. Mewn darlith i Gatholigion Caerdydd yn 1934, mae'n dweud hyn:

> Heddiw daeth cyfnod y datblygiad diwydiannol yn Ne Cymru i ben. Ni ddylem ofidio oblegid hynny. Cyfnod creulon a chyfnod o farbareiddio fu hwn i Gymru. Erys ei effeithiau anhapus gyda ni yn eu herchylltra yn awr. Ond rhaid inni sylweddoli heddiw inni gychwyn eisoes ar gyfnod newydd yn hanes Cymru.
>   . . . Fe ddaw'r adeg yn fuan pan na fedrwn oddef dad-ddiwydiannu yn unig. Fe'n gorfodir i'w gynllunio . . . Fe ddychwel y Cymry, yn niferoedd cynyddol, i'r tir, a sefydlir trefn deuluol wledig a bywyd amaethyddol yng Nghymru . . . Ac os yw'r ymgais honno i lwyddo, yna rhaid cysylltu'r mudiad â Chymru Gymraeg. Rhaid iddo fod yn Gymreig o ran iaith, meddwl a diddordeb.[8]

Mae hynny'n hollol gydnaws, wrth gwrs, ag egwyddorion *Canlyn Arthur*, ac yn rhagflas arall o linellau megis 'Yma y bu unwaith Gymru' yn y gerdd 'Y Dilyw 1939'.

Gwyddelod yn bennaf oedd ei gynulleidfa i'r ddarlith honno yn 1934, yn hanu o gefn gwlad bron yn ddieithriad. Gresyn i Saunders, er i hynny fod yn ddiarwybod iddo dybiwn i, gyf-ranogi i ryw raddau o'r meddylfryd yn yr Iwerddon newydd a oedd yn tra-dyrchafu'r 'bywyd syml, gwledig', ac a oedd yn feddylfryd cul, sensoraidd yn y bôn, yn mynnu dibrisio popeth dinesig – gan gynnwys llawer iawn o weithgarwch awduron Saesneg y wlad. Efallai mai goradweithio yr oedd Saunders i'w gefndir dinesig a rhyngwladol, ac yn sicr yr oedd yn rhamantu cefn gwlad Cymru ac Iwerddon.

Mae'n resyn, hefyd, i awdur y gyfres 'Yr Artist yn Philistia' a'r nofel *Monica*, am amryfal resymau, fethu dirnad yr ing a ddioddefodd cymeriadau *My People* Caradoc Evans, oherwydd y culni a'r tlodi y dangosodd W. J. Rees (yn *Planet*, Gorffennaf 1990) eu bod yn bodoli yn ardal enedigol yr awdur hwnnw, ac ar raddfa hollol wahanol i'r hyn a geid yn ardal gyfagos D. J. Williams. Fe gymerodd amser hir i Saunders Lewis gydnabod dilysrwydd llenyddiaeth yr Eingl-Gymry, a oedd yn mynegi profiadau'r werin ddifreintiedig, wledig a threfol ac – yn arbennig – byd y cymoedd. Erbyn iddo wneud hynny, roedd llawer o'r rhai disgleiriaf o blith yr awduron hynny wedi ymwrthod â'r syniad o fod yn awduron Eingl-Gymreig, os nad o fod yn rhai Cymreig, yn rhannol oherwydd ei agwedd ef tuag atynt. Yn eironig, ymhen amser a than ei ddylanwad ef, byddai R. S. Thomas ac Emyr Humphreys yn cytuno ag agwedd pobl megis Daniel Corkery mai'r Gymraeg a ddylai fod yn brif, os nad yn unig, iaith Cymru, tra'n dal i orfod defnyddio Saesneg fel prif gyfrwng eu llenydda. Mae'u safle ingol hwy rywle rhwng Yeats a Corkery, ond y llinyn mesur iddynt – fel i Yeats a Synge a'u tebyg – yw, nid am beth yr ydych yn ysgrifennu, ond ar gyfer pwy. Hwyrach mai dyna pam y mae'r ddau Gymro hyn mor anfodlon arddel y term Eingl-Gymreig.

Hwyrach y gellir hawlio, hefyd, fod a wnelo dylanwad ac esiampl Saunders Lewis â'r ffaith i Gwyn Jones ac eraill fynd i arddel Cymreictod fel eu prif label fel llenorion. Yn ei dro, mae Gwyn A. Williams wedi cyfaddef yn ddiweddar iddo yntau ei chael yn anodd peidio â chydnabod mawredd Saunders ar ôl ei astudio, yn enwedig fel bardd – beth bynnag am ei agweddau mewn cerddi megis 'Y Dilyw 1939'.

Yn yr union gyfnod pan oedd ef wrthi'n llunio polisi iaith y Blaid Genedlaethol, ac yn helpu i lunio'r polisïau economaidd, yr oedd Saunders Lewis yn dal ati i dreiddio i adnabyddiaeth ddyfnach o hyd o dreftadaeth lenyddol ei hen wlad newydd, ar ôl symud iddi. I Gaerdydd yr oedd wedi dod yn gyntaf, yn 1921, ac yna i Abertawe y flwyddyn wedyn. Roedd bywyd newydd, heriol, gwrth-Fictoraidd yn tyfu mewn llefydd fel Rhiwbeina, lle bu Kate Roberts, W. J. Gruffydd, R. T. Jenkins a Caradog Prichard yn ymwneud â'i gilydd ar wahanol adegau yn y cyfnod hwn. Bu Rhiwbeina'n bwysig iawn yn hanes llenyddiaeth Eingl-Gymreig hefyd yn y man, wrth gwrs, gyda Gwyn Jones, Glyn Jones a Jack Jones yn ymgynnull yno, ond y dreftadaeth Gymraeg oedd yn blodeuo yno pan gyrhaeddodd Saunders y brifddinas, a honno oedd yn ei ddenu. Er ei fod yn ysgrifennu'n bennaf mewn papurau a chylchgronau Saesneg, i lenyddiaeth Gymraeg y rhoddai ei deyrngarwch. Teimlai fod ei chyfoeth wedi ei esgeuluso er i'r wlad golli ei rhyddid yn llwyr dan y Deddfau Uno, ac yn ystod teyrnasiad Philistiaeth yn y ganrif ddiwethaf. Nid oedd blewyn ar ei dafod wrth iddo ymosod ar weithiau dibwys, ac ar daeogrwydd a chulni ei gyd-wladwyr. Ond roedd ychydig yn fwy gochelgar, dybiaf i, wrth ymosod ar

Ymneilltuaeth ei dadau, er iddo wneud hynny'n anuniongyrchol drwy *Monica* a'r astudiaethau ar Daniel Owen ac eraill. Roedd eisoes wrthi'n troi'n Babydd, ac efallai fod arno ofn brifo'i dad a'i deulu, ac yn sicr fe gymerodd amser hir cyn ymuno ag Eglwys Rufain yn ffurfiol. Ond yr oedd gwrthryfela'n agored yn erbyn culni Anghydffurfiaeth, yn ogystal ag arddel tueddfryd sosialaidd, yn elfen hollbwysig yn y mudiad Eingl-Gymreig, fel y dangosodd Gwyn Jones.

Er mai ystyriaethau diwylliannol, nid y profiad o dlodi, a wnâi iddo ymwneud â gwleidyddiaeth – yr artist a'r academydd wedi dod i lawr o'i dŵr ifori i faes y farchnad – mae'n deg dweud yr un pryd nad sosialaeth oedd yr unig elyn economaidd i wareiddiad Cymru a welai Saunders; yr oedd yntau'n casáu'r gyfalafiaeth a oedd, yn ei farn ef, yn gymar i sosialaeth, yn diraddio dynion, gan eu troi'n awtomatonau a'u hamddifadu o gynhaliaeth traddodiad a chymuned. Cyfranogai o deimladau gwrthddiwydiannol pobl fel Blake a William Morris. Ardaloedd fel Môn a Sir Gaerfyrddin oedd y wir Gymru iddo, lle câi dynion fyw bywyd ystyrlon, llawn, a chydweithredu mewn cymuned-au a chymdeithasau a'u gwnâi'n llawer mwy na deiliaid gwladwriaeth a chyfranwyr llafur. Creithiau'n dilyn treisio ac ysbeilio cymunedau o'r fath oedd cymoedd y de iddo. Ond wrth i bethau begynu, bron yn hysteraidd, ac i sosialwyr y de ogwyddo tuag at gomiwnyddiaeth, aeth ei bwyslais ef i edrych – ac i fod – yn fwyfwy ceidwadol.[9]

Yn y cyswllt hwn, mae'n ddiddorol edrych ar sefyllfa Glyn Jones – cyfaill gwiw i Gwyn Jones, Jack Jones, John Ormond, Idris Davies, Huw Menai, Dylan Thomas a nifer o'r Eingl-Gymry eraill, ac un o bileri'r achos Eingl-Gymreig. Glyn oedd un o'n hawduron mwyaf cynhyrchiol a phwysig yn y Saesneg, a byddai'n ymffrostio na fu ganddo erioed unrhyw awydd i ysgrifennu am unrhyw wlad nac unrhyw bobl ond ei rai ei hun. Yr oedd yn awdur oedd yn siarad Cymraeg yn rhugl, wedi cyfieithu ohoni, ac wedi ceisio pontio rhwng rhai mor bell oddi wrth ei gilydd o ran cefndir â Dylan Thomas a D. J. Williams; awdur wedi ei eni a'i fagu yn un o ganolfannau pwysicaf y Chwyldro Diwydiannol, sef Merthyr Tudful, ac yn sosialydd o ran agwedd meddwl o leiaf. Eto fe arhosodd yn ffyddlon i Anghydffurfiaeth gydol ei oes. Cymharer ei olwg ef ar Ferthyr a Dowlais ag un Saunders Lewis yn 'Y Dilyw 1939'. Mae Glyn yntau'n gweld y llanastr, ac yn edrych arno gyda llygad swrrealaidd, fel Saunders, ond mae'n adnabod y bobl, yn ymwybodol o'r gymuned, ac – er gwaethaf pawb a phopeth – yn ei charu:[10]

> Lord, when they kill me, let the job be thorough
> And carried out *inside* that county borough
> Known as Merthyr, in Glamorganshire,
> A town easy enough to cast a slur
> Upon, I grant. Some Cyclopean ball
> Or barn-dance, some gigantic free-for-all,
> You'd guess, had caused her ruins, and those slums –
> Frightening enough, I've heard, to daunt the bums –
> Seem battered wreckage in some ghastly myth,
> Some nightmare of the busting aerolith.
> In short, were she a horse, so her attackers
> Claim, her kindest destination were the knackers.
> Yet, though I've been in Dublin, Paris, Brussels,
> London, of course, too, I find what rustles
> Oftenest and scentiest through the torpid trees
> Of my brain-pan, is some Merthyr-mothered breeze,
> Not dreams of them – a zephyr at its best
> Acting on arrogance like the alkahest.

I Glyn, ei adnabyddiaeth o'r lle sy'n ei alluogi i ddangos yr hyn sydd dan yr wyneb; y teimladau dynol, yn ogystal â'r olion distryw a welai Saunders:

> An object has significance or meaning
> Only to the extent that human feeling
> And intellect bestow them . . .

Lle mae Saunders yn gweld

> . . . tramwe'n dringo o Ferthyr i Ddowlais,
> Llysnafedd malwoden ar domen slag;
> Yma bu unwaith Gymru, ac yn awr
> Adfeilion sinemâu a glaw ar dipiau di-dwf;
> Caeodd y ponwyr eu drysau; clercod y pegio
> Yw pendefigion y paith;
> Llygrodd pob cnawd ei ffordd ar wyneb daear . . .[11]

gwêl Glyn, yntau, bethau cyffelyb – gan gynnwys llysnafedd malwoden:

> ... the moon
> Glistening sticky as snail-slime in the afternoon;
> Street-papers hurdling, like some frantic foal,
> The crystal barriers of squalls; the liquid coal
> Of rivers; the hooter's loud liturgic boom;
> Pit-clothes and rosin fragrant in a warm room –
> Such sensations deck a ruinous scene
> (To strangers) ...

Onid cyfeirio at Saunders Lewis a'i debyg y mae Glyn yma?
Wedi'r cwbl, mae Glyn yn perthyn:

> But far more than the scene, the legendary
> Walkers and actors of it, the memory
> Of neighbours, worthies, friends and relatives,
> Their free tripudiation is what gives
> That lump of coal that Shelley talks about
> Oftenest a puff before it quite goes out.
> My grandfather's fantastic friends ...
> My grandfather himself, musician, bard, – ...

Dyna dras Cymreig, i ateb ensyniad cerdd Saunders:

> Pit-sinker, joker, whom the Paddies starred
> As basser for their choir – so broken out!
> My undersized great granny, that devout
> Calvinist, with mind and tongue like knives;
> The tall boys from Incline Top, and those boys' wives ...

Onid oes yma sawl adlais arall o gerdd Saunders, ac adwaith iddi? Â'r gerdd honno ymlaen i regi'r gyfundrefn a greodd y sefyllfa, ar y llwyfan rhyngwladol, gan wneud camwri â'r Iddewon wrth fynd heibio. Gwarth a welodd Saunders Lewis yn y cwm y mae Glyn Jones mor dyner wrtho; nid oedd y 'dieithryn' wedi ymdeimlo â gwroldeb y trigolion yn ogystal â'u trueni. Roedd yn ffieiddio cymdeithas a fwynhâi'r sinema, y tefyrn tatws, milieist a'r *pool* pêl-droed, lluniau budrogion a phwdr usion y radio a'r wasg.

Mae'n wir fod yn y gerdd ddychan milain ar y rhai, yn eu 'Sbectol o gragen crwban a throwsus golff', sydd wedi creu a chynnal byd lle mae 'gwae mamau yn ubain/ Sŵn dynion fel sŵn cŵn yn cwyno ...' Ond wedyn mae'n beio'r bobl hyn am 'ymgreinio i glinig,/ A chodi cap i goes bren a'r siwrans a phensiwn y Mond ...'

Y gwir yw fod cafn affwys rhwng profiad gwŷr fel Glyn a Gwyn Jones a Gwyn Thomas ar y naill law – gwŷr a fagwyd yn y cymoedd ac a gafodd addysg a dianc o uffern y dirwasgiad a'r gormes yn y dauddegau, er na lwyddasant erioed i ddianc rhag yr atgof a'r atgno ynghylch y peth – a phrofiad aliwn, breintiedig Saunders Lewis ar y llaw arall – gŵr a ddihangodd o'i gefndir Seisnig dosbarth-canol i uffern ffosydd Ffrainc, ac yno cael cipdrem ar Gymru baradwysaidd y syrthiodd mewn cariad â hi. Does ryfedd iddo dyfu'n geidwadwr, nac i'r gwŷr o'r cymoedd droi at sosialaeth a chefnu, fel arfer, ar addewidion am well byd y tu hwnt i gymylau amser.

Disgrifir y bwlch rhwng y Cymry Cymraeg dysgedig a'r werin ddiwydiannol bryd hynny gan John Davies, yn *Hanes Cymru*, fel hyn:

> . . . yn y dauddegau, pobl a oedd 'o dan yr hatsys' o hyd oedd y Cymry Cymraeg, ac yn dal i gael eu trwytho mewn hunanddirmyg. Ond yn y degawd hwnnw ymddangosodd ffenomenon newydd, sef Cymry Cymraeg dosbarth-canol, hyderus eu Cymreictod. Yng Nghaerdydd y digwyddodd hynny'n bennaf, gyda W. J. Gruffydd ar flaen y gad. (Gallai'r dosbarth hwn fod yn hynod bell oddi wrth brofiadau trwch y Cymry. 'Blwyddyn ddu fydd 1926 i Gymru', ysgrifennodd Gruffydd ychydig wedi methiant y Streic Gyffredinol; 'nid oeddem ond yn prin ddysgu cynefino â cholli Prifathro Rees pan fu farw y Prifathro J. H. Davies'.)[12]

Does ryfedd, felly, i'r bobl yn y cymoedd droi at ddosbarth gweithio Lloegr a'r Alban, ac at gyfundrefnau gwleidyddol byd-eang, a hyd yn oed at iaith arall fyd-eang am achubiaeth. A bu hyn yn wir am y rhai oedd wedi codi uwchben y pwll glo a mynd i goleg. Collwyd y cyfle i asio'r dosbarth o bobl ddeallus, flaengar a oedd wedi ymddangos yn sgil y Rhyfel Mawr a'r rhyfel dosbarth, ac wedi cael addysg brifysgol, o dde a gogledd, gwlad a thref a chwm, i greu mudiad cenedlaethol dros iawn-derau dynol yn ogystal â rhai cenedlaethol.

I bobl y cymoedd y pryd hynny roedd sôn am ysblander y gwareiddiad Cymreig yn yr Oesoedd Canol, ac am werthoedd ysbrydol, am hawliau cenedl ac ati, yn medru ymddangos yn hollol amherthnasol, yn rhyw fath o Philistiaeth o chwith. Nid yw'n ddigon, chwedl Tomos Acwin, pregethu am flaenoriaeth y gwerthoedd ysbrydol wrth bobl sy'n llwgu. Ond honno oedd pregeth eofn Saunders, gan ddilyn *La Primauté du Spirituel* (Goruchafiaeth yr Ysbrydol) Maritain, o gychwyn y Blaid Genedlaethol hyd ei araith yn Eisteddfod Glyn Ebwy yn 1958, pan ymosododd ar y rhai oedd yn mynnu bara o flaen ceinder, ac yn y Ddarlith Radio yn 1962, pan fynnodd mai tynged yr iaith oedd yr unig fater gwleidyddol yr oedd yn werth i Gymry ymwneud ag ef yn y dwthwn hwn.

Yn rhifyn Gaeaf 1946 o *The Welsh Review*, yn dal dan olygyddiaeth Gwyn Jones, ceir portread dienw treiddgar o Saunders Lewis.[13] Mae ynddo lawer o glod iddo, ond awgrymir ei fod braidd yn amherthnasol wrth iddo fynnu disodli'r Saesneg â'r Gymraeg, yn enwedig yn ystod 'the trek of thousands of workers to the "employment" exchanges in Wales, and the trek of thousands of other workers, the young and vigorous, out of Wales'. Y cyhuddiad arall a wneir yw iddo fod yn amwys ynghylch Natsïaeth yn ystod yr Ail Ryfel Byd: '[while] a third of a million Welshmen and women fought with honour and faith against the beastliest tyranny with which history has yet blackened her pages'. Er hynny, gwelir cyfnod newydd yn ymagor yn achos Plaid Cymru:

> It has at last abandoned the fratricidal notion that a Welshman who does not speak Welsh is 'untouchable'; its headquarters have been moved from Caernarvon to Cardiff, and its campaign to convert the industrial south now rests on something more than a belief that the industrial south is a moral swamp which the wrath of God should long since have delivered over to a sheep-run.

Nid yw'r Athro Gwyn Jones am ddadlennu pwy luniodd y portread, ond mae rhai'n tybio mai ef ei hun oedd yr awdur.

~

Fel y dywed Emyr Humphreys yn *The Taliesin Tradition*, erbyn canol y tridegau roedd corpws o ysgrifennu Saesneg gan Gymry, ond roedd hollt amlwg yn ein byd llenyddol: 'Dwy iaith, dwy ffydd, dwy ffordd wahanol a chadarnhaol o edrych ar y byd, yn cydoesi yn yr un wlad fach: roedd yr iaith Gymraeg, a'r cenedligrwydd oedd ynghlwm wrthi, a'r Weriniaeth yn Sbaen ill dwy angen eu hachub.'[14]

Yr un pryd, wrth ddarllen Gwyn Jones, mae dyn yn gweld mor debyg oedd byd Coed-duon ar ddechrau'r Rhyfel Mawr, a'r tomenni'n gefndir i ffeiriau, corau ar ymweliad, dynion y ffisig rhad, efengylwyr ac ati, i fyd Bethesda Caradog Prichard yn *Un Nos Ola Leuad*. Ac roedd llawer o Gymraeg ar ôl yn y cymoedd y pryd hynny, er ei bod yn edwino, ac yn troi'n iaith 'ar farw', iaith a oedd yn amherthnasol i'r frwydr dros hawliau'r gweithwyr.

Mae'n deg cydnabod, hefyd, fod y Blaid Genedlaethol dan Saunders Lewis, a than ddylanwad y Drd D. J. a Noelle Davies, yn pledio math o sosialaeth gydweithredol, ar batrwm syniadaeth Grundvig a Llythyrau Bugeiliol y Pabau. Ond y ddelwedd a grëwyd oedd o bobl a oedd yn arswydo rhag sosialaeth yn hytrach na rhag ceidwadaeth.

Wrth gwrs, ar y cyfan, doedd dim Cymraeg rhwng yr awduron Cymraeg a'r rhai Eingl-Gymreig; nid oedd Gwyn Jones wedi dysgu Cymraeg yn gynnar; roedd Gwyn Thomas wedi'i friwio oherwydd i'w deulu gefnu ar y Gymraeg yn ystod ei oes ef, ac yntau am gyfiawnhau hynny; ac roedd Caradoc Evans hefyd wedi'i friwio gan dlodi a chulni affwysol a rhagrith ei gefndir – er yn llai cyfrwys a chynnil na Daniel Owen wrth ymateb i hynny. Jack a Glyn Jones ac Idris Davies oedd yr unig rai a fedrai'r Gymraeg, ond roedd Jack ac Idris i ffwrdd am ran helaeth o'r cyfnod cynnar hwn.

Ar y llaw arall, roedd y Cymry Cymraeg yn dra hyddysg mewn llenyddiaeth Saesneg. Roedd Saunders Lewis a W. J. Gruffydd wedi'i hastudio yn y brifysgol, ond nid oedd gan y naill na'r llall fawr i'w ddweud wrth yr hyn a ystyrient yn fratiaith (Saesneg) y de, er cymaint yr adleisiau o'r Gymraeg oedd ynddi. Petaent wedi medru ymateb iddi, hwyrach y buasent wedi sylweddoli nad wedi eu Seisnigeiddio yr oedd pobl y cymoedd, ond wedi eu gadael heb iaith ond y Saesneg, er bod tameidiau o'r Gymraeg o gwmpas ac adleisiau ohoni ym mhobman. Roedd llawer o Gymry Cymraeg cefn gwlad yn fwy Seisnigedig o ran agwedd meddwl a theyrngarwch gwleidyddol a chenedlaethol na phobl y cymoedd. Nid yr un peth o gwbl yw *Anglicization* a gorfod – neu hyd yn oed ddewis – defnyddio'r Saesneg.

Wrth gwrs, roedd Saunders Lewis am bwysleisio, o hyd ac o hyd, fod llenyddiaeth Gymraeg yn llenyddiaeth genedlaethol, i'w gosod ochr yn ochr â llenyddiaethau cenhedloedd fel Ffrainc a Lloegr a'r Eidal. Yr oedd Iwerddon yn wahanol, ac nid oedd yr un gydnabyddiaeth yr adeg honno ag sydd bellach i lenyddiaethau cenedlaethol yn ieithoedd eu cyn-ormeswyr. Er bod llenyddiaeth Eingl-Wyddelig dan arweiniad Yeats a Synge ac ati wedi profi'n batrwm ar gyfer awduron yr Unol Daleithiau, Canada, India'r Gorllewin a nifer o wledydd Affrica, Asia ac Awstralia, ar ei gorau llenyddiaeth ranbarthol oedd gwaith awduron cymoedd y de i Saunders. A chytunai rhai fel Gwyn Thomas mai llenyddiaeth ranbarthol, ond rhanbarthol Brydeinig, oedd gwaith pobl y cymoedd – llenyddiaeth de Cymru, neu, yn hytrach, De Cymru.

~

Pan ddigwyddodd helynt yr Ysgol Fomio, a'r diswyddo ar Saunders wedyn, a'r hollt a greodd hynny ym myd academaidd a llenyddol Cymru, sôn yr ydym am y byd Cymraeg. Ychydig iawn o awduron di-Gymraeg a fu'n ymwneud â'r ymgyrchoedd, nac â'r frwydr etholiadol wedyn dros sedd y Brifysgol yn 1943. Bryd hynny, mae rhestri cefnogwyr Saunders Lewis a W. J. Gruffydd fel Rhestr Anrhydeddau'r byd Cymraeg, wedi eu rhengu ar y naill ochr a'r llall, a rhai W. J. Gruffydd yn cynnwys llawer o rai a fu gynt yn y Blaid Genedlaethol, ond a oedd wedi troi oddi wrthi yn sgil ei niwtraliaeth adeg Rhyfel Cartref Sbaen a'r Ail Ryfel Byd. Roedd y rhain wedi tueddu fwy at yr hen Ryddfrydiaeth neu'r sosialaeth a gaed yn yr *Independent Labour Party* a'r Blaid Lafur.

Wedi hyn i gyd, cefnodd Saunders fwyfwy ar y byd gwleidyddol ac ymroi i lenydda'n llawn-amser. Yn ei ddramâu a'i feirniadaeth yn y cyfnod, go brin y medrir dweud fod unrhyw agwedd na gogwydd perthnasol i'r cwestiwn o fodolaeth neu werth llenyddiaeth Eingl-Gymreig. Ar lefel bersonol, roedd colli'i swydd ar ôl helynt Penyberth, a rhoi'r gorau i arwain y Blaid, wedi ei droi i fewn ar ei deulu a'i gyfeillion, yn offeiriad a lleygwyr Pabyddol, fel David Jones, y Canon Barrett Davies a'r Tadau William Rees ac Illtud Evans, Catherine Daniel, a T. Charles Edwards a Robin Richards. Roedd yna gyfeillion yn y byd academaidd hefyd, fel G. J. Williams a P. Mansell Jones a J. E. Daniel – gŵr Catherine. Roedd un cyfaill arall yn pontio rhwng y rhan fwyaf o'r rhain, a rhwng awduron Cymraeg ac Eingl-Gymreig yn gyffredinol, sef Aneirin Talfan Davies.

Yr oedd nifer o'r rhain yn Gymry Cymraeg, a nifer dda o'r lleill wedi dysgu Cymraeg i ryw raddau, ac yn ei darllen a'i harddel, ond Saesneg oedd iaith y rhan fwyaf o fywyd cymdeithasol Saunders Lewis yn y cyfnod yma, cyn iddo gael swydd yn ôl yn y Brifysgol, yng Nghaerdydd.

Mae'n debyg fod perthynas Saunders â David Jones ac Aneirin Talfan, a thrwyddynt hwy â Harman Grisewood ac eraill yn y BBC yn Llundain, wedi bod yn bwysig yn y newid graddol a ddigwyddodd yn ei agwedd tuag at lenyddiaeth Saesneg Cymru. Yn David Jones, cafodd gyfaill gwiw: cymar enaid; personoliaeth arall a luniwyd yn ffwrnais y Rhyfel Mawr, ac a drodd at yr Hen Ffydd; gŵr, hefyd, a oedd yn llythrennol yn Eingl-Gymro – ei dad yn hanu o Gymru a'i fam yn Saesnes, ac awdur ac arlunydd a pheintiwr a benderfynodd fod yn lladmerydd i Gymreictod a Rhufeindod, a defnyddio 'Mater Cymru' a geiriau Cymraeg ar gyfer ei waith celfyddydol. Roedd y cysylltiadau hyn, hefyd, yn cynnig nawdd i Saunders fel dramodydd, a bu ei ffrindiau yn cynhyrchu ei weithiau yn Gymraeg a Saesneg, yng Nghymru ac ar y rhwydwaith Prydeinig. Bu Emyr Humphreys yn cynhyrchu llawer o'r gwaith, ac yn denu actorion byd-enwog fel Richard Burton ac Emlyn Williams a Donald Houston, Siân Phillips a Peter O'Toole, Hugh Griffith a Clifford Evans a Margaret Whiting. Yn ogystal, cydnabyddid athrylith Saunders, a dilysrwydd ei honiadau am werth y Gymraeg, mewn cylchoedd Pabyddol Seisnig, megis yn y *Downside Symposium* yn 1957.

Roedd David Jones wedi ysgrifennu at Saunders Lewis yn y carchar, a disgwylir cyhoeddi'r llythyrau rhyngddynt cyn bo hir. Yn y llyfr a gyflwynwyd ganddo i Saunders, *Epoch and Artist*, mae David Jones yn treulio tipyn o'r gwaith yn sôn am Gymru a Chymreictod, mewn ffordd sy'n unigryw, neu a oedd felly. Ef yw llais syniadaeth Saunders Lewis yn Saesneg ac yn Lloegr am hanfod a gwerth y traddodiad Cymraeg, o Oes y Saint a chyda'r cefndir Rhufeinig, drwy oesoedd Cred hyd y ganrif hon. Roedd y gefnogaeth a'r ddealltwriaeth a dderbyniodd Saunders gan David Jones, ar adeg go unig yn ei fywyd, yn allweddol, ac Aneirin Talfan yn ŵr canol yn yr holl sefyllfa. Ef a feithrinodd gymaint o lenorion yn y ddwy iaith, a'u cymell i lunio gweithiau ar gyfer radio, a'u cyflwyno i'w gilydd. Mae bron yn sicr mai Aneirin a gyflwynodd Saunders a Dylan i'w gilydd. Bu Saunders yn hael wrth y bardd wrth adolygu llyfr Aneirin arno, *Druid of the Broken Body*.

Yn 1953, pan fu farw Dylan, gwahoddodd Aneirin Saunders i dalu teyrnged iddo ar yr awyr. Prin iawn oedd yr achlysuron pan geid Saunders Lewis i stiwdio radio, heb sôn am un deledu. Cytunodd i ymddangos ar y teledu y noson y bu Gwenallt farw, i dalu teyrnged iddo, a chytunodd i roi'r sgwrs am Dylan Thomas. Fel y dywedodd Raymond Garlick:

> Roedd teyrnged S. L. yn arwyddocaol yn y lle cyntaf oherwydd ei haelioni twymgalon. Er iddo ddweud fod yna nifer o awduron Cymraeg a oedd yn adnabod Dylan yn dda, fy nghof i yw nad oedd yna fawr o gysylltiad rhwng awduron Cymraeg a rhai Saesneg eu hiaith yn y cyfnod hwnnw, ac mai beirniadol oedd agwedd gyffredinol y Gymru Gymraeg tuag at Dylan Thomas. Yn bwysicach, roedd teyrnged S. L. yn dangos iddo newid ei farn yn sylweddol er y ddedfryd 15 mlynedd ynghynt.

Mae'n werth dyfynnu o'r deyrnged a gyhoeddwyd yn Gymraeg ac wedyn mewn cyfieithiad yn *Dock Leaves*, yn 1954:

> . . . Dyfod yma 'rwyf i fel tipyn o lenor Cymraeg i fynegi'n gofid a'n colled ninnau. Unwaith yn unig y cefais i gyfle i sgwrsio gyda Dylan Thomas. Cefais ef yn dawel, yn swil, yn gwbl ddiymhongar, yn union megis pe na buasai ganddo'r syniad lleiaf ei fod yn enwog ar hyd a lled dau gyfandir. Yr oedd yn agos-atoch chi, yn hoffus, ie: yn ddyn annwyl i ryfeddu. Yr oedd ganddo gymeriad bardd fel Keats a Williams Parry. Tyfodd chwedloniaeth o'i gwmpas. Bu'n afradlon yn ei fywyd ac yn ei farddoniaeth; ond da fyddai inni gofio nad oes nemor fyth fawredd creadigol heb wmbredd o afradlonedd di-gyfri'r gost. 'Roedd hynny'n perthyn i ddawn ac athrylith Dylan Thomas.
> Fe'i cyfrifir yn un o dri neu bedwar bardd Saesneg pwysicaf yr ugeinfed ganrif. Ef yn sicr oedd y bardd o Gymro mwyaf o bawb a sgrifennodd yn Saesneg yn ein hoes ni. Y mae'r beirniaid Saesneg yn gweld nodweddion Cymreig yn ei waith. Fe ddug anrhydedd i Gymru a daeth yn fwyfwy Cymreig ei gydymdeimlad yn ei flynyddoedd diweddar, a chymryd ei destunau o'r gymdeithas Gymreig.
> Nid oedd ffasiwn yn rheoli fawr ddim ar ddawn Dylan Thomas. Canodd am ogoniant y cread pan oedd ffasiwn i bob bardd pwysig yn Ewrop wisgo mantell anobaith ac angerdd ac ing diwedd gwareiddiad. Iddo ef yr oedd popeth, gan gynnwys yr iaith Saesneg, yn degan chwarae a roes Duw i'w blant y beirdd. Collasom y plentyn Saesneg ardderchocaf a fagwyd ers canrifoedd ar ddaear Cymru, a hynny pan oedd ganddo eto lu o gynlluniau. Llewyrched arno oleuni gwastadol.

Mae'n deg nodi mai bardd trefol oedd Dylan, nid bardd o'r cymoedd, a'i fod wedi plesio Saunders, fel y dywedodd yn y sgwrs honno hefyd, wrth ddathlu bywyd. Rhaid nodi, yn ogystal, nad yw Saunders yn defnyddio'r term Eingl-Gymreig yma. Er hynny, does dim dwywaith nad yw'r deyrnged yn cydnabod dilysrwydd llên Saesneg gan Gymry, fel Cymry.

Ymhen dwy flynedd roedd Saunders Lewis wedi traddodi ei sgwrs radio 'By Way of Apology', a gyhoeddwyd, eto gan Raymond Garlick, yn *Dock Leaves*. Ynddi, mae'n olrhain ei gefndir Seisnig a'i brofiadau yn y Rhyfel Mawr, gyda'r cefndir o chwyldro yn Iwerddon. Dangosir yn eglur ddylanwad y Mudiad Gwyddelig arno, a'r cyffro a gâi wrth wylio Sybil Thorndike yng nghyfieithiad Gilbert Murray o *Medea*, a Chwmni Theatr yr Abaty o Ddulyn yn perfformio *Playboy of the Western World* Synge. Ceir ganddo'r dadleuon a geid yn Iwerddon ac a ddefnyddiwyd ganddo yn y ddarlith honno, *Is there an Anglo-Welsh Literature?* Mae'n cymharu ei brofiad ef ag un Joyce, ac yn dweud iddo ganfod yr hyn a alwai'r Gwyddel yn 'rhwyd', yn wraidd iddo ef, diolch i'r Ffrancwr Barrès. Ar y diwedd, mae'n sôn amdano'i hun yn llunio'r ddrama aflwyddiannus, *The Eve of Saint John*, a throi i ysgrifennu yn Gymraeg.

Wrth wneud hynny, roedd yn cydnabod dilysrwydd creadigrwydd yn uwch na mater iaith, ac mewn llythyr at Raymond Garlick yn 1957, mae'n dweud hyn:

'Alla i ddim addo sgrifennu ichi, oblegid 'dydw i ddim yn arfer sgrifennu yn Saesneg – er imi wneud hynny ar brydiau – am y rheswm syml fy mod i'n meddwl na all rhywun fod yn awdur da mewn dwy iaith ac 'rwyf yn dal i obeithio bod yn awdur da yn Gymraeg rhywbryd. Ond fe allaf wylio a dymuno'n dda ichi, yn dda iawn ichi, yn eich tasg werthfawr ac angenrheidiol.

Yn amlwg, roedd perthynas y ddau Babydd, Saunders Lewis a Raymond Garlick, yn un gynnes, a thyfodd parch rhwng hyd yn oed pobl megis y gŵr ymosodol hwnnw, Alun Richards, a Saunders. Yn bwysicach, tyfodd parch ac edmygedd rhwng Saunders a Gwyn Jones, er nad oedd y berthynas yn un agos. Roedd y ddau'n medru cytuno, yn y diwedd, â dyfarniad y *Times Literary Supplement* yn 1955, fod bellach ddwy lenyddiaeth yng Nghymru, yr un Gymraeg a'r un Eingl-Gymreig, ac ymfalchïo yn hynny.

Does dim modd gwybod a oedd Saunders yn cytuno â Bobi Jones, sef fod gan yr awduron Eingl-Gymreig bethau pwysig i'w dweud wrth Gymry Cymraeg yn ogystal â'r rhai Saesneg eu hiaith, eu bod yn llefaru ar ran rhan helaeth o'r genedl, ond na ddylid cyfosod y ddwy lenyddiaeth, gan fod hynny'n drysu pethau. Mae'n debyg mai dyna fyddai ei farn yntau, ond yr oedd wedi llwyr gydnabod dilysrwydd llenyddiaeth Eingl-Gymreig yn y diwedd, er na lwyddodd i ymuniaethu erioed â phrofiad awduron Saesneg y cymoedd.

Nodiadau

[1] Yn yr ysgrif 'Paham y Gorfu'r Undebwyr', *Y Geninen* (1895).
[2] 'Welsh' oedd y gair a ddefnyddiodd ef, lle'r wyf i wedi rhoi 'Cymreig'; petai yna air Saesneg yn cyfateb i 'Cymreig', rhagor na 'Cymraeg', fe fyddai llawer o'r cymhlethdodau sydd wedi codi ynghylch enwi'r awduron Cymreig sy'n ysgrifennu yn Saesneg, a'u gwaith, wedi eu hosgoi.
[3] Roedd y mwyafrif o bobl y wlad yma yn Gymry Cymraeg yn negawd olaf y ganrif ddiwethaf, er bod y sefyllfa'n amlwg yn dirywio. Yn ôl Harri Webb, mewn llythyr yn *Poetry Wales* 2, No.3 (Winter, 1966), 38:

> . . . roedd Cymru bryd hynny tua 50% yn Gymraeg a'r 50% arall yn fud o safbwynt diwylliannol – yn fewnfudwyr heb eu cymathu, neu'n frodorion wedi'u digenedligo. Ymhen cenhedlaeth roedd y broses o gymathu'n mynd rhagddi, ac wedyn roedd yna boblogaeth sylweddol a oedd yn Gymreig o ran teimlad ond yn Saesneg o ran iaith; sefyllfa hollol newydd yn ein hanes. Yr un pryd, gyda thrai yn nylanwad crefydd ar ein bywyd deallusol, daeth elfen arall i'r amlwg, sef deallusion lleyg. Yn nechrau'r tridegau, dechreuodd y bobl hyn lefaru a chael pobl i lefaru wrthyn nhw am y tro cyntaf. [Cyfieithiad yr awdur presennol.]

[4] Fel y dywedodd Brynmor Jones, yn ei *Bibliography of Anglo-Welsh Literature 1900–1945*:

> O safbwynt hanesyddol, y ffactor mwyaf real yn natblygiad yr ysgol Eingl-Gymreig oedd yr amgylchedd cymdeithasol ac economaidd a grëwyd gan y dirwasgiad a'r gwrthdaro diwylliannol yng nghanol y dauddegau . . . Elfen amlwg arall yn chwarter cynta'r ugeinfed ganrif oedd y dadeni llenyddol a gysylltir â Syr John Morris-Jones, W. J. Gruffydd, T. Gwynn Jones ac awduron Cymraeg eraill. Mae'n rhaid fod eu hymdeimlad bywiog nhw o genedligrwydd newydd wedi ennyn awydd mewn awduron eraill, a oedd heb yr afael ar y Gymraeg, i weld yr angen am sianel iddyn nhw, hefyd, gael eu mynegi eu hunain yn greadigol. [Cyfieithiad yr awdur presennol.]

[5] Harri Webb, op.cit. [Cyfieithiad yr awdur presennol.]

[6] Saunders Lewis, *Is there an Anglo-Welsh Literature?* (Cardiff, 1939).

[7] Saunders Lewis, *Egwyddorion Cenedlaetholdeb* (1929: argraffiad Caerffili, 1975), 14.

[8] Saunders Lewis, 'Traddodiadau Catholig Cymru', yn *Ati, Ŵyr Ifainc*, gol. Marged Dafydd (Caerdydd, 1986), 9.

[9] Wrth gwrs, roedd rhai o awduron Saesneg y de diwydiannol, a oedd yn casáu'r cyfundrefnau crefyddol ac economaidd a ddiraddiodd ac a wargamodd fywyd eu cymunedau gymaint a chyhyd, hefyd yn rhamantu rhywfaint ar fywyd y tu hwnt i'r Bannau, neu draw yn Nyfed. Mae hyd yn oed Gwyn Thomas, a oedd mor gaeth i'w brofiad erchyll o orfod cael ei fagu yng Nghwm Rhondda yn ystod y dirwasgiad, yn dyner wrth iddo ddisgrifio'r telynor o'r 'gogledd' yn *All Things Betray Thee*, ac yn cyfeirio'n aml at y tangnefedd y tu hwnt i flaenau'r cymoedd. Mewn cyfnod diweddarach wedyn, mae Dylan Thomas, hefyd, yng nghynhebrwng ei fodryb, yn myfyrio ar werth y bywyd gwledig yn Sir Gaerfyrddin. Ac i Glyn Jones, roedd y byd a'r bywyd hwnnw bron yn baradwysaidd.

[10] Glyn Jones, 'Merthyr', *Selected Poems* (Bridgend, 1988), 33–6.

[11] 'Y Dilyw 1939', *Cerddi Saunders Lewis*, gol. R. Geraint Gruffydd (Caerdydd, 1992).

[12] *Hanes Cymru* (Llundain, 1990), 544. Mae Dai Smith, yntau, wedi sôn am y bwlch rhwng y Cymry di-Gymraeg a'r rhai Cymraeg llengar, sef dilynwyr O. M. Edwards iddo ef: y cenedlaetholwyr diwylliannol o gefndir gwledig diweddar, a oedd er y dauddegau'n prysur droi'n ddosbarth canol. Ond mae'n camgymryd wrth osod Saunders Lewis ymysg dilynwyr O. M. Edwards yn hyn o beth, gan fod Saunders a'i ddilynwyr yn gweithredu yn wleidyddol, yn ogystal ag yn ddiwylliannol.

[13] 'Welsh Profile, 4: Saunders Lewis', *The Welsh Review* V, 4 (Winter, 1946), 258–63.

[14] Emyr Humphreys, *The Taliesin Tradition*, (London, 1983), 222–3. [Cyfieithiad yr awdur presennol.]

Symbyliad y Symbol: barddoniaeth Euros Bowen a Vernon Watkins

M. WYNN THOMAS

Yn ei lyfr adnabyddus, *Axel's Castle*, llyfr a gyhoeddwyd gyntaf yn 1931 ac sy'n ymwneud yn bennaf ag awduron megis Yeats, Valéry, Eliot, Proust, Joyce a Stein, mynnodd Edmund Wilson mai 'datblygiad o Symbolaeth yw hanes llên yn ein cyfnod ni, i raddau helaeth'. A chan gyfeirio'n fwyaf penodol at awduron cyfoes (y cyfnod hwnnw) a ysgrifennai yn y Saesneg, awgrymodd ymhellach ei bod yn haws i'r rheini ohonynt a ddaethai i'r amlwg er y Rhyfel Byd Cyntaf elwa ar y mudiad Symbolaidd yn Ffrainc am nad Saeson oeddynt.[1] Hwyrach y dylai'r sylwadau hyn fod o ddiddordeb arbennig i ni yng Nghymru, a hynny am ddau brif reswm. Yn gyntaf, maent yn ein cynorthwyo i sylweddoli fod Cymru hithau wedi esgor, yn y cyfnod modernaidd, ar genhedlaeth (neu ddwy) o feirdd amlwg yr oedd eu gwaith hwy'n arddel perthynas glòs â Symbolaeth. Ac yn ail, maent yn anogaeth inni chwilio am y gweddau nodweddiadol Gymreig ar y symbolaeth fodernaidd sy'n perthyn i waith y beirdd hyn, boed hwy'n ysgrifennu yn y Gymraeg neu yn y Saesneg.

Pe bawn am drafodaeth gynhwysfawr ar y testunau hyn, yna byddai gofyn imi fwrw fy rhwyd ar led yn weddol bell, er mwyn casglu barddoniaeth Thomas Gwynn Jones ynghyd â cherddi Dylan Thomas, a gosod gwaith diweddaraf Gwynne Williams ochr yn ochr â cherddi cynnar Glyn Jones. Ond gan mai dim ond un bennod fer yw hon, gwell imi ganolbwyntio ar ddau fardd y mae eu gwaith yn gwbl allweddol yn y cyd-destun hwn. Ganed Euros Bowen yn 1904 a Vernon Watkins yn 1906, ac er nad oeddynt yn rhannu'r un iaith yr oedd y naill fardd fel y llall yn caru ac yn parchu cwlt y symbol yn angerddol. Ni fynnai Vernon Watkins halogi ei awen 'ysbrydol' drwy ddatgelu, mewn rhyddiaith foel, gyffredin, ddirgelion y grefydd esthetaidd aruchel yr ymserchai ef mor angerddol ynddi. Ond yr oedd Euros Bowen bob amser yn barod iawn i egluro hanfodion ei gred fel bardd-offeiriad, ac fe rydd ei esboniadau clir a chynnil ef gip defnyddiol inni ar rai agweddau pwysig ar gredo Vernon Watkins yn ogystal.

Fe gafwyd sawl ysgrif glasurol o olau gan Euros Bowen yn cyfiawnhau 'tywyllwch' honedig ei gerddi. Mae'r trafodaeth-au hyn yn rhai safonol, nid oherwydd newydd-deb neu wreiddioldeb disglair y syniadau, ond oherwydd y ceir ynddynt grynodeb awdurdodol o'r athroniaeth a fu'n gynsail llên Symbolaidd am yn agos i ganrif.[2] Hwyrach mai hanfod y cyfan yw'r gred mai dim ond trwy gyfrwng delweddau – a thrwy 'feddwl yn ddelweddus' – y gall y dychymyg (sydd yn gynneddf feddyliol uwch o lawer na'r rheswm) ymgydnabod â dirgelion dyfnaf bywyd. 'Yn y dychymyg creadigol mae'r ddelwedd yn un â'r peth real. Am hynny mae meddwl am y ddelwedd yn feddwl hefyd am y peth real. Mae gwybod y ddelwedd yn gyfystyr â gwybod y peth.'[3] Nid cyfrwng mynegiant yw delweddau, felly; yn hytrach, 'mae delweddu ei hun yn ffordd [unigryw ac aruchel] o feddwl'.[4] Pan fydd bardd yn 'meddwl' yn y ffordd hon, bydd yn 'gwneud delweddiaeth yn hanfod y dweud, yn hytrach na'i defnyddio'n unig fel addurn' ('Trafod cerddi', 29). Yn achos cerdd o'r fath – cerdd 'symbolaidd', neu 'cerdd gyflwyniad' fel y galwai Euros Bowen hi oherwydd fod y bardd yn cyflwyno'i weledigaeth ynddi – '[t]rosiadaeth sy'n gwneud y gwaith i gyd' ac mae'r 'ddelweddiaeth' sydd yn y gerdd 'yn batrymau ystyr' ('Barddoniaeth dywyll', 28, 33). Barddoniaeth yw hon 'sy'n apelio at y dychymyg ac yn ceisio boddio'r dychymyg', ac ynddi 'dangosir y meddwl yn ddelweddaidd' ('Trafod cerddi', 30). Nid y rheswm sy'n pennu rhediad cerdd o'r fath. Mae'r cyfan yn ymddatblygu yn ôl 'rhesymeg y dychymyg' ('Trafod cerddi', 30) gan wneud y gerdd symbolaidd 'yn debyg i afon', eithr 'afon delweddau' ('Barddoniaeth dywyll', 33).

Fel y pwysleisiwyd eisoes, nid oes dim oll sy'n newydd, neu hyd yn oed yn 'fodern', yn y syniadau hyn fel y cyfryw. Gwaith ofer fyddai ceisio dod o hyd i fan cychwyn athroniaeth y symbol

– byddai'n rhaid mynd yn ôl ymhellach o lawer na chyfnod y beirdd Symbolaidd yn Ffrainc, gan sylwi ar syniadau Poe a'r beirdd Rhamantaidd (Coleridge, Blake, Schlegel, Novalis ac ati) cyn cilio'n ôl drachefn i gyfnod y Dadeni ac yna i'r Cyfnod Clasurol. Yn wir, cafodd Vernon Watkins ei gyfareddu gan hynafiaeth y traddodiad o barchu symbolau, ac fe gredai ef (fel y gwnâi Jung) fod rhin a oedd mor hen â'r ddynolryw yn perthyn i rai symbolau arhosol, oesol. Ond wedi dweud hynny, dylid ychwanegu mai cael hyd i ffordd o ymgodymu â'r byd *modern* a wnaeth Vernon Watkins ac Euros Bowen trwy feithrin athroniaeth y symbol, a bod y byd hwnnw yn ei dro wedi gadael ei ôl yn drwm ar eu dulliau hwy o ddefnyddio symbolau yn eu barddoniaeth. Gwrthymateb yr oeddent ill dau, mae'n debyg, i'r meddylfryd rhesymolaidd a reolai ddiwylliant modern y gorllewin, ac fe fyddai'n fuddiol inni synied amdanynt yn y cydgyswllt eang hwn, gan eu gweld fel dau a berthynai i asgell Ramantaidd y mudiad celfyddydol ar draws Ewrop ac America a geisiai herio a thanseilio a thrawsnewid y meddylfryd modern mewn cynifer o ffyrdd gwahanol. Eithr fy mwriad yn y bennod hon yw dyfalu i ba raddau y dylanwadodd y cefndir *Cymreig* ar y diddordeb a oedd gan Euros Bowen a Vernon Watkins mewn symbolau.

Ar un ystyr, wrth gwrs, ni rannau'r ddau fardd yr un cefndir Cymreig o gwbl. Er mai Cymry Cymraeg oedd tad a mam Vernon Watkins, magwyd ef yn uniaith Saesneg a phan yrrwyd ef oddi cartref i ysgolion bonedd yn Lloegr fe'i trwythwyd mewn diwylliant trwyadl Seisnig.[5] Ni chafodd Euros Bowen brofiadau tebyg. Trwy ei oes bu ef yn byw ac yn bod yn gyfan gwbl, i bob pwrpas, oddi fewn i'r diwylliant a wreiddiwyd yn y Gymraeg ac a gynhelid gan yr iaith honno. Mae gwahaniaethau amlwg, felly, rhwng Cymreictod y naill ac Eingl-Gymreictod y llall, ac eto fe dybiwn i mai camsyniad fyddai trin y ddau fel pe na bai dolennau cyswllt pwysig – a'r rheini'n rhai Cymreig – yn eu cydio wrth ei gilydd a hefyd wrth eu cymdeithas. Yn aml, dim ond mewn ffyrdd aneglur ac anuniongyrchol y bydd eu ham-gylchfyd cymdeithasol a diwylliannol yn dylanwadu ar feirdd telynegol. Ond er bod hynny yn sicr yn wir yn achos y ddau hyn, mae'n werth sylwi, yn fy marn i, ar dri o ddylanwadau o du'r gymdeithas Gymraeg ar eu hymwneud â symbolaeth; sef dylanwad y cefndir Anghydffurfiol, dylanwad cyfnod o newidiadau enbyd yn y gymdeithas yng Nghymru, a dyhead Cymreig am gysylltu â diwylliant Ewrop gyfan.

~

Hanai Euros Bowen a Vernon Watkins ill dau o gefndir Anghydffurfiol. Gweinidog gyda'r Annibynwyr oedd tad Euros Bowen a bwriad y bardd ei hun, ar ddechrau ei yrfa, oedd mynd yn weinidog gyda'r enwad hwnnw. Annibynwyr selog oedd tad a mam Vernon Watkins hefyd, fel mae'n digwydd, ond pan ddanfonwyd y bachgen i ffwrdd, i ysgol ragbaratoawl yn gyntaf ac yna i ysgol fonedd yn Lloegr, buan yr ymddieithrodd oddi wrth y cefndir Anghyffurfiol hwnnw a throi yn hytrach at Eglwys Loegr. Fel y gwyddys, ymunodd Euros Bowen yntau â'r Eglwys yng Nghymru pan oedd yn ŵr ifanc, ac ar ôl iddo dderbyn hyfforddiant mewn sawl coleg, gan gynnwys Coleg Dewi Sant, Llanbedr Pont Steffan, fe'i hurddwyd yn offeiriad yn yr eglwys honno. Yr hyn sydd yn amlwg yn gyffredin i'r ddau fardd, felly, yw'r dewis tyngedfennol a wnaethant i droi oddi wrth eu cefndir Anghydffurfiol a throi i gyfeiriad cyfundrefn Eglwysig. Roedd y penderfyniad hwnnw yn nodweddiadol i raddau, wrth gwrs, o genhedlaeth arbennig o lenorion a deallusion yng Nghymru, gan gynnwys Saunders Lewis, Gwenallt ac Aneirin Talfan Davies. Yn sicr, nid dyma'r lle i geisio datrys y rhesymau diwinyddol a'r rhesymau diwylliannol cymhleth paham y denwyd cynifer o'r rhain a'u tebyg naill ai i gyfeiriad yr Eglwys yng Nghymru neu i gyfeiriad Eglwys Rufain, ond mae o leiaf le i gredu, dybiwn i, fod cysylltiad agos yn achos sawl un ohonynt rhwng tair agwedd ar eu har-gyhoeddiad fel artistiaid ac fel credinwyr. Yn gyntaf, credent yng ngallu unigryw y symbol i gyfryngu gwirioneddau ysbrydol; yn ail, credent mai cyfrwng symbolaidd oedd celfyddyd yn y bôn; ac yn drydydd, credent mai yn sagrafennau'r Eglwys y gwelir gwir gyfoeth symbolau, a'u harwyddocâd ysbrydol.

Mynnai Euros Bowen mai bardd sagrafennol ydoedd ac nid bardd symbolaidd, gan bwysleisio, yn y modd hwnnw, nad creu stôr breifat o arwyddluniau cyfrin a wnâi eithr arddangos ystyr-on mewnol ysbrydol gwrthrychau'r cread. 'Swydd gyfryngol' oedd i'w farddoniæth ef, ac meddai yn ei ysgrif bwysig 'Trafod Cerddi':

swyddogaeth offeiriadol sydd iddi. O ran ymagwedd a dull yn y moddau hyn, nid proffwyd yw bardd ond offeiriad . . . [Yr] hyn mae'n ei wneud wrth ei swydd yw gweinyddu'r bara a'r gwin, yn yr hyder y bydd ei ddarllenydd yn cymuno â'r meddwl.(34)

Yma gwelwn yn glir mai dwy ochr i'r un geiniog ym mhrofiad Euros Bowen oedd arfer swyddogaeth gyfryngol yr offeiriad a gwrthod swyddogaeth gyfathrebol y pregethwr Anghydffurf-iol. Yn wir, gellir awgrymu ymhellach ei fod yn amgyffred ei alwedigaeth offeiriadol (yn yr eglwys a hefyd mewn barddon-iaeth) drwy ei gwrthgyferbynnu'n gyson â gwaith gweinidog. Yn y modd hwn, roedd ei gefndir Anghydffurfiol cynnar yn dirgel lywodraethu ei gariad at symbolau a defodau a sagrafen-nau o bob math.

Un o'r mannau pwysig lle y daw'r dylanwad cudd hwn i'r amlwg yw'r paragraff canlynol:

Mae'r darllenydd yn disgwyl barddoniaeth sy'n sefydlu ymgyfathrach ag e. Ond mae'n eitha posibl nad yw'r bardd ei hun wedi gosod ei fryd ar geisio ymgyfathrach o'r fath. I'r gwrthwyneb, gall mai ei amcan yw cynnig i'w ddarllenydd farddoniaeth o natur wahanol. Yn lle ceisio sicrhau cyfathrach â'i ddarllenydd, yr hyn a wna, fe ddichon, yw llunio gwaith o gelfyddyd sy'n cyflwyno'r meddwl megis peintwaith. Wrth gyflwyno ei feddwl yn y modd yma, nid pregethu a wna'r bardd, nid ceisio cymell rhyw bropaganda ar ei ddarllenydd, nid darlithio, nid cenadwrïo, nid rhoi neges ichi, na gwers o unrhyw fath. Nid dweud ei feddwl y mae e, ond ei gyflwyno, nid traethu syniadau, ond dangos ei weledigaeth. ('Barddoniaeth dywyll', 25)

Er mai'r Eisteddfod Genedlaethol sy'n cael y bai yn benodol ganddo am feithrin 'safon "eglurder"' nad yw'n gweddu i farddoniaeth, y mae ef yn amheus yn y bôn o'r diwylliant cyfan y mae'r safon hon yn deillio ohono, sef y diwylliant a seiliwyd ar y 'rhesymoliaeth' sy'n nodweddu'r traddodiad Anghydffurfiol yng Nghymru.

Yn ei gerdd gyfarwydd i'r alarch mae'r pwyslais yn syth o'r cychwyn ar 'ddangos gweledigaeth' yn hytrach na 'rhoi neges':

Gweld argoeli a dirgelwch
yw celfyddyd encilfa heddiw,–
gweld lliw a chyhyredd, gweld llacharwyn
ymwelydd nef rhwng moelydd ein hoes: . . .[6]

Un o hoff eiriau Euros Bowen pan fydd yn trafod cerddi yw'r gair 'cydweddiad', ac mae'n hawdd deall pam wrth sylwi ar y darn hwn. Iddo ef, mae cydweddiad synau yn arwydd o gydberthynas gynhenid rhwng gwahanol brofiadau neu rhwng gwahanol wrthrychau. Mae cynghanedd geiriau yn cyfateb, felly, i'r gynghanedd arall honno rhwng pethau a'i gilydd a arwyddir gan fetaffor – ac, wrth reswm, metaffor yw'r ffurf ar ddelwedd y mae Euros Bowen yn ymserchu fwyaf ynddi. Ymhellach, ceir enghreifftiau trawiadol yn y darn hwn o allu'r bardd i gystrawennu fel y bo un cymal yn cynganeddu neu'n cydgordio â chymal arall. Yn y modd hwn, eto, mae profiadau gwahanol yn cael eu cydio wrth ei gilydd a'u gwneud yn un: mae 'Gweld argoeli a dirgelwch' yn gyfystyr â gweld 'lliw a chyhyredd', a hwnnw yn ei dro yn gyfystyr â 'gweld llacharwyn/ ymwelydd nef rhwng moelydd ein hoes'. A dyna wir ergyd y gair 'gweld' fel y'i defnyddir yn y fan hon gan Euros Bowen. Nid 'gweld' cyffredin sydd ganddo mewn golwg. Yn hytrach, golyga'r gallu i weld patrymwaith cyfrin pethau trwy sythwelediad y dychymyg ysbrydol creadigol. Mae'r 'gweld' hwn yn gelfyddyd ynddo'i hunan ac ni all eraill gyfranogi o'r profiad ond trwy gelfyddyd y gerdd yn ei chyflawnder. Nid 'gweld' goddefol mo'r gweld hwn chwaith, ond gweld sy'n ymateb ac yn cyfateb i'r egni ysbrydol sy'n eplesu yn y cread. Felly nid 'gweld argoelion' a wna'r bardd, ond 'gweld argoeli' – defnyddir un ferf ar ôl y llall ganddo i awgrymu proses ddeinamig.

Nid pregethwr yw Euros Bowen y bardd felly, ond nid breuddwydiwr neu weledydd ydyw chwaith ac, fel y gwyddai'n iawn, dyma'r prif wahaniaeth rhyngddo ef a'r beirdd Symbolaidd mawr o Ffrainc yr oedd yn eu hedmygu gymaint. Dyma a ddywed, er enghraifft, am gerdd Mallarmé i'r alarch, cerdd a gyfieithwyd ganddo i'r Gymraeg:

> Mae'n trafod neilltuaeth unig y bardd a'i ddirmyg yn y pen-draw o'i sefyllfa yn y neilltuaeth honno . . . Mae'r byd – 'y cynefin' – *la région où vivre* yn ddibris o'r bardd, – yr hen thema Ramantaidd o'r bardd yn cael ei ddiarddel gan gymdeithas.[7]

Yn y gerdd mae Mallarmé yn arwyddo ei fethiant fel 'offeiriad' neu 'gyfryngwr' (chwedl Euros Bowen) trwy sôn amdano'i hun fel alarch sydd wedi ei ddal yn dynn yn yr iâ ar wyneb y llyn:

Bydd ei fwnwgl yn ysgwyd ymaith y cyfyngder gwyn
A doddwyd gan yr wybren ar yr aderyn a'i gwad,
Ond nid ei fraw o'r ddaear lle cedwir ei adenydd yn dynn.

Rhith, ei ddisgleirdeb pur yn ei garcharu sydd,
Yn ddisymud mewn breuddwyd oer yn nirmyg yr ystad
Sy'n wisg am yr Alarch yn yr alltudiaeth ddi-fudd.

Dicter a digalondid y breuddwydiwr sydd yma, am iddo fod
mor ffôl â cheisio cyfryngu ei weledigaeth i eraill, a chael ei ddal
a'i ddinistrio o'r herwydd gan y byd cyffredin gwawdlyd sy'n
gwrthod derbyn ei weledigaeth. Gwrthgyferbynner diymad-
ferthedd alarch Mallarmé â grym gorfoleddus alarch Euros
Bowen ar ddiwedd ei gerdd:

> Â'n iasau ei adain, aros wedyn
> ac ar drawiad egr e dyr o'r dŵr:
> Yn araf yr âi, yna i'r awyr fry,
> a thyn enaid o'i annwyd â thân ei adenydd.

Yma mae'r aderyn yn arwyddo, i raddau, nerth y gerdd ei hun ac
yn enghreifftio gallu offeiriadol y bardd.

Hwyrach fod gan Anghydffurfiaeth ei chyfran, wedi'r cyfan,
yng nghred Euros Bowen mai prif ddyletswydd y bardd yw
gwasanaethu ei gymdeithas ond, fel yr awgrymwyd eisoes,
anghytuno â'r Anghydffurfwyr a wnâi ynghylch y modd y
dylai'r bardd wneud hynny. Rhyw ddylanwad croes a gafodd ei
gefndir Anghydffurfiol, felly, ar ei ddatblygiad ef fel bardd
symbolaidd, ond profiad i'r gwrthwyneb a gafodd Vernon
Watkins. Mae lle i ddadlau ei fod ef yn credu fod ei gredo (fel
Cristion ac fel bardd) yn bwrw'i gwreiddiau'n ddwfn i ddaear
Cymru trwy gefndir Anghydffurfiol ei deulu. Mae'n debyg mai
cof plentyn yn unig oedd ganddo am y cefndir hwnnw, ac o'r
herwydd roedd ganddo syniadau rhamantus (a hwyrach
syniadau cyfeiliornus) amdano. Atgofion am dad ei fam, yn anad
neb, oedd atgofion cynnar Vernon Watkins am fywyd y capel.
Annibynnwr brwd oedd James Phillips, ac un a feddai ar
gymeriad addfwyn a diniwed.[8] Yn 'Goleufryn', Picton Place,
Caerfyrddin yr oedd yn byw am rai blynyddoedd pan oedd
Vernon Watkins yn ifanc, a cherdd am y cartref hwnnw yw'r
gerdd fwyaf dadlennol o bersonol a ysgrifennodd Vernon
Watkins erioed.

'Returning to my grandfather's house, after this exile/ From the coracle river': fel yna y mae 'Returning to Goleufryn' yn dechrau, a thrwy gydol y gerdd y mae Vernon Watkins yn ceisio gwerthuso yr hyn a olyga Goleufryn iddo. Teimla i raddau ei fod yn cael ei gollfarnu gan ddiwylliant Anghydffurfiol ei gyndadau, a theimla ar brydiau nad yw ei fywyd ef yn weddus i'w gymharu â bywyd crefyddol dwys ei dad-cu:

> Yet I alone
> By the light in the sunflower deepening, here stand, my
>   eyes cast down
> To the footprint of accusations, and hear the faint, leavening
> Music of first Welsh words; that gust of plumes
> 'They shall mount up like eagles', dark-throated assumes,
> Cold-sunned, low thunder and gentleness of the authentic
>   Throne.[9]

Os oedd bryd Dylan Thomas, yn 'After the funeral', ar gyferbynnu bywyd capelog crebachlyd ei fodryb Ann Jones â nwyd baganaidd byd natur o'i hamgylch ym mherfeddion cefn gwlad Sir Gaerfyrddin, yna ymateb gwahanol iawn i Anghydffurfiaeth a geir yng ngherdd ei ffrind agos, Vernon Watkins. Yn 'Returning to Goleufryn' y mae ef yn synhwyro fod bywyd 'slawer dydd yng nghartref ei dad-cu yn gydnaws ag ysbryd chwedlonol, mabinogaidd y dref hudolus honno y trigai yr hen ŵr ynddi, sef hen dref Myrddin. Eithr gwêl mai'r wedd drosgynnol ar fywyd yr ysbryd a bwysleisir gan yr Anghydffurfwyr tra bo chwedloniaeth yn ymwneud â'r wedd fewnfodol ac yn mynegi rhyfeddod ysbrydol yr holl gread. Wrth iddo droedio'r llwybr a garai gynt, yr hen lwybr troellog ar hyd glannau afon Tywi, mae Vernon Watkins yn teimlo'i fod yn cymryd rhan mewn rhyw *rite de passage* hynafol, gan adael bywyd cyffredin bob dydd ar ei ôl a dychwelyd i fyd lledrithiol ei blentyndod. Gardd Goleufryn yw'r baradwys ffrwythlon sydd ar ganol y darlun hiraethlon hwn:

> Sing, little house, clap hands: shut, like a book of the Psalms,
> On the leaves and pressed flowers of a journey. All is sunny
> In the garden behind you. The soil is alive with blind-petalled blooms
> Plundered by bees. Gooseberries and currants are gay
> With tranquil, unsettled light.

Arwyddocâd hyn oll, o'm safbwynt i yn y bennod hon, yw fod

Goleufryn yn ymrithio yn rhyw Dir na n'Og o le, ac yn arwyddo'r gwerthoedd ysbrydol parhaol sy'n drech na threigl amser. Credai Vernon Watkins yn angerddol yn y gwerthoedd hyn, a chwiliai'n aflonydd drwy gyfrwng ei farddoniaeth am y symbolau cyfoethog, cyfrin a fyddai yn eu crisialu ac yn eu datgelu hwy'n llawn. Symbolau hynafol iawn oedd y symbolau hyn ym marn Vernon Watkins, ac roeddynt yn bresennol yng ngweithiau'r artistiaid mawr i gyd ar hyd yr oesau. 'A supreme work of art', meddai gan adleisio Yeats, 'is able to persuade us that it is drawn from a timeless source, that it has existed forever, and that it is we, who believed in the fugitive nature of time, who were deceived.'[10] Teimlai ei fod ef fel bardd yn cadw tŷ mewn cwmwl tystion ac yn cynnal hen draddodiad cysegredig. Eithr, fel y dengys 'Returning to Goleufryn', teimlai hefyd fod yna wedd hynafol *Gymreig* ar y traddodiad, a'i fod ef yn perthyn i linach y gweledyddion Cymreig a berthynai i'r traddodiad hwnnw.

Dyna paham y swynwyd ef gymaint gan Taliesin, y barddddewin hwnnw a gysylltwyd, mewn ambell chwedl, â Phenrhyn Gŵyr, lle y bu Vernon Watkins yn byw am y rhan fwyaf o'i oes. Er ei fod yn Gristion argyhoeddedig, hudwyd dychymyg y bardd gan hen fythau seciwlar, a chredai fod gwirioneddau ysbrydol y ffydd Gristnogol yn cael eu rhagarwyddo mewn dulliau symbolaidd cyfoethog yn y chwedlau enwog hynny. Meddai yn 'Music of Colours: White Blossom':

> Lovers speak of Venus, and the white doves,
> Jubilant, the white girl, myth's whiteness, Jove's,
> Of Leda, the swan, whitest of his loves.
>
> (CP, 102)

Ystyr hyn, fe awgrymir, oedd fod yr hen fyd yn breuddwydio am y purdeb ysbrydol perffaith a ddatgelwyd yn ddiweddarach yn yr Ymgnawdoliad. Yr un modd, darganfu ef yn y chwedl Gymreig am Taliesin un gwirionedd mawr canolog, sef bod yr ysbryd yn ei adnewyddu ei hun drosodd a throsodd ar lun pob ffurf newydd o fywyd, ac felly bod amser yn aros yn ei unfan er ei fod yn symud yn barhaus.

> Yet now my task is to weigh the rocks on the level wings of a bird,
> To relate these undulations of time to a kestrel's motionless poise.

I speak, and the soft-running hour-glass answers; the core of the
   rock is a third:
Landscape survives, and these holy creatures proclaim
   their regenerate joys.

(CP, 184)

Ceir sylwadau awgrymog gan y bardd Platonaidd Kathleen
Raine am ddarnau fel hwn:

[T]he dress of his mythology is identical with the natural world of
present Wales . . . Taliesin's symbols are cosmic and timeless in
themselves and can be understood without previous knowledge. I
say this with reservation, however, since there is doubtless an
esoteric meaning within the Bardic tradition which is perhaps not
to be understood apart from the Druid learning perpetuated
presumably in the Taliesin poems.[11]

Darlun ffuantus, rhamantus, Arnoldaidd o'r diwylliant
'Celtaidd' yng Nghymru a geir yn ei sylwadau hi, wrth gwrs,
ond yr hyn sy'n arwyddocaol yn eu cylch yw eu bod yn egluro'r
ffordd yr oedd Watkins ei hun yn synied am ei Gymreictod fel
bardd. A phan gofiwn hynny, sylweddolwn ymhellach yr
ystyriai ef fod crisialu gwirioneddau ysbrydol cyfrin mewn
symbolau hynafol yn ffordd draddodiadol Gymreig i fardd
ysgrifennu.

~

Dull unigryw o gyfranogi o wirioneddau oesol oedd
barddoniaeth symbolaidd i Vernon Watkins, ac mae lle i gredu
mai anwadalrwydd bywyd yn y byd modern a barai iddo
ddyheu am y gwerthoedd safadwy, uwchlaw holl dreigl amser, a
arwyddid gan symbolau. Y profiad a adawsai ei ôl ar ei
ddychymyg oedd profiad o chwalfa feddyliol a gafodd pan oedd
yn ŵr ifanc. Gwallgofodd am gyfnod, gan ddatgan yn ei
amhwyllter ei fod wedi gorchfygu amser a'i fod bellach yn
anfarwol. Mae sawl beirniad wedi awgrymu mai'r sioc o orfod
gadael ysgol fonedd Repton, lle'r oedd wedi treulio cyfnod
euraid pan oedd yn llanc, oedd yn cyfrif yn bennaf am y profiad
hwn – profiad yr hoffai Vernon Watkins sôn amdano fel
magwrfa ei weledigaeth fel bardd. Ond fe awgrymwn i fod
tarddle'r cyfan i'w ganfod yn ei gefndir cynnar yng Nghymru.

Yr hyn sy'n taro person wrth ddarllen hanes bachgendod Vernon Watkins yw'r bylchau a'r rhwygiadau amlwg sydd i'w gweld yn ei gefndir cymdeithasol cynnar. Er bod ei dad a'i fam ill dau yn perthyn i'r gymdeithas Gymreig yr oedd bywyd y capel yn fan canol pwysig iddi, fe amddifadwyd eu mab o'r sefydlogrwydd hwnnw am nad oedd yn medru siarad Cymraeg. Ar yr un pryd, fe'i rhwystrid, am sawl rheswm, rhag uniaethu â'r gymdeithas Saesneg yn ne Cymru. Rheolwr banc oedd ei dad, a golygai hynny ar y naill law fod y teulu'n gorfod symud tŷ yn gyson (o Faesteg i Ben-y-bont i Lanelli ac yna i Abertawe), ac ar y llaw arall eu bod yn byw ar wahân i'r glowyr a'r gweithwyr alcan yn y gymdeithas o'u cwmpas. Ar ben hyn oll, gyrrwyd Vernon Watkins oddi cartref i ysgol ragbaratoawl yng Ngwlad yr Haf pan oedd yn ddeng mlwydd oed. Dim ond ar ôl iddo gael ei symud unwaith yn rhagor, y tro hwn i ysgol fonedd Repton, y dechreuodd ymgartrefu a theimlo ei fod wedi cyrraedd ei wir gynefin. Nid yw'n syndod, felly, i'w fyd dorri'n deilchion bron yn syth ar ôl iddo adael Repton. Ac o gofio am hynny i gyd, mae'n briodol awgrymu mai'r profiadau cymdeithasol cynnar o fyd ar chwâl a achosai i Vernon Watkins arswydo cymaint wrth feddwl am fodau darfodedig byd amser:

> The perfect into night must fly;
> On this the winds agree.
> How could a blind rock satisfy
> The hungers of the sea?

(CP, 121)

Daw'r llinellau hyn o'r gerdd am bluen a rwygwyd o gorff aderyn wrth i grafangau creulon hebog-y-môr afael ynddo, ac yn y disgrifiad o farwolaeth yr aderyn cawn gip ar unigrwydd y bardd yn ogystal:

> Sheer from wide air to the wilderness
> The victim fell, and lay;
> The starlike bone is fathomless,
> Lost among wind and spray.
> This lonely, isolated thing
> Trembles amid their sound.

Efallai yn rhannol mai oherwydd fod ei fywyd cynnar wedi bod yn llawn anghytgord yr oedd Vernon Watkins, ar ôl iddo dyfu'n

ddyn, am bwysleisio cynghanedd gyfrin y byd ysbrydol
anweledig a gynhaliai'r byd gweledig, diflanedig:

> All is so hung that harmony,
> Though pitched precariously,
> Conquers uncertainty, remorse
> And every flickering shaft of doubt
> When the pure gift flies out
> And wonder, like a spring, renews its force.
>
> (*CP*, 270)

I gryn raddau fe rannai Euros Bowen weledigaeth Vernon
Watkins – ei sensitifrwydd i'r byd ffoadur yn ogystal â'i gred yn
anfarwoldeb yr egnïon ysbrydol aflonydd sy'n llunio'r cread.
Ond pan ddywed y bardd Cymraeg 'Bywyd nid ydyw'n marw.
Hyn sy'n fawl', mae tinc hyder a gorfoledd i'w glywed yn y
datganiad, tinc na chlywir mohono fel arfer yng nghanu Vernon
Watkins.[12] Tuedd y Cymro di-Gymraeg yw canolbwyntio'i
ddychymyg ar y wedd arhosol ar gynnyrch cyfnewidiol byd
amser, ond tuedd Euros Bowen yw ymhyfrydu yn y cyf-
newidiadau eu hunain, am eu bod yn arddangos creadigrwydd
dihysbydd Duw. Cael ei ysbrydoli gan y creadigrwydd
toreithiog hwnnw y bydd yr artist wrth lunio cerddi, ac felly mae
Euros Bowen yn pwysleisio'r modd y mae dychymyg y bardd yn
ymateb, ac yn cyfateb, i ymrithiadau'r cread: 'Rwyf-i wedi gweld
dirgelwch y gerdd yn trin y byd fel cwyr, yr un ffordd ag y bydd
dydd yn goleuo ar unigeddau nos, a nos yn datguddio
cyfrinachau dydd' (*Detholion*, 42).

Brodorion o'r un ardal, sef ardal ddiwydiannol de Cymru,
oedd Euros Bowen a Vernon Watkins fel ei gilydd. Magwyd y
ddau mewn amgylchfyd a oedd yn llawn tyndra a chyffro
cymdeithasol, a chafodd Euros Bowen yn ogystal â Vernon
Watkins y profiad o orfod symud o le i le pan oedd yn grwt. Ond
mab y mans oedd y Cymro Cymraeg ac nid mab i reolwr banc. Yr
oedd wedi ei angori felly mewn diwylliant crefyddol cadarn, ac
fe ddichon fod sadrwydd ei gefndir cynnar wedi gadael ei ôl ar
deithi ei gymeriad. Cael ei gyffroi a wnâi fel arfer, yn hytrach na
chael braw, wrth sylwi ar fetamorffosis y byd. Yr un modd
medrai ymateb yn llawen i annibendod y byd modern, gan
synied am y dychymyg fel dyn 'a ffon sbwriel yn ei law'n/ pigo
papurach fan yma/ ac yn codi papurach fan draw' (*Detholion*, 95).

Y mae rhadlonrwydd y math hwn o ddychymyg yn cyferbynnu â
dwyster telynegol gwaith Vernon Watkins hyd yn oed pan fo'n
ysgrifennu yn y cywair cadarnhaol:

> Lizards on drystone; gipsy-bright nasturtiums
> Burning through round-leaves, twining out in torch-buds;
> Even the stream's tongue alters where the rose-blaze
> Hangs in forgetfulness. Who beneath the water
> Plucks at the dark strings?
>
> (*CP*, 323)

Yma, ar ddiwrnod o haf, gwelir rhyfeddod cynghanedd y lliwiau
sy'n cael eu cynnau gan yr haul, ond hyd yn oed yn y fan hon
ceir awgrym o lithrigrwydd dinistriol amser, yn y cyfeiriad at y
nant a'i dyfroedd du.

Mae'r gwahaniaeth pwysig hwn rhwng Euros Bowen a
Vernon Watkins i'w weld yn amlwg yn y cerddi a ysgrifennodd
y naill fel y llall am Neffertiti. Gweld merch ifanc yn gweini
mewn gwesty ym Moscow a wnaeth Euros Bowen, a synnu fod
ei 'syberwyd' hi yn ei atgoffa ef o harddwch Neffertiti:

> Ond nid gwddwg main fel penddelw cywely
> Ffaro gynt oedd harddwch ei hawdurdod hi,
> ond ei thrwyn union-syth â'i thalcen, ac
> ifori'r trwyn a'r tâl wedyn yn union-syth
> a choron uchel o wallt gwineuddu llyfn.
>
> (*Detholion*, 108)

Pwysleisir y gwahaniaethau hyn rhwng y ferch a'r frenhines
o'r Aifft, oherwydd fod Euros Bowen yn ymhyfrydu yn y modd
y mae hen harddwch yn medru ymddangos ar wedd *newydd*,
gwbl annisgwyl, wedi'i wisgo mewn 'Blows gwyn,/ sgert ddu,/
sanau neilon'. Yr un modd, ymlawenha wrth feddwl fod y fath
degwch yn medru bod 'yng nghanol pwerusiadau Mosco/ . . . o
fewn ergyd chwisl plismon i dyrau coch/ gwyliadwriaethau'r
Cremlin'. Gwêl arwydd yn hyn fod awdurdod y ceinder
naturiol, urddasol hwn yn drech o hyd na holl nerth y drefn
dotalitaraidd sy'n ei amgylchynu.

Rhan gyntaf cerdd sy'n dwyn y teitl 'Pledges to darkness' yw
teyrnged Vernon Watkins i Neffertiti. Yr hyn sy'n hudo'i sylw ef
yw'r ddelw gywrain ar ei harch sy'n rhoi syniad inni heddiw o'i
phryd a'i gwedd pan oedd yn fyw:

The features rarified, through tenderest darkness seen,
Thrust forward, lifted out of life, the hair caught back,
Unsheathed in true perfection, flashed forth like a queen.
                                                        (*CP*, 157)

Fe wêl Watkins yn y ddelwedd hon enghraifft wych o 'the artifice of eternity', chwedl W. B. Yeats, sef ffurf gyfrin sy'n cyfranogi o wirionedd ysbrydol tragwyddol. Dyma'r gwirionedd dirgel, medd Watkins, 'which covers with cold fire the calm, stylistic face'. Gan gofio unwaith yn rhagor am gerddi mawreddog Yeats am Byzantium, mae Watkins yn cyfeirio at y crefftwyr a fu wrthi'n llunio'r cywreinwaith cysegredig hwn: 'There the transfiguring workmen like small insects toil,/ Each beating out in gold the sacred from the crude' (*CP*, 158). Yn wir, cymaint yw edmygedd y bardd o'r ddelw, a chymaint yw ei barch at yr hyn y mae hi'n ei arwyddo, nes ei fod yn gorffen drwy erfyn arnom i beidio â tharfu ar hedd y frenhines:

Break not for love of death the vigil of that queen.
Who could translate her stillness to a waking world,
A room by daylight changed, yet where a god has been?
Dust falls, time's atom falls, into a portent whirled
Of luminous, killing language where men lack the key;
Yet she, she clasps with folded hands her hidden scroll,
Her eyes being set in death, being taught with joy to see
That radiant Master guard the stations of her soul.

Dengys y llinellau olaf sut yr oedd Vernon Watkins yn credu fod y gwirioneddau ysbrydol a grybwyllid gan ddelweddau crefydd hynafol yr Eifftiaid yn rhannol ragfynegi y datguddiad cyflawn o fyd yr ysbryd a gafwyd yng nghyflawnder yr amser ym mywyd ac yng ngwaith yr Iesu. Ond yr argraff ddyfnaf a geir wrth ddarllen y gerdd drwyddi yw fod y bardd yn dyheu am gael dianc o afael byd amser er mwyn rhannu'r weledigaeth amheuthun a ddaeth i Neffertiti yr ochr draw i'r bedd. Am gyrraedd y tu hwnt i'r byd gweledig, cyfnewidiol y mae Vernon Watkins, tra bo Euros Bowen am wneud yn fawr o'r byd hwnnw am fod yr holl newidiadau cyson, y newydd-deb parhaus, yn fynegiant o ffrwythlondeb dihysbydd dychymyg y Creawdwr.

~

Efallai mai'r sylw a wnaed gan Vernon Watkins sy'n cael ei ddyfynnu amlaf yw'r gosodiad ei fod yn 'Welsh man but an English writer'.[13] Eithr gosodiad camarweiniol iawn yw hwn, oherwydd fe ddaw'n amlwg, dim ond inni ddarllen ei waith, mai fel bardd Ewropeaidd yr ystyriai ef ei hun yn hytrach nag fel bardd Saesneg, ac fe ddichon fod gan ei Gymreictod ei chyfran yn y cysyniad hwnnw. Fel Cymro, nid oedd yn uniaethu'n llwyr â diwylliant Lloegr, er ei fod yn caru llawer o lenorion y wlad honno ac yn ysgrifennu barddoniaeth yn yr iaith Saesneg. Bardd 'y traddodiad' ydoedd yn bennaf, sef y traddodiad cydwladol, Ewropeaidd, o ddefnyddio patrymwaith o symbolau er mwyn mynegi gwelediagaeth ysbrydol. Credai'n gryf fod brawdoliaeth a gorsedd y gwir feirdd yn goresgyn amser ac yn anwybyddu ffiniau o bob math, gan gynnwys ffiniau iaith a diwylliant. O ganlyniad, rhoddai gryn bwys ar gyfieithu, gan ddadlau ei fod yn fodd i fardd gymuno ag enaid hoff cytûn. Iddo ef, roedd cyfieithu yn ymylu ar fod yn weithred ysbrydol gyfrin:

> the approach of scholarship appears to stop at the original poet's written text, but the translator who is a poet is concerned with the whole orbit of the poet's thought during the period of composition; the written text is the track of a secret and more elaborate movement to which he alone, through an affinity of mind, has the key.[14]

Cyhoeddodd gyfieithiadau lu, a throsodd gerddi o'r hen Roeg, Eidaleg a Ffrangeg, ond ym marddoniaeth yr Almaen yr ymserchai fwyaf.[15]

Hwyrach fod peth o'r hoffter hwnnw wedi ei feithrin ynddo yn gynnar iawn, gan fod ei fam wedi dysgu'r iaith Almaeneg yn rhugl yn yr ysgol, ac wedi treulio cyfnod yn y Sudetenland yn cwblhau ei haddysg. Ond nid dyna'r prif reswm paham yr hudwyd dychymyg Vernon Watkins gymaint gan lên yr Almaen. Ymateb yr oedd yn bennaf i'r traddodiad cyfoethog o ysgrifennu barddoniaeth ysbrydol mewn dull symbolaidd, arfer a seiliwyd i gychwyn, ar ddechrau'r bedwaredd ganrif ar bymtheg, ar ddamcaniaethau'r brodyr Schlegel a Schelling.[16] Am gyfnod o ganrif a mwy ar ôl hynny, perthynai llawer o feirdd mwyaf yr Almaen i'r traddodiad hwn, gan gynnwys Hölderlin, Heine, Novalis, Stefan George, a Rainer Maria Rilke. 'The power of song through endless changes flies,/ Greeting us here below in varying dress',[17] meddai Novalis yng nghyfieithiad Vernon Watkins o un o'i gerddi, a cheisiai'r Cymro roi gwisg yr iaith Saesneg am y 'gân' drosgynnol a glywsai yng ngherddi'r awduron hyn. Llwyddai orau, efallai, lle'r oedd symbol cryf, awgrymog yn llywodraethu'r gerdd wreiddiol a lle, felly, y medrai ddefnyddio'r symbol hwnnw yn ei gyfieithiad ei hun. Ceir enghraifft o hyn yn ei drosiad grymus o soned enwog Rilke i dorso hynafol y duw Apollo:

> We did not know his unfamiliar head
> Where hung the ripening apples of his eyes,
> But still his torso candelabra-wise
> Glows, where his gazing, screwed back from the dead,
>
> Holds itself back and gleams. The bow of the breast
> Could not else blind you, nor in subtle turning
> Of loins could a smile break that goes there yearning
> To that mid-place which held the seeds at rest.
>
> Else would this stone short and disfigured cower
> Under the shoulders' dropped, transparent power
> Nor shine like sparkling skins of beasts of prey.
>
> And would not from all contours of the knife
> Break starlike out: for there is no place, nay,
> Which does not see you. You must change your life.
>
> (*Selected Verse Translations*, 73)

Yn y fan hon mae'r Cymro yn elwa ar synwyrusrwydd digymar dychymyg Rilke ac yn llunio soned gofiadwy yn y Saesneg am nerth cyhuddgar y goleuni ysbrydol sy'n dal i befrio o gorff anghyflawn duw yr haul, yr Apollo hwnnw a oedd yn awen cân, er ei fod heb ben a heb goesau. A chan mai cerdd Saesneg sy'n drosiad o soned Almaeneg yw hon, a Rilke yn defnyddio dull-iau Neo-Blatonaidd cyfnod y Dadeni i ddehongli hen fyth y Groegiaid am Apollo, mae'r gerdd yn grynodeb cyfoethog o ddiddordeb Vernon Watkins yn niwylliant hynafol, amlweddog Ewrop.

Mae gan Euros Bowen, hefyd, gerdd am ddarn o gorff, sef torso 'Affrodite Siracwsa', a'i 'glendid/ newydd godi o'r dŵr/ fel sglein ar afal' (*Detholion*, 134). Yma eto defnyddir un o dduwiau, neu'n hytrach un o dduwiesau, yr hen fyd i arwyddo'r gwerthoedd ysbrydol hynny sydd wedi cynnal ac wedi cyniwair trwy wareiddiad Ewrop ar hyd y canrifoedd. Er bod y bardd yn ymateb yn synhwyrus i harddwch corff Affrodite, pwysleisia nad oes modd cyfathrachu â'r harddwch hwn trwy gyfrwng y cnawd, oherwydd mai 'perthyn i fywyd y mae'r cnawd.// Mae nabod yn gymun celfyddyd'.

Yn unol â chred y traddodiad Cristnogol-Blatonaidd fod darn o gelfyddyd gain yn mynegi gweledigaeth ysbrydol drosgynnol ar lun delw, mae Euros Bowen yn synied am y cerflun o Affrodite fel datguddiad ac iddo arwyddocâd crefyddol:

> Osgo goleuni yw osgo'r marmor,
> nid osgo cyffyrddiad gwaed,
> ond osgo barddoniaeth
> a'i chnawd
> yn codi o'i defodaeth
> fel ewyn y môr
> yn gwynnu dychymyg y byd. (135)

Mae'n amlwg fod y gair 'gwynnu' yn y llinell olaf yn golygu gwynfydu a sancteiddio, yn ogystal â harddu.

Trwy synied am gelfyddyd fel y gwaith o lunio symbolau cysegredig, gall Euros Bowen drin barddoniaeth a cherflunio fel petai'r naill gyfrwng yn gyfystyr â'r llall. Yr un modd, gall weld holl gelfyddwaith Ewrop, gan gynnwys llên Cymru, fel un plethiad o weithiau mawreddog sy'n ymwneud â hen symbolau sylfaenol gwareiddiad y gorllewin. Mynegir y weledigaeth hon yn rymus yn y gerdd am 'Farmor Carrara', lle mae Euros Bowen yn defnyddio'r symbol o 'eira' y marmor a welodd ar lawr llechweddau mynyddoedd Carrara, a'r eira go iawn ar lannau'r afon 'dan bont y plwy' yng Nghymru, er mwyn gweithio dolen gyswllt rhyngddo ef, fel bardd, a Michelangelo y cerflunydd mawr: 'Ac yno [yn yr afon] mi welwn y delweddau'n/ codi'n llewyrch o'r dŵr,/ yn llun ieuenctid Dafydd . . .' (Detholion, 123). Yr awgrym yw fod Euros Bowen a Michelangelo ill dau yn darganfod delweddau cysegredig mewnfodol trwy dremio dan wyneb y cread, a thrwy blymio ar yr un pryd i'r isymwybod hwnnw lle, yn ôl Jung, y daw dyn o hyd bob amser i symbolau ysbrydol oesol. Credai Euros Bowen fod pob artist dilys yn gweithredu yn y modd hwn, ac felly roedd yn naturiol ddigon iddo sôn am Dafydd ap Gwilym ac am Baudelaire ar yr un gwynt, am fod dychymyg y ddau ohonynt, yn ei dyb ef, wedi

cael ei hudo'n llwyr gan ddirgelwch yr harddwch amwys a
ganfyddent yng nghnawd merch: 'Golwg ail ap Gwilym/ oedd
hen hud ac angerdd nwyd/ y berw yn ei Baris.' Achubwyd
Dafydd gan y ddealltwriaeth mai 'rhodd y Crëwr' oedd y
prydferthwch hwn; eithr gwireddwyd brud y Brawd Llwyd yn
achos Baudelaire, oherwydd fe'i maglwyd ef gan y wedd
gnawdol ar yr harddwch hwnnw, ac o ganlyniad 'sarff y siffilis a
aeth/ yn gryd ei boer i fryd y bardd' (*Detholion*, 225).[18] Ac wrth
inni sylwi ar y ddolen gyswllt hon y mae Euros Bowen yn ei
lunio rhwng Cymru a Ffrainc, fe ddeallwn ergyd ei sylw pellach
am ei gyfoeswr Dylan Thomas: 'O ran dull mynegiant 'roedd
Dylan Thomas yn fardd Ewropeaidd, nid yn fardd Seisnig, yn
perthyn yn nes i foderniaeth Ffrainc nag i draddodiad llenyddol
Lloegr.' ('Barddoniaeth dywyll', 29)

~

Beirdd Ewropeaidd, felly, yw Euros Bowen a Vernon Watkins, a
hynny i raddau oherwydd eu bod yn feirdd a symbylwyd gan
symbolau. Eithr ar yr un pryd mae eu hymwneud â symbolau
yn fynegiant o'u Cymreictod, ac er bod y ddau yn hanu o
gefndiroedd diwylliannol gwahanol mae gwaith y naill fel y llall
yn gynnyrch cyfnod penodol yn hanes diweddar Cymru, ac yn
cynnig golwg anuniongyrchol inni ar y cyfnod hwnnw. Fe'n
cynorthwyir, efallai, i ddeall naws y cyfnod gan y sylwadau
canlynol sy'n ymddangos ar ddiwedd llyfr Edmund Wilson,
Axel's Castle:

> Though it is true that [Symbolist writers] have . . . endeavoured to
> discourage their readers, not only with politics, but with action of
> any kind – they have yet succeeded in effecting in literature a
> revolution analogous to that which has taken place in science and
> philosophy: they have broken out of the old mechanistic routine,
> they have disintegrated the old materialism, and they have
> revealed to the imagination a new flexibility and freedom. And
> though we are aware in them of things that are dying – the whole
> belle-lettristic tradition of Renaissance culture perhaps, compelled
> to specialise more and more, more and more driven in on itself, as
> industrialism and democratic education have come to press it
> closer and closer – they none the less break down the walls of the
> present and wake us to the hope and exaltation of the untried,
> unsuspected possibilities of human thought and art. (235)

Er nad asesiad gwrthrychol yw hwn ond gwerthusiad o'r awduron Symbolaidd mwy neu lai ar eu telerau eu hunain – fel sydd i'w ddisgwyl gan mai yn 1931 y cyhoeddwyd llyfr Wilson – mae'r sylwadau yn rhai perthnasol iawn i waith Euros Bowen a Vernon Watkins, oherwydd gellir synied am y ddau ohonynt fel beirdd a oedd yn gwrthymateb i raddau i'r gweddau mwyaf materol ar y diwylliant 'democrataidd' Anghydffurfiol a'r gymdeithas ddiwydiannol yn ne Cymru. Ac er bod peryglon amlwg mewn barddoniaeth sydd mor anwleidyddol, ac sydd mor 'esthetaidd', â'u barddoniaeth hwy, mae ynddi hefyd gryfderau lu sy'n drech o lawer na'r peryglon hynny. Oherwydd, fel yr awgryma Edmund Wilson, mae'r gelfyddyd 'symbolaidd', a arferid yma yng Nghymru gan Euros Bowen a Vernon Watkins, yn medru ychwanegu'n ddirfawr at ein hamgyffred ni o ddirgelwch bod.

Nodiadau

[1] *Axel's Castle: a Study in the Imaginative Literature of 1870–1930* (1931: argraffiad Collins, Fontana Library, 1967), 26, 27.
[2] Charles Chadwick, *Symbolism* (London, 1971); Henri Peyre, *La Littérature Symboliste* (Paris, 1976); Lawrence M. Porter, *The Crisis of French Symbolism* (Ithaca and London, 1990); Alan Llwyd, *Barddoniaeth Euros Bowen*, Cyfrol 1 (Abertawe, 1977); Dafydd Elis Thomas, 'The poetry of Euros Bowen', *Poetry Wales* (Spring, 1970), 5–12.
[3] Euros Bowen, 'Trafod cerddi', *Taliesin* 9, 31–2.
[4] Euros Bowen, 'Barddoniaeth dywyll', *Taliesin* 10 (Gorffennaf, 1965), 37.
[5] Roland Mathias, *Vernon Watkins* (Cardiff, 1974); Gwen Watkins, *Portrait of a Friend* (Llandysul, 1983).
[6] Euros Bowen, *Detholion* (Caerdydd, 1984), 5.
[7] Euros Bowen, *Beirdd Simbolaidd Ffrainc* (Caerdydd, 1980), 41–2.
[8] Mathias, op. cit., 8.
[9] Vernon Watkins, *Collected Poems* (CP), (Ipswich, 1986), 103.
[10] *Listener* (April 30, 1964), 721.
[11] 'Vernon Watkins: poet of tradition', *Anglo-Welsh Review* 14, No.3 (Summer, 1964), 25. Gweler hefyd Roberto Sanesi, 'Vernon Watkins', *Temenos* 8, 102–25.
[12] Ceir sylwadau Euros Bowen am y gerdd hon yn 'Presenting Euros Bowen', *Mabon* 2 (Winter, 1969–70), 19–20.
[13] *Wales* 2nd series (23) 6, No.3 (1946), 23–4.
[14] Vernon Watkins, *Selected Verse Translations* (London, 1977), 15.
[15] Ian Hilton, 'Vernon Watkins and Hölderlin', *Poetry Wales* 12, No.4 (Spring, 1977), 101–17; Ian Hilton, 'Vernon Watkins as translator', yn

Leslie Norris (ed.), *Vernon Watkins, 1906–1967* (London, 1970), 74–89; H. M. Waidson, 'Vernon Watkins and German literature', *Anglo-Welsh Review* 21, No.47 (1972), 124–37.

[16] Rene Wellek, *A History of Modern Criticism, 1750–1950, The Romantic Age* (London, 1966), penodau 1–3.

[17] *Selected Verse Translations*, 67.

[18] Gweler hefyd *Beirdd Simbolaidd Ffrainc*. Ceir trafodaeth ar gyfieithiadau Euros Bowen o lenyddiaeth Glasurol yn Ceri Davies, 'Euros Bowen a'r Clasuron Groeg a Lladin', *Taliesin* 78/79 (Rhagfyr, 1992), 87–105.

Y Flodeuwedd Gyfoes:
llên menywod 1973–1993

JANE AARON

Yn 1960, wrth chwilota mewn siop lyfrau ail-law yn Llundain, daeth Hafina Clwyd o hyd i ddarn o bapur mewn hen lyfr ac arno bwt o bennill yn y Gymraeg. Cofnododd y llinellau yn ei dyddiadur:

> Cyd-gerddai dau yn dawel
> Trwy wyliadwriaeth nos ...
> Torrwyd ar y mudandod,
> Gan sydyn, aflan lais,
> 'Blodeuwedd!' meddai'r Cymro.
> 'Tylluan!' meddai'r Sais.[1]

Roedd crynhoi'r 'gwahaniaeth rhwng dwy genedl' fel hyn yn apelio at Hafina Clwyd. Fel prawf o genedligrwydd, ymddengys y syniad braidd yn ddiffygiol: go brin fod pob Cymro cyfoes, Cymraeg a di-Gymraeg, yn cael ei atgoffa am bedwaredd gainc y *Mabinogi* gan alwad gwdihŵ. Ond os cymerwn y Gymraes, yn hytrach na'r Cymro, fel gwrthrych y gwrthgyferbyniad, mae'r prawf – yn ôl tystiolaeth ein llên, o leiaf – yn ymddangos yn un mwy gweithredol: mae'n drawiadol pa mor aml y cyfeirir at Blodeuwedd a'i hanes yng ngwaith menywod llengar yng Nghymru heddiw, pa iaith bynnag fo'u cyfrwng.

Pan dyr yr 'aflan lais' ar draws ymgom hwyrol cyfeillesau yn un o gerddi Gillian Clarke, er enghraifft, am Blodeuwedd y meddylia'r bardd yn syth, a 'Blodeuwedd' yw teitl y gerdd. Yn sgrech y dylluan fe glyw'r bardd gri unig un a gondemniwyd i beidio â 'dangos dy wyneb lliw dyd byth, a hynny rac ouyn yr holl adar ... A bot yn anyan udunt dy uaedu, a'th amherchi, y lle i'th gaffant.'[2] Oherwydd ei throsedd yn erbyn deddfau dyn a sacrament priodas, gwaharddwyd Blodeuwedd o gymuned gartrefol ei chwiorydd yn ogystal ag o olwg ei chariadon:

> Deprived too of afternoons
> in the comfortable sisterhood
> of women moving in kitchens
> among cups, cloths and running
> water while they talk . . .

Galar dieiriau yw sgrech Blodeuwedd-y-dylluan. Hi yw yr Arall, y dieithryn a esgymunwyd oddi wrth bob cymdeithas wâr, oherwydd iddi wrthod rheoli ei dyheadau yn ôl gofynion y gyfundrefn wrywaidd. Yn y gerdd hon, mae Blodeuwedd fel petai'n fwch dihangol ar ran ei chwiorydd oll, ac yn cymryd arni groes y gwarth a ddioddefai'r rhyw yn gyffredinol. Ond y mae natur yn cydymdeimlo â hi yn ei thrallod os na all dyn:

> Her night lament
> beyond conversation,
> the owl follows
> her shadow like a cross
> over the fields,
>
> Blodeuwedd's ballad
> where the long reach
> of the peninsula
> is black in a sea
> aghast with gazing.[3]

Cawn olygfa debyg mewn cerdd a gyhoeddwyd yn y Gymraeg yn ddiweddar, gan Angharad Jones: gwraig yn ei thŷ a Blodeuwedd-y-dylluan yn hwtian y tu allan. Ond gwahanol iawn yw'r defnydd a wna'r bardd o'r ddelwedd y tro hwn. 'Branwen' o wraig ydyw hon, yn dwyn ar ei chorff greithiau erledigaeth ei gŵr:

> ôl ffags ar groen ei bronnau
> a chleisiau ar ei chlun,
> ei llygaid du yn syllu
> drwy'r ffenestr arni'i hun.

Pan dynnir ei sylw hithau gan y 'fflach glaerwen' yn gwibio heibio y tu hwnt i 'gell y gwydr', cenfigennu a wna:

Blodeuwedd, ti sy' galla';
allan â'r ser, yn rhydd.
Gwell bod yn gwdihŵ'n y nos
na'n Franwen unrhyw ddydd.[4]

Nid anffodusyn yw Blodeuwedd y tro hwn, ond rebel cyfiawn sydd wedi ei rhyddhau ei hun yn llwyddiannus o afael cyfundrefn a all brofi'n niweidiol i wragedd.

Gwerthfawrogiad o ryddid Blodeuwedd-y-rebel, sydd y tu hwnt i afael confensiwn, a gawn hefyd yn 'The Song of Blodeuwedd on May Morning' gan Hilary Llewellyn-Williams. Yma, symbol o rywioldeb benywaidd rhydd yw Blodeuwedd, un sy'n dilyn ei greddf ac yn dewis ei chariadon drosti ei hun heb gyfrif y gosb. Dengys ei chân ei pharodrwydd i dderbyn a gwerthfawrogi ei hunan, fel egni dilys sy'n gytûn â natur. Hon yw'r rebel y mae Delyth George yn ei darganfod wrth ddarllen rhwng llinellau fersiwn dramatig Saunders Lewis o'r bedwaredd gainc – y rebel na 'all lai na gwrando ar, a meddwl drwy, ei chorff . . . a gweithredu ar sail ei benywdod':[5]

> Skilful woman am I
> and dancing woman am I
> turning and turning on the green
> skin of the dawn fields . . .
> it is I, woman of flowers, who calls
> who holds wide her wings for you. . . .
> See! I have chosen you.[6]

Oherwydd iddi gael ei chreu o flodau a gorffen ei gyrfa fel tylluan, mae'r ddelwedd o Blodeuwedd yn un addas iawn i gynrychioli'r syniad ffeminyddol fod yna gyfochredd rhwng sefyllfa'r rhyw fenywaidd a sefyllfa natur o dan y gyfundrefn wrywaidd. Yn ôl y ffeminydd Susan Griffin, er enghraifft, grymoedd egnïol ond diniwed a gafodd eu llygru a'u darostwng gan drachwant y gwryw, a'i awydd i feistroli ei amgylchedd yw'r fenyw a natur. Ond mae'r ddau bŵer erbyn heddiw yn mynnu eu rhyddid dilychwin yn ôl.[7]

Nid rhyfedd, felly, fod Blodeuwedd wedi bod, ac yn dal i fod, yn ddelwedd mor boblogaidd gan lenorion benywaidd Cymreig. Eto, er mai dim ond yn gymharol ddiweddar y cafodd ailenedigaeth yn ein llên, ymddengys ei bod erbyn heddiw

eisoes wedi mynd bron yn ormod o ystrydeb inni ei thrin yn
hollol ddifrifol. Mewn cerdd a gyhoeddwyd yn ddiweddar gan
Elin Llwyd Morgan er enghraifft, gothig, lled-ysmala yw delw-
edd Blodeuwedd. Uniaethu â hi fel un o'r meirw byw a wna'r
bardd yn 'Zombodoli':

> Bob nos mae Blodeuwedd yn gwisgo mantell
> tylluan ac yn mynd i'r barbeciws bondigrybwyll
> lle mae'r bobl hapus yn gwenu wrth grilio
> gwinedd a pherfedd moch a gwartheg yn eu
> gerddi cefn. Rwy'n aros tan yr oriau mân
> yn yfed a gwrthod pob cig wedi'i goginio.
> Mae cnawd dynol yn wahanol, yn gysur oer
> drwy'r nosau cynnes, ond rwy'n deffro drannoeth
> yn teimlo dim.[8]

Y rhagolygon yw fod y ddelwedd o Blodeuwedd ar fin dechrau
ar bennod newydd yn ei hanes, fel rhyw fath o sugnwr gwaed
Cymreig a dynion yn ysglyfaeth iddi.

Ond cyn i Blodeuwedd lithro'n gyfan gwbl i mewn i wyll
llên arswyd, efallai y byddai'n fuddiol cofnodi yn fanylach
y rhesymau pam y tyfodd yn ddelwedd mor gyfoethog i
lenorion benywaidd y degawdau diwethaf. Os ystyriwn yn fras
y dylanwadau hanesyddol a'r newidiadau cymdeithasol a
effeithiodd ar ffordd o fyw y Gymraes yn ystod y blynyddoedd
hyn, daw addasrwydd Blodeuwedd fel symbol cymhleth, aml-
ochrog i'r amlwg. Yn ôl tystiolaeth llenyddiaeth o leiaf, un o'r
dylanwadau a wnaeth fwyaf i newid byd y Gymraes, a'i dieithrio
oddi wrth ei magwraeth draddodiadol, oedd chwyldro rhywiol
y chwedegau. Profodd cenhedlaeth o ferched y cymhlethdod o
fyw mewn dau fyd, byd y teulu capelgar a'r ysgol Sul ar y naill
law a byd helbulus eu cyfoedion ar y llall, ac i'r ddau fyd
werthoedd hollol wrthgyferbyniol. Mewn un byd yr oedd y ferch
rywiol ddibriod yn warth; yn y llall, y ferch a wrthodai arbrofi'n
rhywiol oedd yr un ddirmygedig. Wrth gwrs, mae'r tyndra
rhwng un genhedlaeth a'r llall yn hen stori, ond go brin iddo
achosi o'r blaen, ar raddfa mor eang ond eto mor berson-
ol, gymaint o argyfwng a phoen meddwl i ferched Cymru.
Syrthiodd Blodeuwedd hefyd, wrth gwrs, i demtasiwn serch
rhywiol dilyffethair, a gellid darllen ei chosb fel adlewyrchiad
symbolaidd o unigrwydd euog ei chwaer fodern a deimlai ei bod
hithau, trwy gydnabod chwant, wedi ei hesgymuno ei hun o'r

gymuned Gymreig. Ond os sgrech unig Blodeuwedd-y-dylluan, yng ngwacter y nos y tu allan i'r cartref clyd, sy'n atseinio trwy amryw o destunau'r llenorion benywaidd cyfoes, daeth mudiadau hanesyddol eraill, fel y mudiad ffeminyddol, â llais Blodeuwedd-y-rebel hefyd i'r amlwg.

Yng ngweddill y papur hwn, fy mwriad yw cymharu a gwrthgyferbynnu enghreifftiau o lên gyfoes menywod Cymru sy'n adlewyrchu'r ffenomenâu hanesyddol hyn, ac yn ymateb iddynt. Y gwrthgyferbyniad mwyaf amlwg rhyngddynt a'i gilydd, wrth gwrs, yw'r gwahaniaeth iaith. A'r cwestiwn sy'n codi yw: i ba raddau y mae'r ymateb yn newid pan fo'r iaith yn newid? A oes arwyddion yn ysgrifennu'r menywod o hunaniaeth ymwybodol Gymreig sy'n goresgyn y gwahaniaeth iaith? Mae beirniaid diweddar wedi honni fod cysylltiad cryf rhwng dau ddiwylliant Cymru, er gwaethaf y rhaniad ieithyddol amlwg. Yn 1968, yn ei lyfr *The Dragon Has Two Tongues*, pwysleisiodd Glyn Jones y ffaith fod y Cymry sy'n llenydda yn Saesneg wedi etifeddu'r un hanes a'r un diwylliant â llenorion Cymraeg eu hiaith, a bod hyn yn creu cwlwm clòs rhyngddynt.[9] Yn ei draethawd 'The Three-Wales Model', daeth Dennis Balsom i'r casgliad fod cyffelybiaeth agosach rhwng ymagweddiadau diwylliannol a gwleidyddol y Cymry Cymraeg a'r Cymry di-Gymraeg nag sydd rhwng y Cymry di-Gymraeg a'r Saeson yng Nghymru, a bod hyn yn brawf fod rhannu ymdeimlad o'r un hunaniaeth ethnig yn gysylltiad mwy grymus na rhannu'r un iaith.[10] Ac yn ei astudiaeth ddiweddar o'r gwahaniaethau mewnol sy'n nodweddu Cymru'r ugeinfed ganrif, *Internal Difference*, mae M. Wynn Thomas yn tanlinellu pwysigrwydd ymdrin yn gymharol â'r ddau ddiwylliant, os ydym i hybu ymwybyddiaeth lawn o Gymreictod. Iddo ef, mae arwyddocâd ac ystyr y Gymru gyfoes i'w darganfod yn y tyndra diwylliannol rhwng dau dafod y ddraig.[11]

Hyd yn hyn, bu'r ffaith fod amryw o lenorion benywaidd Cymreig cyfoes wedi defnyddio'r un ddelwedd yn fodd inni ymdrin â'u gwaith fel pe baent yn siarad yr un iaith, er nad oeddynt yn gwneud hynny'n llythrennol. Yn sicr, mae presenoldeb Blodeuwedd mewn cynifer o'r testunau Saesneg yn un esiampl o ymwybyddiaeth yr awduron eu bod hwythau hefyd yn etifeddion i'r un traddodiad â'r Cymry Cymraeg. Eto, rhaid cofio nad yw cyfeirio at enw a delwedd gyfarwydd

Gymreig o angenrheidrwydd yn arwydd o gysylltiad dyfnach nag un arwynebol. Fodd bynnag, wrth inni fynd ymlaen i ystyried nid yn gymaint y cyfeiriadau uniongyrchol a geir at y *Mabinogi* ond agweddau ar brofiad y 'Blodeuwedd' gyfoes yn llên y ddwy iaith, gobeithio y daw rhai o'r cyffelybiaethau a'r cyferbyniadau rhwng dau ddiwylliant Cymru yn amlycach.

~

Yn un o straeon Glenda Beagan, 'Scream, scream', y mae gwraig ffarm ganol oed yn sgrechian yn ddi-baid, o fore gwyn tan nos, unwaith bob tair blynedd. Yn yr ysbyty meddwl lle mae'r doctoriaid yn ceisio rhoi taw arni, clyw y cleifion benywaidd eraill adlais o'u profiad hwy eu hunain yn sgrech Mrs Jenkins: 'It's as if the scream slowly inhabits them all, slowly expresses them all.' Pwysleisir y ffaith fod gwreiddiau Mrs Jenkins yn ddwfn yn yr hen ffordd Gymreig o fyw:

> Mrs Jenkins comes from a farm, a farm in the middle of nowhere. A farm so old it's like a great fungus, an excrescence of the land . . . Little has changed at Sgubor Fawr since Owain Glyndŵr rode by, swelling his army with the sons of the farm . . . But this is the end of the line. The very end. This is the scream of the last of the Jenkinses of Sgubor Fawr, this is.[12]

O ba le y daw sgrech Mrs Jenkins? Ai o'i hymwybyddiaeth mai hi yw'r olaf o'i llinach, a bod ei ffordd o fyw ar fin diflannu? Neu a ddaw o ryw *angst* mwy dirfodol, cyffredinol ddynol? Nid yw'r stori'n cynnig atebion i'r cwestiynau hyn, ond y mae'n ein darbwyllo mai her yw'r sgrech: 'It is a medley of voices, the cry of aftermath, of battle and birth, of sap and sinew . . . It takes courage, this truth, this scream.'

Dewrder yw nodwedd amlycaf gwaith un o lenorion benywaidd mwyaf arbrofol y saithdegau yng Nghymru, sef Ennis Evans. Er bod 'sgrech' ei llên yn un arteithiol i'w darllen, eto mae'n rhoi mynegiant i rai o brofiadau nodweddiadol cenhedlaeth y chwedegau a'r saithdegau. Yn ei nofel *Y Gri Unig* (1975), mae'r prif gymeriad, Ceri, yn rhannu'i dyddiau rhwng ei chartref ym Maesgwyn a bywyd coleg. O ran eu gwerthoedd, mae ei dau fyd ar ddau begwn eithaf i'w gilydd, ac adlewyrchir y tyndra rhyngddynt yng nghymeriadau dwy o gyfeillesau agosaf Ceri, sef Mavis, sydd wedi gadael y coleg er mwyn nyrsio ei mam, a Rhiannon, sy'n 'newid ei chariadon fel y newidiai'i dillad, heb feddwl dwywaith amdanynt'.[13] Yn hanner cyntaf y nofel, mae Ceri, trwy aml i drafodaeth fewnol â lleisiau ei chydwybod, yn ceisio ymdopi â'i sefyllfa:

> Ambell waith mi fyddaf yn dychryn wrth feddwl fy mod wedi plymio i mewn i'm bywyd newydd â'm llygaid wedi'u cau. Meddwi neithiwr, ac yn gorfod mynd yn ôl i Faesgwyn gan geisio ymddwyn fel pe na bai dim byd wedi newid. . . .
> Dos i gysgu am ychydig bach, ac ar ôl iti ddeffro mi fyddi di'n chwerthin am dy ben dy hun yn meddwl am dy ddau fyd gwrthgyferbyniol!
> Ond mi wyt ti'n gwybod o'r gorau bod gwahaniaethau mawr rhwng fy nau fyd i.
> Oes, ond y mae'n rhaid iti dderbyn y ddau ohonynt.[14]

Llesol yw'r drafodaeth fewnol yma, ond erbyn ail hanner y nofel mae'r 'lleisiau' wedi troi'n erlidwyr maleisus sy'n lladd ar Ceri yn ddidrugaredd, 'fel pe bai rhywun yn cymysgu gwenwyn i mewn i'm meddwl'.[15] Erbyn hyn mae ei chariad, Marc, wedi'i ladd mewn damwain car, ac y mae hithau wedi gorfod cydnabod iddi'i hun nad ef yw tad y plentyn y mae'n ei gario. Ond ni all gyfaddef hyn wrth ei rhieni, er nad yw'r 'lleisiau mileinig' yn gadael iddo anghofio dim, na maddau iddi hi ei hun. 'Ni fedri di ddianc i unman Ceri!' meddant wrthi: 'Yr wyt ti wedi cael dy ddal mewn trap.'[16]

Menywod wedi eu dal mewn trap gan bwysau euogrwydd yw prif gymeriadau y mwyafrif o'r straeon byrion a gasglwyd yn y gyfrol *Pruddiaith* gan Ennis Evans, hefyd. 'Talp o euogrwydd sy'n sgrifennu atat', medd Ann wrth ei ffrind dychmygol ar ddechrau'r stori 'Ffrind Sali': 'rwy'n dlawd . . . rwy'n frwnt . . . rwy'n euog . . . rwy'n *euog*' yw cwyn Angharad yn 'Sforzando'.[17] Er nad yw'r storïau gan amlaf yn cynnig eglurhad uniongyrchol dros yr hunangasineb hwn, casglwn mai profiad rhywiol fu'r maen tramgwydd i fwyafrif lleisiau arteithiedig *Pruddiaith*. Mi fyddai'n braf meddwl mai gormodiaith druenus, ac amherthnasol i brofiad y gweddill ohonom, sydd yma, ond y mae gwaith digon o lenorion eraill yn tystio i'r ffaith fod y Gymraes yn dal i gael trafferth edrych arni ei hun fel bod rhywiol, heb ffieiddio. Rhaid meddwl trwy'r amser yn nhermau dau fyd rhyfelgar, y naill am y pegwn â'r llall – y du a'r gwyn, neu'r 'hwren' a'r 'oen' yn ôl Sheelagh Thomas, yn ei cherdd 'Amsterdam':

Ar gornel y Ledesplein
rhithmau'r blues yn grwndi
o galon gitarydd o Golorado.
Merch mewn pinc a denim
yn llosglygadu'i gorff bywiog
a'r hwren ynddi
yn gorchfygu oen
ei chefndir.[18]

Cyn gynted â'i bod yn cydnabod chwant, y mae merch wedi colli'r frwydr: syrthia yn syth o rengoedd yr angylion i gategori yr anniwair a'r colledig.

Hyd yn oed pan fydd tynerwch yr arddull yn cyfleu nad yw'r fenyw rywiol yn wrthrych hollol atgas iddi hi ei hun, fel yn *villanelle* brydferth Angharad Jones 'Distaw nawr yw dwndwr neithiwr, distaw', eto pechadur ar y rac rhwng dau rym ydyw. Ar ôl noson o garu, neu'n hytrach noson 'ym mreichiau adlewyrchiad oer fy chwant', mae euogrwydd yn llethu'r bardd:

Ac wylaf, wedi'r wefr, yn wag fy llaw
mewn storm o fud-ddifaru yn fy mhen;
mae hen frafado neithiwr imi'n fraw.

A gwelaf ddarlun addfwyn o ddwy law
yn tawel erfyn am ryw gyfrin hedd.
Distaw nawr yw dwndwr neithiwr, distaw.
Mae hen frafado neithiwr imi'n fraw.[19]

Haws byw gyda mwynder 'dwy law yn erfyn' fel delwedd o'r gydwybod yn hytrach na lleisiau maleisus *Y Gri Unig*, ond yr un yw'r neges: i ferched, rhyw = gwagedd oer ac euogrwydd.

Wrth gwrs, nid yw'r darlun negyddol hwn yn adlewyrchu'r holl wirionedd am fywydau rhywiol menywod Cymru yn negawdau olaf yr ugeinfed ganrif, ond eto dyma'r math o ymwybyddiaeth a bwysleisir dro ar ôl tro yn eu llên. Yno, nid ydyw rhyw yn rhyw, rywsut, os nad yw'n anghyfrifol, yn dwyn gwarth cymdeithasol ar y ferch ac yn y diwedd yn profi'n ddinistriol iddi. Y mae hyn yn wir hyd yn oed am nofel ddiweddar a froliwyd fel un arbennig o feiddgar yn ei hymdriniaeth â'r pwnc, sef *Cysgodion* Manon Rhys. Digon gwir fod yma ddisgrifiadau manylach na'r cyffredin o'r weithred rywiol, ond eto nid yw'r patrwm hanfodol wedi newid: mae cosb lem yn dal i ddilyn profiad y ferch o serch dilyffethair. Awdures a mam sengl yw Lois Daniel, sydd, yn y nofel hon, yn ffoli ar ddarlithydd priod. Pris ei charwriaeth yw colli ei hunan-barch, colli ei gafael ar ei gwaith, a cholli ymddiriedaeth ei cheraint, gan gynnwys ei merch Nia. Ond rhybuddiwyd hi gan ei ffrind Gwen y byddai unrhyw garwriaeth, hyd yn oed un ddigon diniwed gyda'i chyfaill dibriod Tim Bateman, yn ddinistriol iddi: rhaid iddi fyw fel lleian os yw am fod yn fam dda ac yn weithwraig ddibynadwy. Meddai Gwen wrthi: 'Pwylla, reit? . . . dwi'n disgwyl i ti anghofio am Bateman ac unrhyw ddyn arall sy'n mynd â dy ffansi di. Dwi'n disgwyl i ti ganolbwyntio dy egni ar Nia ac ar dy waith.'[20] Mae trefn y stori a'i diweddglo, gyda Nia erbyn hyn wedi dewis ymgartrefu gyda Gwen yn hytrach na chyda'i mam syrthiedig, yn ategu doethineb geiriau Gwen. Yma eto fe'n darbwyllir na all menyw ymdopi â phrofiad rhywiol: y dewis iddi o hyd yw dim neu ddinistr, bod yn hwren neu yn oen. Ar ddiwedd *Cysgodion*, wrth i Lois 'scrablo' am fynegiant i'w phoen ar sgrin ei chyfrifiadur, y mae 'sgrech' y Blodeuwedd gyfoes hon eto wedi mynd bron y tu hwnt i eiriau:

> unig digwmni . . .
> cysgu?na
> digalondid?affwysol . . .
>   llenwi gwacter geiriau gwag . . .
> gwag gwag gwag
> gwacter gwagedd o wagedd[21]

Ond beth am y llenorion di-Gymraeg? O'u cymharu â'u chwiorydd Cymraeg eu hiaith, maent yn syndod o dawel ar y testun: nid ydyw rhyw fel petai'n gymaint o bwnc llosg iddynt. Penny Windsor yw'r eithriad amlycaf ond, iddi hi, rhywbeth i'w fawrygu – yn ymwybodol heriol, efallai, ond yn ddiedifar a di-gosb – yw rhyw. Yn ei cherddi hi, ffrwyth ir yw ei rhywioldeb, iddi hithau ei fwynhau yn ogystal â'i chariadon:

> the sun seduces me
> my breasts are sweet and ripe
> and i am full of juice
> like oranges . . .[22]

Ffrwyth llawn irder yw rhywioldeb y fenyw i Hilary Llewellyn-Williams hefyd: fel y gwelsom yn barod yn ei 'Song of

Blodeuwedd', cysylltir y fenyw yn ei cherddi ag egni ffrwythlon heigiog natur. Y mae'n barod i herio unrhyw gyfundrefn a ddywed i'r gwrthwyneb, gan gynnwys crefydd batriarchaidd. Yn ei cherdd 'Contradicting the Bishop', etyb honiad esgob ar y radio mai gwagedd yw'r byd naturiol trwy bwysleisio llawnder ei chorff hi ei hunan:

> I am created solid, spun
> right round my heart, my veins
> full of crimson: no part of me
> is empty, void or hollow: no not even
> that female part you might call hollow
> is wholly so, but is crammed
> with muscle and sweet fluids . . .

Yn ôl ei dadansoddiad hi, crediniaeth drist a gwrthnysig yr esgob sydd wedi mynnu gweld gwacter anial lle mae, mewn gwirionedd, irder bywyd:

> That old proud cold belief,
> cutting you off from this encircling earth
> ground of our being, with its core of fire.
> Trees with their core of sap, hills
> with their core of creatures, fruit
> with its core, its seeds. Will you
> not taste it? Or does your god proclaim
> the hollowness of apples?[23]

Gellid tybio oddi wrth yr enghreifftiau hyn, felly, fod gagendor fawr rhwng ymdriniaeth yr awduresau Saesneg eu hiaith â'r pwnc ac ymwybyddiaeth y Gymraes Gymraeg – o'r un genhedlaeth – ohono. Yn hytrach na phrofi'n ddinistriol i'w hunan-barch, eu rhywioldeb yw sylfaen hyder y beirdd Saesneg; trwy ymfalchïo ynddo, llwyddant i wrthsefyll a herio'r ddelwedd negyddol o'r fenyw. Nid oes arlliw o dinc dolefus ac euog y llenorion Cymraeg yn eu llais.

Ond er bod Penny Windsor a Hilary Llewellyn-Williams erbyn hyn yn gyfranwyr gwerthfawr i lenyddiaeth yn yr iaith Saesneg yng Nghymru, eto ni chawsant eu codi yn y traddodiad Cymreig. Ganwyd a magwyd Penny Windsor yn Lloegr; symudodd i Abertawe ryw ugain mlynedd yn ôl. Ymsefydlodd Hilary Llewellyn-Williams ym Mhencader ym 1982 ar ôl treulio'i blynyddoedd cynnar yn Lloegr, yn ferch i rieni o dras Cymreig ac Eingl-Sbaeneg. Pan ystyriwn yn hytrach waith Saesneg llenorion benywaidd a fagwyd mewn cymunedau Cymreig, y mae'r gyffelybiaeth rhwng eu testunau prin hwy ar bwnc serch a gwaith y Cymry Cymraeg yn drawiadol. Diddorol yw cymharu, er enghraifft, ddwy nofel a gyhoeddwyd yn agos iawn at ei gilydd yn y saithdegau, sef *That Watery Glass* gan Moira Dearnley ac *Edafedd Dyddiau* Beti Hughes. Fel nofel gynharach Jane Edwards, *Byd o Gysgodion* (1964), thema'r ddwy yw effaith niweidiol perthynas rywiol rhwng athrawes a disgybl. A'r un yw neges *That Watery Glass* ac *Edafedd Dyddiau*. Crynhoir eu moeswers yn effeithiol mewn trafodaeth rhwng Gwenlais Pugh, prif gymeriad *Edafedd Dyddiau*, a'i lletywraig, Mrs Lewis. Mae Mrs Lewis yn amau doethineb dymuniad Gwenlais i wahodd un o'i disgyblion, Penri, am bryd. Ceisia Gwenlais roi taw ar ei hamheuon:

> 'Drwy lygaid athrawes yr wyf fi'n edrych arno, Mrs. Lewis, ac nid drwy lygaid merch.'
> 'Y peth cryfaf mewn merch yw'r ffaith mai merch yw. Eilbeth yw'r athrawes ynddi, cofiwch.'[24]

Hynny yw, go brin y gellir disgwyl ymddygiad proffesiynol, hunanddisgybledig oddi wrth ferched. Y mae eu bioleg yn eu gwneud yn rhwym i'w hemosiynau, ac y mae chwantau afreolus yn siŵr o'u goddiweddyd a'u llorio, yn hwyr neu'n hwyrach, os rhoir mymryn o ryddid iddynt. Ac y mae'r stori a groniclir yn *Edafedd Dyddiau*, a'r un sydd yn *The Watery Glass* hefyd, yn cadarnhau doethineb Mrs Lewis.

Yn y nofel Saesneg caiff Gwendoline Vivyan, tiwtor yn adran Saesneg un o golegau Prifysgol Cymru, ei chythryblu i'r fath raddau gan un o'i myfyrwyr blwyddyn gyntaf, Sinclair, nes ei bod yn amhosibl iddi guddio'i theimladau. Wrth geisio'i ddenu, rhaid iddi ei darostwng ei hunan i'r baw, gan fod Sinclair, sy'n cael ei bortreadu fel twrch bach hynod o atgas, wedi arfer tra-arglwyddiaethu dros ei fenywod: 'I dreaded to appear formidable in his eyes . . . I was almost completely passive, terrified that the least hint of leadership on my part would scare him off altogether.'[25] Wrth gwrs, nid yw'n hawdd cyfuno'r rôl hon â'i swydd broffesiynol; mae'n cael trafferth i ymddwyn fel addysgwr yn ei bresenoldeb. Ffars, yn wir, yw ei seminarau, neu'n hytrach oriau i fwydo'i chwant: 'I desperately wanted to see him once more that term, captured in my presence for a whole hour – an hour in which I could pay lip service to Keats and eye service to Sinclair, his face and his body.'[26]

Unwaith y mae Gwenlais Pugh wedi cydnabod ei theimladau tuag at Penri, y mae emosiynau'r ferch yn ymyrryd â rôl ddilys yr athrawes yn *Edafedd Dyddiau* hefyd. Ni all Gwenlais guddio'i chenfigen cyntefig tuag at Non, cyfaill Penri, a'r unig aelod arall o'i dosbarth chwech. Ychydig iawn o sylw a gaiff Non, druan, gan ei hathrawes Ffrangeg: 'Hanner trodd ei chefn at Non, a gwenodd yn fwythus ar ei disgybl arall. Drwy gornel ei llygaid synhwyrai fod Non yn eistedd yn aflonydd iawn . . . Aeth ymlaen i'w hanwybyddu.'[27] Ychydig o les a gaiff Penri, yntau, o'i holl ddosbarthiadau Ffrangeg ychwanegol: yn ôl Mrs Lewis, bygythiad i'w ddyfodol yw ei berthynas â'i athrawes. 'Dydych chi ddim yn meddwl am Penri fel personoliaeth ag iddo ddyfodol, a'i le parchus mewn cymdeithas', meddai wrth Gwenlais.[28] Nid yw'n sôn am y niwed y mae'r berthynas yn ei wneud i le parchus yr athrawes yn y gymdeithas. Mae Gwenlais yn barod wedi syrthio y tu hwnt i unrhyw ystyriaeth o'r fath.

Yn wyneb y fath dystiolaeth, y syndod yw fod menywod wedi parhau i gael eu hethol yn athrawesau o gwbl, mor amlwg yw eu hanaddasrwydd i'r swydd a'r cyfrifoldebau sydd ynghlwm wrthi. Nid yw'r nofelau hyn yn dewis ystyried y ffaith y gallai disgyblion fod yn demtasiwn i athrawon yn ogystal ag i athrawesau: nid atgoffir dyn ynddynt mai 'eilbeth yw'r athro ynddo'. Pwy fyddai ar ôl i gymryd cyfrifoldeb pe bai'n rhaid inni gyfaddef fod dynion hefyd yn ffaeledig? Ond am ferched – bythol anaeddfed a direol ydynt hwy, ac anghymwys i swydd o awdurdod. Dengys helyntion caru Gwendoline a Gwenlais ddefnyddioldeb y ddelwedd o'r fenyw fel clamp o rywioldeb afreolus i'r meddylfryd gwrth-ffeminyddol: gan nad oes ganddi ddigon o gryfder moesol i ffrwyno'i serchiadau mewn modd cyfrifol, gwell iddi aros yn nghell y cartref, er ei lles hi ei hunan yn ogystal ag er lles y gymdeithas.

Ond nid dyna nod ymwybodol y ddwy nofel. Yn hytrach, eu bwriad yw dadansoddi tensiynau sy'n nodweddiadol o fywyd y Gymraes gyfoes a fagwyd y tu mewn i'r diwylliant traddodiadol Cymreig. Daw Gwendoline Vivyan o deulu dosbarth gweithiol sy'n addoli trwy gyfrwng y Gymraeg, er mai Saesneg yw iaith pob agwedd arall ar eu bywydau. Fel Lois Daniel yn *Cysgodion* a

Gwenlais yn *Edafedd Dyddiau*, y mae hithau hefyd ar un achlysur yn profi'r wefr nodweddiadol Gymreig honno o ddefnyddio geiriau emynau fel mynegiant gwrthnysig o'i chariad seciwlar. Wrth ganu'r emyn 'Mae d'eisiau O! mae d'eisiau' yng nghapel ei rhieni yn fuan ar ôl cychwyn ei pherthynas â Sinclair, mae ganddi ddigon o Gymraeg i lawenhau yn amwysedd y geiriau: 'My thin soprano was astonishingly enriched by my secular emotion.'[29] Y mae'r affêr yn fodd iddi'i rhyddhau ei hun o hualau ei magwraeth foesol; cynigia Sinclair iddi 'emancipation, even salvation, from the narrow and virtuous loneliness approved by my conscience'.[30] Rhaid bod yn ferch ddrwg er mwyn bod yn ferch rydd: rhaid pechu mewn modd digamsyniol, mewn modd sy'n ymylu ar fod yn hunanddinistriol, cyn ennill hunaniaeth annibynnol. Mater o ddewis rhwng rôl yr hwren waharddedig a rôl yr oen llywaeth ydyw yma eto. Erbyn diwedd y nofel y mae Gwendoline wedi dod i adnabod yr orfodaeth a esgorodd ar ei hobsesiwn â'i myfyriwr: 'My attitude to him had been hypocritical: I had merely made use of him during the fascinating process of discovering my nasty new self.'[31]

Mae'r gyffelybiaeth rhwng nofel Moira Dearnley a'r nofelau Cymraeg y bûm yn eu trin yn esiampl eglur iawn o'r modd y gall rhannu hunaniaeth ethnig brofi'n gryfach na gwahaniaeth iaith. Darganfod eu 'nasty new selves', yn wyneb cydymffurfiaeth Ymneilltuol, yw nod yr arwresau Cymraeg eu hiaith hefyd. Eto, mae gwahaniaethau sylfaenol rhwng y modd yr ymdrinnir â'r thema yn y ddwy iaith. Mae'r broses o dderbyn yr hunaniaeth newydd yn un lawer iawn mwy arteithiol i'r Cymry Cymraeg nag ydyw i Gwendoline, ac y mae'n profi'n amhosibl i rai ohonynt. Trasiedi hunllefus yw *Y Gri Unig*; ond comedi eironig ei harddull yw *That Watery Glass*, ac y mae hyn yn ddealladwy o dan yr amgylchiadau. Cafodd Gwendoline ei magu mewn dau fyd gwrthgyferbyniol o'r cychwyn cyntaf – ei byd Cymraeg a'i byd Saesneg. Ond er ei bod yn cydnabod gafael ei magwraeth grefyddol ar ei hisymwybod, eto mae'r gwahaniaeth iaith wedi ei dieithrio hi oddi wrth y fagwraeth honno cyn iddi gychwyn ar ei hanturiaethau caru, ac y mae ei haddysg a'i huchelgais ysgolheigaidd wedi ei phellhau hi oddi wrth ei chymuned dosbarth gweithiol. Nid oes ganddi hi gymaint ar ôl i'w golli ag sydd gan y Gymraes Gymraeg, ac nid yw o ganlyniad yn teimlo'r un raddfa o euogrwydd personol.

Ond canlyniad cymhlethdod hanesyddol, yn hytrach nag elfen hanfodol o'i Chymreictod, yw miniogrwydd arbennig trap rhywiol y Gymraes Gymraeg hefyd. Etifeddodd merched Cymru lymder y ddelwedd ohonynt eu hunain fel bodau rhanedig, yn ddiymadferth ar y rac rhwng grymoedd rhyw a'r Oen, oddi wrth argyfwng cenedlaethol y ganrif o'r blaen. Yn ddiweddar, mae haneswyr wedi'n hatgoffa o arwyddocâd canolog y digwyddiad a adnabyddir fel 'Brad y Llyfrau Gleision' yn hanes y Gymraes.[32] Yn yr *Adroddiadau* ar ddiffygion addysg y Cymry a gyhoeddwyd yn 1847, cyhuddwyd merched Cymry o anniweirdeb ar raddfa ddifrifol iawn. Yr oedd hirhoedledd yr arfer gwerinol o 'garu yn y gwely' yn gwneuthur puteiniaid bwystfilaidd ohonynt oll, ym marn Saeson dosbarth-canol oes Fictoria.[33] Yn ogystal, honnwyd hefyd gan y tri dirprwy o Loegr a fu'n gyfrifol am *Adroddiadau* 1847 fod y dystiolaeth a gasglwyd ganddynt yn dangos bod cysylltiad agos rhwng arferion crefydd Anghydffurfiol ac anniweirdeb y Gymraes. Cyfle i fachu cariad newydd oedd y cyfarfodydd gweddi nosweithiol: 'lleoedd ydynt y cytuna'r cariadon i gyfarfod, gan fyned adref gyda'i gilydd yn hwyr y nos,' yn ôl un o'u tystion.[34] Er i nifer o Gymry gwlatgar a chrefyddol ruthro i achub cam y Gymraes, cythryblwyd hwy hefyd gan y posibilrwydd fod rhywfaint o wir yn y sarhad. Rhaid oedd codi merched syrthiedig Cymru, a'u cosbi'n llym am unrhyw ymddygiad amheus a allai ddwyn gwarth ar Ymneilltuaeth. Er dyddiau'r Llyfrau Gleision, ffordd unionsyth i ddamnedigaeth oedd rhywioldeb merched dibriod ym marn crefyddwyr y bedwaredd ganrif ar bymtheg; diarddelwyd o'u capeli ferched a ddrwgdybiwyd o amharchu anrhydedd priodas a'r 'gwely dihalogedig'.[35] Serch hynny, glynai amryw at yr hen draddodiadau 'anwaraidd': yn ôl Catrin Stevens yn ei hastudiaeth o arferion caru'r Cymry, dim ond yn 'raddol rhwng tua 1920–30 yr aeth union ddull y werin gynt o "garu yn y gwely" allan o arfer yng nghefn gwlad Cymru'.[36]

Maes ymrafael hirhoedlog a chwerw oedd ei rhywioldeb i'r Gymraes, felly; daliwyd hi mewn trap ideolegol rhwng moesau'r capel ac arferion y comin, mewn modd a'i dihysbyddai hi, mae'n siŵr, o'r rhyddid mewnol i benderfynu drosti'i hunan sut yr oedd am ymddwyn. Yn ôl safon ddwbl yr oes, arni hi y syrthiai'r gwarth am ymostwng i chwantau nad oeddynt ond yn beth 'naturiol' yn y gwryw. Ac y mae'r Gymraes ddi-Gymraeg a fagwyd mewn cymunedau Anghydffurfiol wedi etifeddu'r un hanes. Eithr, erbyn heddiw, delwedd hanesyddol yn unig yw'r ferch syrthiedig a'i herledigaeth yn amryw o'r nofelau poblogaidd a gyhoeddir yn y Saesneg, gan rai a fu'n aelodau o gymunedau Cymreig yn eu plentyndod. Yn *Hearts of Gold* (1992) Catrin Collier, er enghraifft, gorliwir – er mwyn creu ias a chyffro – disgrifiad o ferch feichiog ddibriod yn cael ei llabyddio yn ystod oedfa ym Mhontypridd yn nhridegau'r ganrif hon.[37] Nid yw'n amlwg fod ymgais yma, debyg i'r un a gawn yn nofel Moira Dearnley o'r saithdegau, i ddeall cymhlethdod poenus sydd o hyd yn un byw i'r nofelydd. Hynodrwydd lliwgar, hanesyddol, yw gwarth y Gymraes rywiol yn nofelau Saesneg y nawdegau, yn hytrach na phoen byw ond, fel y gwelsom, mae'r sefyllfa'n wahanol i rai o gymeriadau'r llenorion Cymraeg eu hiaith. Cyn cael achubiaeth lwyr o'r hen drefn, mae o hyd yn angenrheidiol iddynt wynebu llid cyhuddwyr mewnol eu cydwybod eu hunain. Er nad yw'n arfer cymdeithasol mwyach, y mae'r hen erledigaeth o hyd yn dal ei gafael ar isymwybod yr unigolyn.

Eto, gellir darllen 'sgrech' noeth y Blodeuwedd gyfoes yng ngwaith y llenorion Cymraeg fel ymgais i lansio'r briw hanesyddol a gollwng ei wenwyn, unwaith ac am byth. Her yw ei sgrech, wedi'r cwbl, er ei bod o hyd ynghlwm mewn modd poenus wrth yr hen ragfarnau y mae ar yr un pryd yn eu dinoethi. Wrth ymateb yn groch a thymhestlog i weddillion y rhwystredigaethau a osodwyd arni, mae'r Blodeuwedd gyfoes yn dangos hylltra'r hen gyfundrefn yn eglur iawn, a thrwy hynny'n ei thanseilio fel grym ideolegol. Gallwn obeithio mai cân olaf ffordd o feddwl sydd ar farw yw ei chri unig. A dim ond y rhai a fynnai arddel, fel Freud, nad oes i'r fenyw gydwybod a allai gredu y bydd tranc yr hen oruchwyliaeth wrywaidd dros rywioldeb benywaidd yn dinistrio moesau cymdeithasol, teuluol, crefyddol neu ethnig. I'r gwrthwyneb, dechrau byw'n gydwybodol y mae'r fenyw wrth fynnu cymryd cyfrifoldeb annibynnol dros oblygiadau ei rhywioldeb, a'i ddiffinio drosti ei hun.

~

Ond os her gymhleth, llawn tyndra, yw her gyfoes y Blodeuwedd newydd, y mae eraill o'i chyfoedion yn gwrthryfela mewn modd llawer iawn mwy uniongyrchol. Yn nofel Meg Elis *I'r Gad*, eilbeth yw ei rhywioldeb i'r prif gymeriad Mair Beuno: brwydr yr iaith sy'n dod gyntaf. Yn wir, arf i'w ddefnyddio yn y frwydr honno yw ei benywdod atyniadol: yn ystod y nofel y mae Mair yn llwyddo i ddenu Gwyn Ifans, dyn ifanc di-waith, i mewn i lengoedd gweithredwyr y Gymdeithas, yn rhannol oherwydd ei fod ef yn ei ffansïo.[38] Cynhwysir yn y nofel ddisgrifiadau manwl o brofiadau rhywiol Mair, ond nid oes unrhyw awgrym o euogrwydd, nac o gosb. A hynny, efallai, oherwydd fod y nofel hon yn cynnig delfryd newydd o'r Gymraes fel rebel yn hytrach nag fel 'oen' goddefol. Nid trwy amlygu ei diweirdeb ond trwy nerth ei hanian chwyldroadol y bydd o gymorth yn yr ymdrech newydd i achub cam y Cymry.

Nid yw ei benyweidd-dra yn unrhyw fath o lyffethair ar arwres *Yma o Hyd* Angharad Tomos chwaith. Ailddiffinio Cymreictod yw nod Blodeuwedd-y-rebel yn y nofel hon hefyd:

> Mae rhywun yn gorfod gweithio mewn ffordd hollol wahanol. Tanio'r hunan. Rhoi'r peth mewn cyd-destun oesol. Holi be sy'n beryg o ddigwydd os *na* wna i rywbeth. Creu ofn yn yr hunan am hyn. Disgyblu'r hunan yn llym. Wedyn mae rhywun yn gorfod gweithredu . . .[39]

Mater o 'gyfiawnhad drwy weithredoedd'[40] (gwleidyddol) ydyw i'r Gymraes hon, yn hytrach na'r hen gyfiawnhad drwy ymatal rhag gweithredoedd (rhywiol). Nid oes moesau gwahanol i'r gwryw a'r fenyw yn y 'ddisgyblaeth' hon, ac y mae felly'n rhyddhau'r ferch oddi wrth yr hen orymwybyddiaeth lethol o'i rhyw fel cyfyngiad, ac yn rhoi iddi hyder newydd. O ystyried *Yma o Hyd* yng nghyswllt llên menywod yn y Gymraeg, yr hyn sy'n drawiadol iawn ynghylch y nofel yw hyder yr arddull, a'r sicrwydd y mae'n ei gyfleu fod y profiadau sy'n cael eu mynegi yn rhai a ddylai fod yn ganolog i'r Cymry yn gyffredinol, os nad ydynt felly eto. Mi fyddai'n rhaid mynd yn ôl at waith Ann Griffiths cyn dod ar draws arddull fenywaidd sy'n codi i'r un graddau uwchlaw unrhyw ystyriaeth mai'r 'arall' yw'r fenyw, ac mai ymylol yw ei phrofiadau hi i'w hil yn gyffredinol.

Wrth gwrs, y prif reswm dros newydd-deb heriol llais Blodeuwedd yn *Yma o Hyd* yw fod ganddi, fel Ann Griffiths, 'achos' sy'n bwysicach iddi nag unrhyw syniadau ystrydebol am y math o ymateb sy'n weddus mewn menywod. Eto gellir honni hefyd fod dyddiadau'r ddwy awdures yn berthnasol i ryddid eu harddull. Canai Ann Griffiths cyn dyfod y dyddiau blin Fictoraidd â'u pwn o wyleidd-dra hunanymwybodol i'r ferch: mae Angharad Tomos yn ysgrifennu ar ôl i dwf mudiadau ffeminyddol y ganrif hon ddisodli'r gyfundrefn hanesyddol honno i raddau. Mewn llenyddiaeth Gymraeg, y beirdd yn hytrach na'r nofelwyr sydd wedi mynegi'r safbwynt ffeminyddol yn y modd mwyaf uniongyrchol, efallai. Yng ngherddi Menna Elfyn, yn enwedig, pwysleisir y meddylfryd benywaidd newydd a ddaeth yn sgil ffeminyddiaeth, a'r her y mae'n awr yn ei osod o flaen taeogion yr hen gyfundrefn rywiol:

> Bûm wylaidd fenywaidd
> bellach rwy'n hy,
> bûm ddiasgwrn ferchetaidd
> bellach rwy'n gry',
> bûm ddirym oddefol
> fel fy rhyw di-lais,
> bûm fodlon anniddig
> am ganrifoedd y trais.
>   Ond,
>   gwylia
>   dy gam,
>   fy mrawd![41]

Y mae newid byd wedi dod ar 'ingwasgiad dolurus/ Y Gymraes gyfoes'.[42] Mewn casgliad fel *Tro'r Haul Arno* Menna Elfyn, neu *Lodes Fach Neis* Carmel Gahan, dengys y Gymraes ei chwilfrydedd newydd i ddarganfod 'Pwy ydyn ni/ ydyn ni'n bod/ tu hwnt/ i'r dynion?',[43] ac i ddymchwel yr hen ystrydebau. Nid merch y blodau ydyw ragor ond merch danadl poethion y brotest. Yng ngeiriau Menna:

> . . . byw, i'r eithaf, hyn ddeisyfaf i,
> A dined gwyrdd y brotest, hyd yr olaf gri.[44]

Gwaedd y rebel hyderus, a'i chwiorydd o'i phlaid, yn hytrach na sgrech unig y dylluan, a gaiff yr olaf gri.

Nodiadau

[1] Hafina Clwyd, *Buwch ar y Lein: Detholiad o Ddyddiaduron Llundain 1957–1964* (Caerdydd, 1987), 95.

2 Ifor Williams (gol.), *Pedeir Keinc y Mabinogi* (Caerdydd, 1951, ail argraffiad), 91.

3 Gillian Clarke, 'Blodeuwedd', *Letter from a Far Country* (Manchester, 1982), 29.

4 Angharad Jones, 'Branwen a Blodeuwedd', *Barn*, Mai 1993, 47. Gweler hefyd nofel Angharad Jones, *Y Dylluan Wen* (Llandysul, 1995), a enillodd y Fedal Ryddiaith yn Eisteddfod Genedlaethol Bro Colwyn.

5 Delyth George, 'Blodeuwedd – Dymchwelydd y Drefn?', yn John Rowlands (gol.), *Sglefrio ar Eiriau* (Llandysul, 1992), 108.

6 Hilary Llewellyn-Williams, 'The Song of Blodeuwedd on May Morning', *The Tree Calendar* (Bridgend, 1987), 45–6.

7 Gweler Susan Griffin, *Woman and Nature: The Roaring Inside Her* (New York, 1978).

8 Elin Llwyd Morgan, *Duwieslebog* (Talybont, 1993), 8.

9 Glyn Jones, *The Dragon has Two Tongues* (London, 1968), 43.

10 Dennis Balsom, 'The Three-Wales Model' in John Osmond (ed.), *The National Question Again: Welsh Political Identity in the 1980s* (Llandysul, 1985), 6.

11 M. Wynn Thomas, *Internal Difference: Literature in Twentieth-Century Wales* (Cardiff, 1992), 81.

12 Glenda Beagan, *The Medlar Tree* (Bridgend, 1992), 31, 32.

13 Ennis Evans, *Y Gri Unig* (Llandysul, 1975), 63.

14 Ibid., 45.

15 Ibid., 87.

16 Ibid., 90, 97.

17 Ennis Evans, *Pruddiaith* (Llandysul, 1981), 11, 57.

18 Sheelagh Thomas, 'Amsterdam', yn Menna Elfyn (gol.), *Hel Dail Gwyrdd* (Llandysul, 1985), 62.

19 Angharad Jones, *Datod Gwlwm* (Llandysul, 1990), 63.

20 Manon Rhys, *Cysgodion* (Llandysul, 1993), 102.

21 Ibid., 226, 227.

22 Penny Windsor, *Like Oranges* (Dinas Powys, 1989), 26.

23 Hilary Llewellyn-Williams, *The Tree Calendar*, 39.

24 Beti Hughes, *Edafedd Dyddiau* (Abertawe, 1975), 55.

25 Ibid., 65, 68.

26 Moira Dearnley, *That Watery Glass* (Llandybïe, 1973), 141.

27 Beti Hughes, *Edafedd Dyddiau*, 44.

28 Ibid., 76.

29 Moira Dearnley, *That Watery Glass*, 60. Cymharer *Cysgodion*, 5, 121, ac *Edafedd Dyddiau*, 72.

30 Moira Dearnley, *That Watery Glass*, 36.

31 Ibid., 195.

32 Gweler, er enghraifft, W. Gareth Evans, 'Y ferch, addysg a moesoldeb: Portread y Llyfrau Gleision 1847', yn Prys Morgan (gol.), *Brad y Llyfrau Gleision* (Llandysul, 1991), 74–100.

33 Gweler, er enghraifft, tystiolaeth y Parchedig William Jones, rheithor Nefyn, yn yr *Adroddiadau*: 'mae diffyg diweirdeb yn warthus. Ni

chyfyngir y drwg i'r tlodion. Yn Lloegr y mae merched amaethwyr yn barchus; yng Nghymru y maent yn gyson yn caru yn eu gwelyau.' *Reports of the Commissioners of Inquiry into the State of Education in Wales*, 1847, iii, 67–8; cyfieithwyd a dyfynnwyd yn W. Gareth Evans, op.cit., 83.

[34] *Reports of the Commissioners*, i, 21, yn W. Gareth Evans, op. cit., 81.

[35] Ieuan Gwynedd, 'Anerchiad', *Y Gymraes*, 1 (1850), 6.

[36] Catrin Stevens, *Arferion Caru* (Llandysul, 1977), 67.

[37] Catrin Collier, *Hearts of Gold* (London, 1992), 142–6.

[38] Meg Elis, *I'r Gad* (Talybont, 1975), 59.

[39] Angharad Tomos, *Yma o Hyd* (Talybont, 1986), 61.

[40] Ibid., 79.

[41] Menna Elfyn, 'Eneidgan', *Tro'r Haul Arno* (Llandysul, 1982), 38.

[42] Ibid., 'Ymweld â Hen Bobl', 55.

[43] Carmel Gahan, 'Asen Adda', *Lodes Fach Neis*, Cyfres y Beirdd Answyddogol (Talybont, 1980), 4.

[44] Menna Elfyn, 'Ofn', *Stafelloedd Aros* (Llandysul, 1978), 17.

Mynegai

Aberdaron, 32
Aberteifi, 60
Aberystwyth, 60
Abse, Dannie, 4
Acwin, Thomas, 161
Adams, David, gweinidog Capel Hawen, 45
Afal Drwg Adda (Caradog Prichard), 63
'After Dunkirk' (Alun Lewis), 125–6, 130, 131, 138, 139
'After the funeral' (Dylan Thomas), 177
'Affrodite Siracwsa' (Euros Bowen), 185–6
'Alarch, Yr' (Euros Bowen), 174, 176
Allingham, Helen, 15, 17, 22
'Amsterdam' (Sheelagh Thomas), 196–7
Anfarwol Ifan Harris, Yr (Idwal Jones), 29
Angry Summer, The (Idris Davies), 116
Anthropos
  gweler Rowland, R. J.
'Ar Drothwy Rhyfel' (Alun Llywelyn-Williams), 124
'Ar Ymweliad' (Alun Llywelyn-Williams), 140
Ardal y Beirdd, 32
'Argoed' (T. Gwynn Jones), 50
Arnold, Matthew, 94
'Artist yn Philistia, Yr' (Saunders Lewis), 156
'Asen Adda' (Carmel Gahan), 206
Auden, W. H., 115

'Autumn 1939' (Alun Lewis), 124, 137
Axel's Castle (Edmund Wilson), 170, 187–8

Baines, Menna, 63
Baldwin, Stanley, 12
Balsom, Dennis, 194
'Barddoniaeth dywyll' (Euros Bowen), 171, 174, 187
Barrès, Maurice, 153, 167
Bashkirtseff, Marie, 90
Bates, H. E., 93–4
Baudelaire, Charles, 186–7
'Baudelaire: 1' (Euros Bowen), 187
Beagan, Glenda, 195
Beddoe, Deirdre, 85
Behan, Brendan, 153
Beirniad, Y, 30
Bell, Idris, 147
Bennett, Arnold, 82
Berry, R. G., 29, 56
Bethesda, 32, 163
'Beyond the Black Tips' (Idris Davies), 112
Bianchi, Tony, 2
Blake, William, 158
Blodeuwedd, 190–4, 195, 204–6
'Blodeuwedd' (Gillian Clarke), 190–1
Bloomsbury, byd, 82–3
Blwch Llawenydd (Dewi Idloes), 98
Borrow, George, 150
Bowen, Euros, 3, 170–6, 181–3, 185–8
'Branwen a Blodeuwedd' (Angharad Jones), 191–2

'Bugail, Y' (Eifion Wyn), 24
'Burma Casualty' (Alun Lewis), 132
Burning Tree, The (Gwyn Williams), 4
Burton, Richard, 165
'By Way of Apology' (Saunders
  Lewis), 148, 153, 154, 167
Byd o Gysgodion (Jane Edwards), 200

Caerfyrddin, 60
Caersŵs, 32
Caerwedros, 32
'Cân Cymro Bach' (Idris Davies), 102,
  107
'Cân Idris' (Idris Davies), 107
Caniadau (Ossian Gwent), 98
Canlyn Arthur (Saunders Lewis), 146,
  156
Canu Aneirin, 128
Canu Llywarch Hen, 121
Capel Sion (Caradoc Evans), 42, 43–4,
  45, 47, 61–2, 66
Carno, 32
'caru yn y gwely', 59, 203
Castellnewydd Emlyn, 60
Cefneithin, 32
Ceinewydd, 37
Ceiriog
  gweler Hughes, J. Ceiriog
Cenarth, 32
Cerddi 1934–42 (Alun Llywelyn-
  Williams), 130
Cerddi Rhyddid (T. E. Nicholas), 50–1
Chase, Malcolm, 12, 13
Chekhov, Anton, 83
Clare, John, 15
Clarke, Gillian, 190
Cleverdon, Douglas, 35
Clwyd, Hafina, 190
Clych Atgof (O. M. Edwards), 18–19
Clynnog, 32
Cobbett, William, 15
Coed-duon, 162
Coleridge, S. T., 113
Collected Poems of Idris Davies, 96
Collier, Catrin, 204
'Colomennod' (Gwenallt), 117
'Conquered, The' (Dorothy Edwards),
  90–2
Conran, Tony, 2, 4
'Contradicting the Bishop' (Hilary
  Llewellyn-Williams), 199
Corkery, Daniel, 150, 153, 154, 157
Cornel y Llenor, 106

Country Dance (Margiad Evans), 84
'Country House, A' (Dorothy
  Edwards), 93
Countryside Character (Richard
  Harman gol.), 13
Countryside Companion (Richard
  Harman gol.), 13
Countryside Mood (Richard Harman
  gol.), 13
Crabbe, George, 15, 17
Crowther, John, 45
Crwys
  gweler Williams, W. Crwys
Culture and Environment (F. R. Leavis a
  Denys Thompson), 13
Cwm Eithin (Hugh Evans), 30
Cwm Rhondda, 111
Cwm Rhymni, 96–110
'Cwm Rhymni' (Idris Davies), 107
Cwm Tawe, 110
Cwmni Drama Trecynon, 37
'Cymeriadau'r Felin-fach' (Idwal
  Jones), 39
Cymru (O. M. Edwards), 13, 15, 18, 24,
  25, 35
'Cymru 1937' (R. Williams Parry), 114
Cyn-Raphaelyddion, 11, 15
Cynan
  gweler Evans-Jones, Albert
Cysgodion (Manon Rhys), 197–8, 201

'Chwiorydd' (Kate Roberts), 90, 92–3

Dafis, Angharad, 58
Dafydd ap Gwilym, 186–7
'Dai' (J. J. Williams), 99
Daniel, Catherine, 164
Daniel, J. E., 164
Darley, Gillian, 11
'Datod Gwlwm' (Angharad Jones),
  197
Davies, Aneirin Talfan, 2, 43, 149, 152,
  164, 165–6, 173
Davies, Barrett, 164
Davies, D. J., 163
Davies, D. T., 2, 29
Davies, David (Dewi Idloes), 98
Davies, y Parch. David, 29–30
Davies, Dorothy, 97
Davies, E. Tegla, 42, 54, 66
Davies, Idris, 83, 96–118, 158, 163
Davies, J. H., 161
Davies, J. Kitchener, 96, 111

Davies, John (*The Green Bridge*), 94
Davies, John (*Hanes Cymru*), 161
Davies, John (*Ossian Gwent*), 98
Davies, Noelle, 163
Davies, Pennar, 2
Davies, Russell, 60–1
Davies, Rhys, 94
Davies, Timothy (Tim Patch), 99
Davies, W. H., 150
de Beauvoir, Simone, 87–8, 90
de la Mare, Walter, 114
Dearnley, Moira, 200–2
'Deserted Village, The' (Oliver
    Goldsmith), 17
Dew on the Grass (Eiluned Lewis), 84
'Dilyw 1939, Y' (Saunders Lewis), 151,
    156, 157, 158, 159
Dirgel Ddyn (Mihangel Morgan), 5
'Diwedd Awst 1936' (Idris Davies), 106
'Diwedd Cyfnod' (Alun Llywelyn-
    Williams), 142
'Do you remember 1926?' (Idris
    Davies), 83
Dock Leaves, 148, 166, 167
Dolwyddelan, 32
Downside Symposium, 165
Dragon Has Two Tongues, The (Glyn
    Jones), 194
Dreflan, Y (Roger Edwards), 48
Drenewydd, Y, 55
Druid of the Broken Body (Aneirin
    Talfan Davies), 165
Duncan, Isadora, 90
Dyffryn Aman, 99
Dylife, 32

'Ddinas, Y' (T. H. Parry-Williams),
    51–2
'Ddinas Ledrith, Y' (John Morris-
    Jones), 109

'Earth is a Syllable, The' (Alun Lewis),
    131
Edafedd Dyddiau (Beti Hughes), 200,
    201, 202
Edwards, Dorothy, 80–94
Edwards, Hywel Teifi, 45
Edwards, J. M., 7–8, 11, 13, 31
Edwards, Jane, 200
Edwards, O. M., 11, 13, 15, 17–19,
    24–5, 26, 28, 30, 35, 52, 102, 103, 109,
    146
Edwards, Roger, 48

Edwards, T. Charles, 164
Efrydydd, Yr, 31
Egwyddorion Cenedlaetholdeb (Saunders
    Lewis), 146
Eifion Wyn
    gweler Williams, Eliseus
'Eifionydd' (R. Williams Parry), 113
Eirian, Siôn, 66
Eisteddfod Genedlaethol Bae Colwyn
    1910, 25, 112
Eisteddfod Genedlaethol Bangor 1915,
    51
Eisteddfod Genedlaethol Caerfyrddin
    1911, 51
Eisteddfod Genedlaethol Caergybi
    1927, 30
Eisteddfod Genedlaethol Castell-nedd
    1918, 27
Eisteddfod Genedlaethol Cwm
    Rhymni 1990, 96
Eisteddfod Genedlaethol Lerpwl 1900,
    24
Eisteddfod Genedlaethol Machynlleth
    1937, 7
Elfed
    gweler Lewis, Howell Elvet
Elfyn, Menna, 206
Eliot, George, 15
Eliot, T. S., 116
Elis, Islwyn Ffowc, 42, 62
Elis, Meg, 205
Emrys ap Iwan, 21, 145, 146, 155
'Eneidgan' (Menna Elfyn), 206
England is a Village (C. H. Warren), 13
*English Ways. A Walk from the Pennines
    to the Epsom Downs in 1939* (Jack
    Hilton), 13
Enoc Huws (Daniel Owen), 45, 46–7,
    48, 49
Epoch and Artist (David Jones), 165
'Er Cof' (Idris Davies), 105
Evans, Caradoc, 1, 2, 25–6, 28, 29, 32,
    34, 36, 43–5, 47–8, 49, 52, 53–4, 59,
    60–2, 64–5, 66, 68, 82, 84, 94, 146–7,
    155, 156, 163
Evans, Clifford, 165
Evans, David, 30–2
Evans, E. Myfyr, 32, 34
Evans, Ennis, 195–6, 202
Evans, Hugh, 30
Evans, Illtud, 164
Evans, Margiad, 84
Evans, Thomas, 27

Evans-Jones, Albert (Cynan), 52, 108
Eve of Saint John, The (Saunders Lewis), 154, 167

'Feather, The' (Vernon Watkins), 180
Felin-fach, 32
Fielding, Henry, 17
'Flick' (Alun Lewis), 125
Ford Gron, Y, 32, 34
Francis J. O., 2, 29, 37–8

'Ffaith a Dychymyg yng Ngwaith Caradog Prichard' (Menna Baines), 63
Ffenestri Tua'r Gwyll (Islwyn Ffowc Elis), 62
'Ffon Sbwriel' (Euros Bowen), 181

'Gaeaf, Y' (Idris Davies), 103
Gahan, Carmel, 206
Garlick, Raymond, 147, 148, 149, 152, 166, 167
'Garreg Wen, Y' (Ceiriog), 19
George, Delyth, 89, 192
George, Stefan, 184
Gilcriest, Margaret, 153, 154
'Glowr, Y' (Ossian Gwent), 98
Gogarty, O. J. St John, 149
Gogol, Nikolai, 26
Goldsmith, Oliver, 15, 17
'Goodbye' (Alun Lewis), 129
Gorki, Maxim, 26
'Gorweddian ar y Bryn' (Alun Llywelyn-Williams), 121–2, 126–7
Graves, Robert, 128, 130
Greer, Germaine, 87–8
Gregory, Lady, 65–6
Gri Unig, Y (Ennis Evans), 195–6, 202
Griffin, Susan, 192
Griffith, Hugh, 165
Griffiths, Ann, 205–6
Grisewood, Harman, 165
Gruffydd, W. J., 2, 17, 25, 29, 30, 50, 54, 55, 81, 108, 157, 161, 163, 164
Gwalia Deserta (Idris Davies), 105, 106, 114, 116, 117
'Gweithwyr ein Gwlad' (T. Twynog Jeffries), 98–9
'Gwerin Cymru' (Crwys), 51–2
Gwernogle, 32
Gwlad y Gân a Cherddi Eraill (T. Gwynn Jones), 49
Gŵr Pen y Bryn (E. Tegla Davies), 57

Gŵr y Dolau (W. Llewelyn Williams), 25, 36
'Gwrth-Gyrch, Y' (Alun Llywelyn-Williams), 127, 140
Gwyneth of the Welsh Hills (Edith Nepean), 42
'Gwynt, Y' (Kate Roberts), 93
Gŵyr (de), 151

Hanes Cymru (John Davies), 161
Hardy, Thomas, 15, 17
Harman, Richard, 13
Harris, John, 25
Heaney, Seamus, 127–8
Hearts of Gold (Catrin Collier), 204
Heine, Heinrich, 184
Hen Atgofion (W. J. Gruffydd), 25, 30
Hen Dŷ Ffarm (D. J. Williams), 25, 35, 59
'Hen Fenyw Fach' (Idris Davies), 105
Hen Wynebau (D. J. Williams), 25, 30
Hilton, Jack, 13
Hölderlin, Friedrich, 184
Hooker, Jeremy, 2
Housman, A. E., 115
Houston, Donald, 165
How Green Was My Valley (ffilm), 36
How Green Was My Valley (Richard Llewellyn), 84
Howkins, Alun, 11
Hudson, W. H., 12
Hughes, Beti, 200
Hughes, J. Ceiriog, 9, 19, 21, 24, 109
Hughes, Richard, 150
Hughes, T. Rowland, 57–8, 66
Humphreys, E. Morgan, 21, 31
Humphreys, Emyr, 3, 4, 58, 66, 157, 162, 165

'I Was Born in Rhymney' (Idris Davies), 97
I'r Gad (Meg Elis), 205
'Iesu a Chymru' (Idris Davies), 104
Ifans, Ruth Jên, 63
'In Hospital: Poona [1]' (Alun Lewis), 140
In the Land of the Harp and Feathers (Alfred Thomas), 18
Internal Difference (M. Wynn Thomas), 194
Introduction to Anglo-Welsh Literature (Raymond Garlick), 152
Is there an Anglo-Welsh Literature? (Saunders Lewis), 148, 149–52, 167

Iwerddon, 146, 150–1, 153–4, 155, 156, 163, 167

Jeffries, T. Twynog, 98
Jenkins, Islwyn, 96
Jenkins, R. T., 55, 157
'John Henry', 25
Johnston, Dafydd, 66
Jones, Angharad, 191–2, 197
Jones, Bobi, 2, 59, 168
Jones, Dafydd Glyn, 65, 141–2
Jones, David, 153, 164, 165
Jones, Fred, 99
Jones, Glyn, 94, 100, 148, 150, 153, 157, 158–61, 163, 170, 194
Jones, Gwenallt, 39, 96, 110–11, 113, 115, 116–17, 166, 173
Jones, Gwyn, 4, 82–3, 148–9, 155, 157, 158, 161, 162–3, 167
Jones, Idwal, 29, 39
Jones, Jack, 157, 158, 163
Jones, John Gwilym, 45, 67
Jones, Lewis, 4
Jones, P. Mansell, 164
Jones, Percy Ogwen, 32
Jones, R. Gerallt, 4
Jones, Simon B, 7, 10
Jones, T. Gwynn, 2, 4, 7, 10, 49, 50, 108, 146, 153, 170
Jones, T. Harri, 5
Joyce, James, 88, 170
'Jungle, The' (Alun Lewis), 134, 137–40

Keats, John, 113, 115, 166

La Primaute du Spirituel (Maritain), 162
'Lake Isle of Innisfree' (W. B. Yeats), 106
Land is Yours, The (C. H. Warren), 12
Lark Rise to Candleford (Flora Thompson), 13
Last Days of Dolwyn, The, 36
Last Inspection, The (Alun Lewis), 125
Leavis, F. R., 13
Letters From India (Alun Lewis), 129
Lewis, Alun, 120–35, 137–43
Lewis, Eluned, 84
Lewis, Gwenno, 130
Lewis, Howell Elvet (Elfed), 108
Lewis, Saunders, 2, 3, 4, 42, 53, 54, 55–7, 58, 66, 81, 86, 87, 89–90, 115, 145–6, 147–68, 173
'Like Oranges' (Penny Windsor), 198

Little Village. A Welsh Farce in Three Acts (J. O. Francis), 37–8
Lloyd, D. Tecwyn, 1, 42–3, 47–8
Lloyd, D. Trefor, 34
Lodes Fach Neis (Carmel Gahan), 206
Lôn Wen, Y (Kate Roberts), 59
Looters (Robert Minhinnick), 5

Llanafan Fawr, 32
Llanbedr (Meirionnydd), 32
Llandderfel, 32
Llan-gain, 37
Llangower, 32
Llangurig, 32
Llangwyryfon, 32
Llanrhaeadr-ym-Mochnant, 32
Llanrhystud, 9, 34
Llanuwchllyn, 17, 18–19
Llaregyb, 36, 39
Lledrod, 32, 34
Llenor, Y, 30
Llenyddiaeth Gymraeg 1936–1972 (Bobi Jones gol.), 59
Llewellyn, Richard, 84, 153
Llewellyn-Williams, Hilary, 192, 199–200
Llwyd, Alan, 3
Llywelyn-Williams, Alun, 3, 24, 25, 53, 120–2, 124, 126–30, 132, 134–6, 138, 140–3

'Mab y Bwythyn' (Cynan), 52
Mabinogi, Y, 190–4, 195
Macherey, Pierre, 82
'Mae'n Gymro Byth' (Ceiriog), 19
Maesyfed, 147, 151
'Mahratta Ghats, The' (Alun Lewis), 134
Mallarmé, Stéphane, 175–6
Mansfield, Katherine, 83
'Marmor Carrara' (Euros Bowen), 186
'Marx and Heine and Dowlais' (Idris Davies), 114
Massingham, H. J., 12, 13
Medea, 167
Menai, Huw, 158
menywod, llên, 190–208
'Merch y Rheithor' (Idris Davies), 104
'Merthyr' (Glyn Jones), 159, 160
Merthyr Express, 100, 101, 102, 105, 107
'Metamorffosis' (Euros Bowen), 181
'Mewn Dau Gae' (Waldo Williams), 60
Millward, E. G., 48, 52

Minhinnick, Robert, 5, 42
Mitford, Mary Russell, 17
Modern Short Story, The (H. E. Bates), 93–4
Monica (Saunders Lewis), 54–7, 62, 89–90, 156, 158
Morgan, Derec Llwyd, 87, 92
Morgan, Elin Llwyd, 193
Morgan, J. Hubert, 55
Morgan, Mihangel, 5
Morris, William, 11, 15, 158
Morris-Jones, John, 114
'Mountain Over Aberdare, The' (Alun Lewis), 121, 122–4, 131, 138
'Music of Colours: Dragonfoil and the Furnace of Colours' (Vernon Watkin), 182
'Music of Colours: White Blossom' (Vernon Watkins) 178
My Neighbours (Caradoc Evans), 53
My People (Caradoc Evans), 25, 32, 36, 39, 43, 45, 47, 48, 52, 60, 61–2, 66, 147, 153, 156

'Nadolig Cyntaf Heddwch' (Alun Llywelyn-Williams), 141
Nantlais
   gweler Williams, William Nantlais
Natural Order, The (H. J. Massingham gol.), 12
'Neffertiti' (Euros Bowen), 182
Nepean, Edith, 42
Nicholas, T. E., 50–1, 52–3, 109–10, 116
Nineteen Eighty-Four (George Orwell), 62
Norris, Leslie, 4, 5
Novalis
   gweler von Hardenberg, Friedrich

O Gors y Bryniau (Kate Roberts), 80, 86–7
O'Toole, Peter, 165
'Ode at the Spring Equinox' (Vernon Watkins), 181
'Ofn' (Menna Elfyn), 206
Old Country, The (Ernest Rhys gol.), 12
'On The Welsh Mountains' (Alun Lewis), 123–4
'Orange Grove, The' (Alun Lewis), 133, 138
Ormond, John, 4, 5, 158
Orwell, George, 62
Our Village (Mary Russell Mitford), 17

Owen Morgan Edwards. Cofiant (W. J. Gruffydd), 17
Owen, Daniel, 21, 42, 45–9, 65, 66, 158, 163

'Pa Beth yw Dyn?' (Waldo Williams), 67
'Paham y Gorfu'r Undebwyr' (Emrys ap Iwan), 145
Paradise Lost (Christopher Wood), 22, 24
Parry, R. Williams, 3, 105, 108, 112–16, 117, 166
Parry, Thomas, 56, 154
Parry-Williams, T. H., 51–2, 115
Peate, Iorwerth, 55
Penfro (de), 147, 149, 151
Penguin Book of Welsh Verse, The (Tony Conran), 4
Pentre Gwyn, Y (Anthropos), 19–21, 22
'Pentref, Y' (J. M. Edwards), 7–8, 10, 11, 31, 34–5
'Pentrefi Cymru' (J. M. Edwards), 7
'Pibau Pan' (Alun Llywelyn-Williams), 135, 142
Piers Plowman (Langland), 15
Pikoulis, John, 141
Playboy of the Western World (Synge), 167
'Pledges to darkness' (Vernon Watkins), 182–3
'Pobl y Pentref' (John Henry), 25
Pobl yr Ymylon (Idwal Jones), 29
Poems From The Forces (Keidrich Rhys), 123
Poetry Wales, 151
Poison Pen, The (Richard Llewellyn), 153
'Pont y Caniedydd' (Alun Llywelyn-Williams), 142–3
Ponterwyd, 32
Porthaethwy, 32
Powell, S. M., 32
'Preseli' (Waldo Williams), 60
'Present State of Welsh Drama' (Saunders Lewis), 148
'Preservation of Rural Wales, The' (Robert Richards), 30
Prichard, Caradog, 63, 64–5, 68, 157, 163
'Pro Patria!' (T. Gwynn Jones), 50, 52
Pruddiaith (Ennis Evans), 196
Prys-Jones, A. G., 147, 155

Thomas, H. Elwyn, 18
Thomas, John, y ffotograffydd, 15
Thomas, M. Wynn, 120, 128, 194
Thomas, Ned, 3
Thomas, R. S., 2, 4, 157
Thomas, Sheelagh, 196–7
Thomas, Thomas Jacob (Sarnicol), 100–1
Thompson, Denys, 13
Thompson, Flora, 13
Thorndike, Sybil, 167
'Three Political-Prayer Makers of the Island of Britain' (Gwyn Jones), 149
'Three-Wales Model, The' (Dennis Balsom), 194
Times Literary Supplement, 152, 167
Tomos, Angharad, 205–6
Traed Mewn Cyffion (Kate Roberts), 57, 58–9, 67
Trafod Cerddi (Euros Bowen), 171, 173–4
Tre-fin, 32
Trefforest, 29–30
Tro'r Haul Arno (Menna Elfyn), 206
Tynged yr Iaith (Saunders Lewis), 146
Tywyll Heno (Kate Roberts), 67, 68

Un Nos Ola Leuad (Caradog Prichard), 43, 63–5, 66, 163
Under Milk Wood (Dylan Thomas), 35, 38–9, 154

Vaughan, Henry, 147
Village, The (George Crabbe), 17
von Hardenberg, Friedrich (Novalis), 184–5

Wales (Keidrich Rhys), 4, 84, 148
Wales (O. M. Edwards), 13, 15, 18, 146
Warren, C. H., 12, 13
Watkins, Vernon, 170–3, 176–85, 187–8
Watts-Dunton, Theodore, 150
Waunysgor, 32
Webb, Harri, 147
Welsh Outlook, 147, 148
Welsh Poets (A. G. Prys-Jones), 147, 153

Welsh Review, The, 4, 148, 162
Where Eden's Tongue Is Spoken Still (H. Elwyn Thomas), 18
Where Man Belongs (H. J. Massingham), 13
Whiting, Margaret, 165
Wiliams, Gerwyn, 2
Williams, D. J., 25, 30, 35–6, 44, 59–60, 67, 149, 156, 158
Williams, Edward, 97
Williams, Eliseus, 24, 51, 52, 108
Williams, Emlyn, 165
Williams, G. J., 164
Williams, Gwyn, 4
Williams, Gwyn A., 157
Williams, Gwynne, 170
Williams, H. Parry, 25
Williams, Ioan, 46
Williams, J. J., 99
Williams, Morris, 55, 86
Williams, Raymond, 15, 17, 38
Williams, W. Crwys, 51, 52, 108
Williams, W. Llewelyn, 25, 28, 29, 35–6
Williams, Waldo, 3, 60, 67, 111
Williams, William Nantlais, 35
Wilson, Edmund, 170, 187, 188
Windsor, Penny, 198, 199
Wlad: Ei Bywyd, Ei Haddysg A'i Chrefydd, Y (David Evans), 30–2
Wood, Christopher, 22, 24
Woolf, Virginia, 82, 87, 92
Wordsworth, William, 100, 115

Yeats, W. B., 106, 113, 149, 153, 154, 155, 157, 164, 170, 183
'Ym Merlin – Awst 1945' (Alun Llywelyn-Williams), 132, 134–6, 137
Yma o Hyd (Angharad Tomos), 205–6
'Ymadawiad Arthur' (T. Gwynn Jones), 49
'Yn yr Hofel' (T. E. Nicholas), 50
Ystalyfera, 32

Zola, Émile, 26
'Zombodoli' (Elin Llwyd Morgan), 193